JN093328

ゴアグラインド・ガイドブック

Goregrind Guidebook

田上智之

PUBLIB

まえがき

1980年代後半、スラッシュメタルに「死」のテーマを持ち込み、よりおどろおどろしく危険な音楽性をもたらしたデスメタルが誕生した。同じく1980年代後半、ハードコアパンクにさらなるスピード感と過激なテーマや世界観を付け加えたグラインドコアが誕生した。そして1988年、イギリスのバンドCarcassがデスメタルとグラインドコア両者の要素を掛け合わせた作品『Reek of Putrefaction』を発売し、その音楽性は後に「ゴアグラインド」と呼ばれるようになった。

ゴアグラインドはデスメタル影響下の**極端にチューニングを下げ**、時にはほとんどノイズと化したギターやベースと、グラインドコア影響下のブラストビートなどを多用したスピード感あふれるドラムによって主に形成される。特に**ブラストビートの速さは重視**されることが多く、速いブラストビートを奏でられるドラマーはカリスマ的存在になっている。**ヴォーカルはピッチシフター**と呼ばれる音程を変化させるエフェクターを使用し、低く唸るようなデスボイスをさらに低くしてより邪悪で危険度の高い声に仕立て上げていることが多い。ピッチシフターを使った歌唱法には声の出し方を工夫したり、また新たなエフェクターを使用したりして、まるでうがいをするときのようなゴボゴボとした声を出す通称「下水道ヴォーカル」「溺死ヴォーカル」といったものもある。またピッチシフターを使わず素の声でより邪悪なデスボイスを出すバンドも多く、「ノンエフェクトヴォーカル」が売り文句の一つになることもある。バンドの数も多いがワンマンプロジェクトが多いのもこのジャンルの特徴である。ドラムマシンやPCの音楽ソフトで打ち込みドラムを作っているプロジェクトがほとんどで、その際人力離れしたとてつもない速さのブラストビートを取り入れることが多い。

ゴアグラインドには多くのサブジャンルも存在する。ひたすら続く高速ブラストビートにノイズのようなギターが乗るスタイルを発展させ、意図的な音割れを発生させるなどノイジーなプロダクションが特徴的な楽曲は**「ゴアノイズ」**と呼ばれている。一方でゆったりとした8ビートなどを多用したスローテンポなゴアグラインドをプレイするバンドもおり、それらは**「グルーヴィー・ゴアグラインド」「モッシュゴア」**と呼ばれている。**「グルーヴィー・ゴアグラインド」**はリズミカルで「踊れる」パートも多く、またコスプレ等を身に着けて演奏するバンドもおり、それらは**「パーティーゴア」**とも呼ばれている。他にも打ち込みドラムを用いたゴアグラインドに、シンセサウンドや8ビットサウンドなどエレクトロ要素を組み込んだスタイルは**「エレクトロゴア」**や**「サイバーゴア」**と呼ばれている。

ゴアグラインドの世界観はデスメタル影響下の「死」や「死体」に関するものが多い。しかし元祖Carcassに始まる医療系に始まりB級ホラー/スプラッター映画、ポルノや下ネタ、殺人鬼についてなどのエクストリームなものから食べ物、アニメ、実在する人物など非常に自由度が高く何でもテーマになりうる。その世界観は楽曲だけでなくジャケットやタイトル、ロゴなどの視覚的なものにも容赦なく表れており、**「死体ジャケット」**や**「ポルノジャケット」**など露骨な表現が多いのも特徴的である。ポルノをテーマにした**「ポルノゴア」**や医療をテーマにした**「パソロジカルゴア」**など、バンド数の多さからサブジャンルとして確立している世界観もある。

本書にて紹介しているバンドは上記の特徴を踏まえた上で筆者が「ゴアグラインドである」と判断したバンドである。先人的ジャンルである「デスメタル」「グラインドコア」や隣接ジャンルである「ブルータルデスメタル」との区別はなかなか難しいが、主にピッチシフター・ヴォーカルの有無や楽曲の構成など様々な側面から判断し、他ジャンルの要素が強いバンドは掲載を見送った。ゴアグラインドよりもブルータルデスメタル要素が強いバンドに関しては、パブリブが既に刊行している『ブルータルデスメタルガイドブック』に数多く載っているので、そちらを参考にして頂きたい。

またゴアグラインドと混同されやすいのが、「グラインドコア自体のサブジャンル」である。純粋なグラインドコアやノイズグラインド、サイバーグラインド、デスグラインド、グラインドロックなどはグラインドコア直下のサブジャンルであるため、本書では取り扱っていない。また「ゴアノイズ」「サイバーゴア」など一部のサブジャンルのバンドはノイズ、エレクトロなど他ジャンルと親和性の高いものも多いため、本書で紹介しているのはあくまでゴアグラインドらしく、また重要な音源のみにとどめている。

ゴアグラインドがその過激なジャケットのインパクト等によって知名度が上がってしまい、近年では「グラインドコア」そのものと混同されてしまっているのも見受けられる。グラインドコア直下のサブジャンルも、今後の『世界過激音楽』のテーマとして出版される可能性があるので、それらを参考にしていただきたい。

例外として厳密にはゴアグラインドではないがゴアグラインドというジャンルに大きな影響を与えたバンドや、世界観やテーマにおいてゴアグラインドとの共通点が強く感じられるバンドについてはいくつか紹介した。またゴアグラインドは20年以上の歴史を誇るジャンルなので、バンド数は多く深く掘れば掘るほど様々なバンドが見つかる。しかし、オールカラーによるページ数の制約により、紹介できるバンドや音源については限界が生じている。よって、あまりにもローファイなバンド、少数製作やカセットのみのリリースなどにより音源が手に入りづらいバンド、デモ音源しか発表していないバンドなどは割愛した。ゴアグラインドを聴いてまだ日が浅い人からある程度ジャンルのことを知っている人まで、今後ゴアグラインドを聴いていく上で本書の内容を役立てていただけたら恐悦至極である。

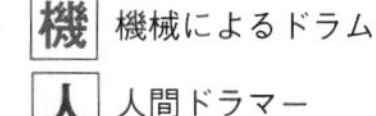
アイコンの意味
関連バンド
活動期間
出身地
主要メンバー
機 機械によるドラム
人 人間ドラマー

レーベル解説

ゴアグラインドにおいて作品を発表する手段は自費出版が一般的でもあるが、ゴアグラインドを扱うレーベルの数も多い。デスメタル、グラインドをメインとするレーベルから、ゴアグラインド専門のレーベルまで世界各国に存在している。20年以上の長い歴史を持つレーベルも多く、特にインターネットが普及する前は自国のバンドの名を世界に広げるためのとても重要な役割を担っていた。現在はデジタルフォーマットを主とするレーベルが台頭するなど活動形態も様変わりしていき、様々なレーベルを通してより多くのバンドや音源に出会うことができる非常に便利な時代になった。

Alarma Records

オーナー：Joel Morales　国：メキシコ　営業年：1993

主要バンド：Visceral Grinder、Paracoccidioidomicosisproctitissarcomucosis

1993年設立、メキシコのレーベル。同年に設立されたデスメタルレーベル American Line Prods のサブレーベルで、ゴアグラインドをメインに取り扱っている。レーベル名はメキシコでかつて出版されていた死体写真などが掲載されたアングラ雑誌『Alarma!』から取られている。Visceral Grinder や Gore and Carnage、Paracocci... などの現地メキシコのバンドの作品を多く手がけており、また世界各国のサイバーゴアグラインドバンドを集めたコンピレーションアルバムや Last Days of Humanity のトリビュートアルバムなどもリリースしている。

Bizarre Leprous Production

オーナー：Roman Poláček　国：チェコ　営業年：1996

主要バンド：Jig-Ai

1996年設立、チェコのレーベル。単独作、スプリットからコレクションアルバムまで幅広くリリースしている。主に Jig-Ai、Gutalax、Destructive Explosion of Anal Garland 等のチェコ出身ゴアグラインド / グラインドコアバンドを手がけているほか、Rompeprop、Stoma 等ゴアグラインドにおいて外すことのできない名盤アルバムもリリースしている。また Go-Zen、Butcher ABC、Catasexual Urge Motivation など日本のバンドのリリースにも数多く携わっている。2010年以降はデビューアルバムをリリースすることも多く、幅広く支持される見込みのあるバンドを発掘する力にも長けているレーベルと言える。

Black Hole Productions

オーナー：Fernando Camacho　国：ブラジル　営業年：2000

主要バンド：Lymphatic Phlegm、Flesh Grinder

2000年設立、ブラジルのレーベル。ジャケットのレイアウトデザイナーとしても活動している Fernando Camacho によって設立された。Lymphatic Phlegm、Flesh Grinder などの現地ブラジルのバンドの作品を多くリリースしている。またその他にも S.M.E.S.、Pharmacist のアルバムや、2002年には Last Days of Humanity、Oxidised Razor、Butcher ABC、Rompeprop 等の多くのバンドが世界各国から参加したコンピレーションアルバム『Goreland』をリリースしている。

Bones Brigade

オーナー：Nicolas Foubert　国：フランス　営業年：1998

主要バンド：Last Days of Humanity

1998年設立、フランスのレーベル。オーナーの Nicolas はグラインドコアバンド Running Guts にも参加している。Last Days of Humanity の 1st ～ 3rd アルバム、ミニアルバムの4作品が特に有名なリリース作品で（1st アルバムはレーベルの一番最初の作品）、ゴアグラインドではこの他に Gronibard や Inhume、Sublime Cadaveric Decomposition 等も手がけている。2010年以降のリリースはグラインドコアの作品がほとんどを占めており、また中には日本の Coffins 等のデスメタルを手掛けることもある。

Coyote Records

オーナー：Rafael Perez　国：ロシア　営業年：2003

主要バンド：Anal Grind

2003 年設立、ロシアのレーベル。ブルータルデスメタルの作品を多くリリースするレーベルとしても知られているが、ゴアグラインドの作品も定期的に発表されている。特に Anal Grind や Purulent Jacuzzi などの現地バンドの作品を中心に SpermBloodShit、Demented Retarded 等のアルバムのほとんどを手がけ、また設立初期にはポルノゴアやサイバーゴアに焦点を当てたスプリットを複数枚リリースしている。また 2007 年からは現地ロシアにて世界各国からバンドが 15 ～ 20 組参加する「Coyote Brutal Fest」を主催している。

Diablos Records

オーナー：Aaron F. Silva　国：メキシコ　営業年：2000

主要バンド：Oxidised Razor

2000 年設立、メキシコのレーベル。Oxidised Razor の Aaron によって設立された。Oxidised Razor が参加するスプリットや自身のプロジェクトである Red Hot Piggys Pussys 関連の作品を中心に、Vulgaroyal Bloodhill が参加したスプリットや Gut のトリビュートアルバムなど主にグルーヴィー・ゴアグラインド系の作品をリリースしている。一方で初期には日本の女性ブラックメタルバンド Gallhammer のアルバムを手掛けたり、2020 年以降は Anti Cimex、Sore Throat 等のクラスト、ノイズコア系のコレクションアルバムをリリースしている。

Eclectic Productions

オーナー：不明　国：ウクライナ　営業年：不明

主要バンド：Neuro-Visceral Exhumation

1997 年から活動を開始しているウクライナのレーベル。2016 年にはスラッシュメタルに焦点を当てたサブレーベル「POIZON Records」が設立されている。ブルータルデスメタルバンド Datura や Necrocannibalistic Vomitorium、Ebanath 等の現地バンドに加え、Carnal Diafragma、Orifice、2 Minuta Dreka 等のグルーヴィー系や Neuro-Visceral Exhumation の初期アルバムの再発等も手がけている。ゴアグラインド以外の作品はグラインドコアやブルータルデスメタルが大半を占めている。

Gore Cannibal Records

オーナー：Leonardo Villaseñor　国：メキシコ　営業年：不明

主要バンド：Visceral Grinder、Pigto

2008 年から活動を開始しているメキシコのレーベル。Visceral Grinder、Pigto、Matanza 等のアルバムや現地メキシコのバンドを 4 組集めたスプリット『4 States of Grind』シリーズ、Disgorge、Haemorrhage 等のトリビュートアルバム、Tu Carne、Anal Grind 等に焦点が当てられたコレクションアルバム『Goreography』シリーズなどバラエティに富んだリリースが特徴的である。ゴアグラインド以外にもデスメタル、グラインドコア関連の作品が度々リリースされている。また作品を通して多くの現地バンドのデビューを担っている。

Half-Life Records

HALF-LIFE RECORDS

オーナー：John W. Lee　国：アメリカ　営業年：1996

主要バンド：2 Minuta Dreka、Oxidised Razor

1996 年設立、カリフォルニア州ロサンゼルスを拠点とするレーベル。かつてグラインドコアバンドに在籍し、ジャケットのレイアウト作成も手がける John W. Lee によるレーベル。2002 年にはグラインドコアバンド Nausea の作品を主にリリースするサブレーベル Collapsed Unity Records が設立された。グラインドコアを中心にデスメタル、ゴアグラインドと幅広く取り扱っており、特に有名な作品は 2 Minuta Dreka の 1st アルバムなど。また Disgorge、Oxidised Razor などのメキシコのバンドが出演した Masacre Fest の DVD などもリリースしている。

Ill Faith Records

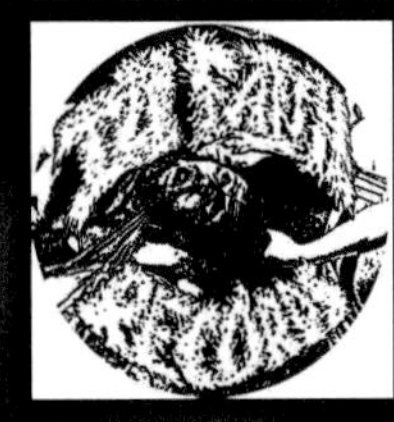

オーナー：Brandon Denetsosie　国：アメリカ　営業年：2016

主要バンド：Haggus、Oniku

2016 年設立、アリゾナ州フェニックスを拠点とするレーベル。ゴアノイズバンド Duodenal Junk 等に在籍していた Brandon Denetsosie によるレーベル。カセットテープによるスプリット作品を主にリリースしている。ゴアグラインドを中心にグラインドコア、ノイズ等も取り扱っており、複数回のリリースを経験しているバンドは Haggus、Pulmonary Fibrosis、Gangrene Discharge、Oniku など。非常に活動的なレーベルで 2017 年には 100 枚近い作品が発表されていたが、2021 年に Brandon が亡くなったことで現在は事実上の閉鎖状態となっている。

Last House on the Right

オーナー：Bill Yurkiewicz　国：アメリカ　営業年：2003

主要バンド：Faeces Eruption、Mortuary Hacking Session

2003 年設立、アメリカはペンシルバニアを拠点としたレーベル。Relapse Records にも携わっていた Bill Yurkiewicz により設立された。ゴアグラインドを中心にグラインドコアの作品もいくつかリリースしている。Anal Penetration や Tumour、S.M.E.S. など全体的に打ち込みドラムを導入したバンド、プロジェクトの作品が多いが、Gut や Pulmonary Fibrosis 等の生ドラムのバンドのリリースも数点手がけている。2010 年まで作品をリリースしていたが現在は活動しておらず、発売が予告されたものの結局実現されなかった作品がいくつか存在する。

Lymphatic Sexual Orgy Records

オーナー：Jose Herrera　国：メキシコ　営業年：不明

主要バンド：Hipermenorrea、Gruesome Bodyparts Autopsy

2014 年から活動を開始しているメキシコのレーベル。Hipermenorrea にも在籍する Jose Herrera により設立された。2016 年以降特に活発に活動しており、また音源以外にもグッズ制作なども手がけている。初期は地元メキシコのゴアグラインドバンドの作品をメインに取り扱っており、Hipermenorrea、Septic Autopsy、Fecalizer などの作品をリリースしている。後年は Last Days of Humanity のデモ音源の再発やコレクションアルバムのリリース、また各国からバンドを集めたコンピレーションの企画などさらに手広い活動が窺える。

Meat 5000 Records

オーナー：不明　国：フランス　営業年：2001

主要バンド：Gruesome Stuff Relish、Intestinal Disgorge

2001 年設立、フランスのレーベル。2009 年から 2016 年の間はレーベル活動を休止していた。設立当初には Gronibard、Blue Holocaust 等の現地バンドが多く参加したコンピレーションアルバムをリリースしている。以降はブルータルデスメタル、グラインドコアを主軸に置き、ゴアグラインドでは Gruesome Stuff Relish や Intestinal Disgorge のアルバムなどをリリースしている。また 2020 年以降には Last Days of Humanity や Meat Shits の初期音源やデモテープ、レア音源などを CD にて再発している。

Morbid Records

オーナー：不明　国：ドイツ　営業年：1990

主要バンド：Haemorrhage、Dead Infection

1990 年設立、ドイツのレーベル。デスメタル、グラインドコアをメインに手掛ける Cudgel のサブレーベルとして設立された。Necrony 等をリリースしていたベルリンのレーベル Poserslaughter Records と 1999 年に合併している。こちらもデスメタル、グラインドコアを中心に Dead Infection、Haemorrhage の 1st アルバムや Mucupurulent、Cock and Ball Torture のアルバムなどゴアグラインドの作品もリリースしている。1995 年頃から 2000 年初頭まで特に活発的に作品をリリースしていたが、2007 年以降はほとんど作品が発表されていない。

Obscene Productions

オーナー：Miloslav Urbanec　国：チェコ　営業年：1995

主要バンド：Squash Bowels

1995年設立、チェコのレーベル。チェコの音楽フェス「Obscene Extreme」の運営元としても知られている。ヨーロッパ出身のデスメタル、グラインドコアバンドの作品を中心に手がけており、ゴアグラインドにおいてはSquash Bowelsの初期アルバムやDead Infectionのコレクションアルバム、また設立当初にはCatasexual Urge Motivationのスプリットカセットなどもリリースしている。2015年以降はObscene Extremeのコンピレーションアルバムをリリースするのみで、バンド単独の新譜などはしばらく発表されていない。

Obliteration Records

オーナー：Narutoshi Sekine　国：日本　営業年：1992

主要バンド：Butcher ABC、Dead Infection

1992年設立、日本のレーベル。Butcher ABC等に在籍しているNarutoshiにより設立された。デスメタルを中心にグラインドコア、ブラックメタル等幅広くリリースしているがゴアグラインドの作品も定期的にリリースしており、Dead Infection、Oxidised Razorのアルバム等をリリースしている。また自身が所属するButcher ABCを始めViscera Infest、Anal Volcanoなど国内バンドのリリースにも明るい。レーベルが運営する「はるまげ堂」は国内屈指のエクストリーム音楽ショップ、通販サイトとして広く知られている。

Parkinson Wankfist Pleasures

オーナー：Gilles de Fruyt　国：ベルギー　営業年：不明

主要バンド：Intestinal Disgorge、Sperm Overdose

2007年から2010年まで作品をリリースしていたベルギーのレーベル。オーナーのGillesはAbosranie Bogom等に在籍していた。世界各国から総勢100組のバンド、プロジェクトを集めたコンピレーションアルバム『100 Way Splatter Fetish』シリーズが特に有名なリリースである。その他にはスプリットを中心にSmallpox Aroma、Intestinal Disgorge等の作品も手がけている。CDRによる少数限定の音源がほとんどであり、現在はほとんどの作品が入手困難となっている。また携わっていたバンドも短期間のみ活動していたバンドが多い。

Razorback Records

オーナー：Billy Nocera　国：アメリカ　営業年：1998

主要バンド：Catasexual Urge Motivation、Gruesome Stuff Relish

1998年設立、アメリカはケンタッキー州を拠点としたレーベル。Nut Screamer、Traci Lords Loves NoiseなどのノイズグラインドバンドでBilly Noceraと妻のVanessaが運営するレーベル。初期のリリースにはCatasexual Urge Motivation、Gruesome Stuff Relish、Lord Gore、The County Medical Examinersの1stアルバムなどゴアグラインドにおいて非常に重要な作品が多い。現在はオールドスクールなデスメタルを中心にリリースを続けている。

Rectal Purulence

オーナー：不明　国：メキシコ　営業年：2015

主要バンド：Golem of Gore、Fluids、Fetal Deformity

2015年設立、メキシコのレーベル。2010年代後半から2020年にかけて非常に多くの作品をリリースし、また多くのニューフェイスを発掘していったレーベルである。2019年には世界各国のゴアグラインド、ゴアノイズバンドを80組以上集めた2枚組コンピレーションアルバム『Only for Gorefreaks Compilation』をリリースしており、その他にもGolem of Gore、Pharmacist、Yakisoba、Putrid Stu、Fluids、Fetal Deformityなど2010年代後半から特に人気を博していたバンドのリリースを多く手がけている。

Regurgitated Stoma Stew Productions

オーナー：Bobby Maggard　国：アメリカ　営業年：2009
主要バンド：Gangrene Discharge

2009年設立、アメリカはアーカンソー州を拠点としたレーベル。Gangrene Discharge等多くのプロジェクトを運営しているBobby Maggardによるレーベル。リリースしている作品のほとんどがBobbyによるゴアグラインド、ゴアノイズ、グラインドコア、ノイズプロジェクトが携わっているスプリットや単独作品となっている。CDRやカセットを中心に現在まで800近い作品をリリースしており、また他バンドの音源やTシャツのディストロも行っている。断片的な活動ながらリリース数からもわかるようにトップレベルに活発なレーベルで、一部にはカルト的な人気を博している。

Old Grindered Days Records

オーナー：Glésio Torres　国：ブラジル　営業年：2010
主要バンド：Sebum Excess Production

2010年設立、ブラジルのレーベル。Sebum Excess Productionに在籍するGlésioにより設立された。設立当初は自身のノイズプロジェクトを含むグラインドコア、ノイズコア系統の作品がほとんどであったが、2012年以降ゴアグラインドのリリースが増えていく。主にスプリットやコレクションアルバムが多く、また3インチの小型CDR等も多くリリースしている。自身の所属するSebum Excess Productionやサイドプロジェクトをメインに Vômito等のブラジル出身バンドの作品も多くリリースしている。またYakisoba等2010年代後半に話題になったバンドも多い。

Relapse Records

オーナー：Matthew F. Jacobson　国：アメリカ　営業年：1990
主要バンド：Exhumed

1990年設立、アメリカはペンシルバニアを拠点としたレーベル。90年代初頭から現在まで活動を続ける大御所レーベルのうちの一つで、Suffocation、Anal Cunt、Amorphis等を始めとするデスメタル、グラインドコア、ドゥームメタルにおいて非常に重要な作品を数多くリリースしている。ゴアグラインドにおいてもGeneral Surgery、Exhumed、Regurgitateや日本のGore Beyond Necropsy等のデビュー作を含む非常に重要な立ち位置の作品を多くリリースしている。現在ゴアグラインドバンドの新譜は減っているが、デスメタルを中心にリリースを続けている。

Rottenpyosis Records

オーナー：Derek Lin　国：台湾　営業年：2003
主要バンド：Rampancy

2003年設立、台湾のレーベル。デスグラインドバンドBrain CorrosionやHagamotoとのユニットFake Meat等でも活動するDerekことCheng-Hong Linによるレーベル。Rampancy、Enema Torture、Fetus Slicer等の現地バンドに加え、Spermswamp、Maggut、Kots、Oxidised Razor等の幅広いスタイルのスプリットやGruesome Stuff Relish、Fecalizer等のアルバムなどをリリースしている。またサブレーベルのSewer Rat Recordsではデスメタルの作品を手がけている。

Rotten Roll Rex

オーナー：Marco Kunz　国：ドイツ　営業年：2006
主要バンド：Spasm

2006年設立、ドイツのレーベル。オーナーのMarcoはTourette Syndromのメンバーでもある。ゴアグラインドを中心にブルータルデスメタルやグラインドコアなどの作品も手がけており、特にSpasmやMucupurulent、Serrabulho、Ultimo Mondo Cannibaleなどのグルーヴィーなゴアグラインドバンドの作品を多くリリースしている。日本のバンドではVulgaroyal Bloodhillが1stアルバムがこのレーベルからリリースされている。2020年以降はパズル、靴下、水着等ユニークな特典が封入されたボックスセットをリリースすることもある。

Chapter1

Europe

ゴアグラインドの始祖 Carcass はイギリスで生まれた。しかし同郷のバンドは少なく、シーンと呼べるものも形成されていないながらも世界的に活躍するバンドやレーベルなども存在している。デスメタルの聖地とも言われるスウェーデンは Carcass フォロワーの第一人者 General Surgery や後年の多くのバンドに大きな影響を与えた Regurgitate の出身地でもあり、ゴアグラインドにおいても重要な土地といえる。オランダには特に 2000 年以降のバンドに影響を与えた Last Days of Humanity や Rompeprop 等がおり、バンド間のつながりも強く、大型フェスも開催されるなどゴアグラインドにおいて特に活発なシーンの一つになっている。ドイツはポルノゴアの元祖的存在である Gut、またそのフォロワーである Mucupurulent、Cock and Ball Torture の出身地であり、特に Gut 影響下のポルノゴアバンドが多く「ジャーマンゴア」と呼ばれるサブジャンルを生み出すほど非常に大きなシーンを築き上げている。フランスには多岐に渡るスタイルのバンドが存在しており Gronibard を始めとするポルノゴアや Pulmonary Fibrosis などのハイスピードなグラインドコア系統、Putrid Offal を始めとするオールドスクールなデスグラインド系バンドなどが混在した非常にバラエティに富んだシーンが形成されている。スペインには Haemorrhage を筆頭に Gruesome Stuff Relish、Tu Carne などオールドスクールなデスメタル、グラインドコア両方の影響を受け継いだバンドが多く存在しているのが特徴的である。ポルトガルはドイツ同様ポルノゴアのバンドが多く、またイタリアはフランス同様様々なスタイルのバンドが入り混じっている。チェコは特にグラインドコアが盛んな国であり、巨大なレーベルやフェスも存在することから特に大きなシーンを形成しており、Jig-Ai を始めとするカリスマ的存在のゴアグラインドバンドも多数存在している。ポーランドは Dead Infection、Squash Bowels といった二大巨頭バンドが存在することで有名な土地でもあり、またロシアは活発的なレーベルが多数存在しており、現地バンドを世界へと多く輩出している。

「リヴァプールの残虐王」と称されるゴアグラインドの元祖

Carcass

◎ Arch Enemy / Carnage / Napalm Death / Electro Hippies
◔ 1986 ～ 1996　2007 ～現在　　🌐 イングランド　マージーサイド州リヴァプール
◉ (Ba, Vo) Jeff Walker / (Gt, Vo) Bill Steer / (Dr) Daniel Wilding
ex. (Vo) Sanjiv Sumner / (Gt) Michael Amott / (Dr, Vo) Ken Owen / (Gt) Carlo Regadas

1986 年結成。1985 年に結成された前身バンド Disattack のギタリストで、一時期 Napalm Death にも在籍していた Bill Steer により結成された。後に友人の Ken Owen やハードコアバンド Electro Hippies に在籍していた Jeff Walker が加入し、現在のバンド名となる。1987 年にデモ音源『Flesh Ripping Sonic Torment』を発表。この音源のみ Sanjiv がヴォーカルを担当している。またこの音源がきっかけで Earache Records と契約し、1988 年に 1st アルバム『Reek of Putrefaction』、また翌年には 2nd アルバム『Symphonies of Sickness』が同レーベルからリリースされている。1990 年にはデスメタルバンド Carnage に在籍していた Michael Amott が加入し、4 人編成となる。翌年には 3rd アルバム『Necroticism - Descanting the Insalubrious』をリリースしている。しかし Michael 加入後はよりデスメタルの要素がさらに強まることとなり、以降の作品はメロディックデスメタル調の作品が多くなる。1993 年には Michael が脱退し、彼はその後 Arch Enemy 等を結成する。1994 年には後任ギタリストの加入、初来日公演などを経験し新たに Columbia Records と契約するが、レーベルとの仲が険悪になり Bill が脱退する。その後 1996 年にバンドは解散を表明し、残ったメンバーはハードロックバンド Blackstar 等で活動していた。しかし 2007 年に Jeff、Bill を含めたメンバーでの再始動を発表し、一時的に Michael も復帰する。以降数回の来日公演やアルバム発表を経験しながら、現在も活動を続けている。

Carcass

人

Flesh Ripping Sonic Torment イギリス

Independent 1987

1987 年に発表されたデモ作品。初代ヴォーカルの Sanjiv が参加した唯一の音源。レコーディングは地元のリハーサルスタジオである Dead Fly Studio にて、当時総額 22 ポンド（約 5,200 円）で行われたことが明らかになっている。2008 年には 1st アルバムに本作をボーナストラックとして追加収録した再発盤がリリースされている。デモ作品ではあるがバランスの良いミキシングや、粗削りな要素がほとんどない整合性の取れた演奏が特徴的である。収録されている楽曲はほぼ全て 1st アルバムに再収録されているが、1st アルバム収録時とは名前やアレンジが異なっている楽曲もいくつか存在している。

Carcass

人

Reek of Putrefaction イギリス

Earache Records 1988

1988 年発の 1st アルバム。レコーディングはメタル、パンクを多く手掛ける Rich Bitch Studios にて行われた。デスメタルとグラインドコアをクロスオーヴァーさせたゴアグラインドの元祖的作品。掻き鳴らすようなソロも挿入されるが、基本的にノイジーなギターとモタつき気味だが、スピード感のあるブラストを叩き出すドラムが特徴的である。ヴォーカルは高低掛け合いスタイルで、時折ピッチシフター・ヴォーカルも挟まれている。楽曲や世界観はもちろんのこと、当時のメンバーも不満足な出来と述べたという劣悪なプロダクションも含めて、後発のバンドに多大なる影響を与えた作品である。

Carcass

人

Symphonies of Sickness イギリス

Earache Records 1989

1989 年発の 2nd アルバム。レコーディングはメタル、パンクを多く手掛ける The Slaughterhouse にて行われた。また本作では多くのメタルバンドを手掛ける Colin Richardson をプロデューサーに迎えている。前作よりもプロダクション面において大幅な改善が為され、また演奏面もバラつきがちだった前作に比べ各パートのバランスが取れ、一体感のある聴きやすいサウンドになっている。楽曲は若干デスメタル寄りになっており、前作のスピード感溢れるパートも引き継ぎつつ聴かせるようなギターリフやグルーヴ感も組み込まれ、安定した芯のある楽曲が収録された作品となった。

Carcass

人

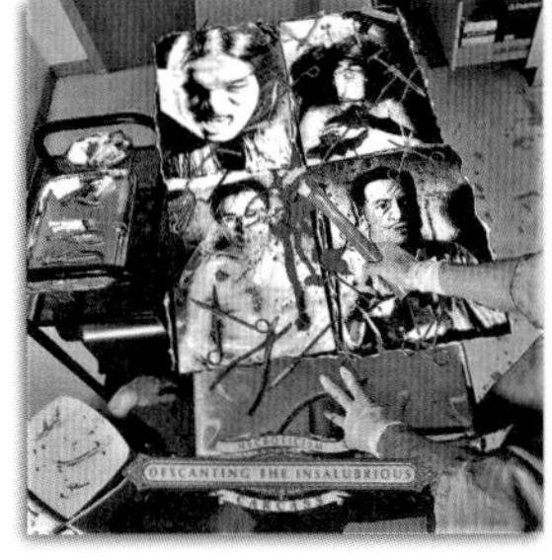

Necroticism - Descanting The Insalubrious イギリス

Earache Records 1991

1991 年発の 3rd アルバム。Michael Amott を迎えて作られた初の作品。前作に引き続き Colin がプロデューサーを担当しており、またレコーディングは幅広いジャンルを手がける Amazon Studios にて行われた。デスメタルの要素がさらに強くなった作品で、メロディックでテクニカルなギターソロが多く挿入されているのが特徴的。しかし邪悪なギターリフや、グラインドコア流のスピード感は引き続き表現されており、まだまだエクストリームな雰囲気を堪能できる作品でもある。本作以降はさらにデスメタルの毛色が強くなっており、またメンバーは本作の音楽性を「プログレッシヴ・デスメタル」と称している。

Abörted Hitler Cöck

機

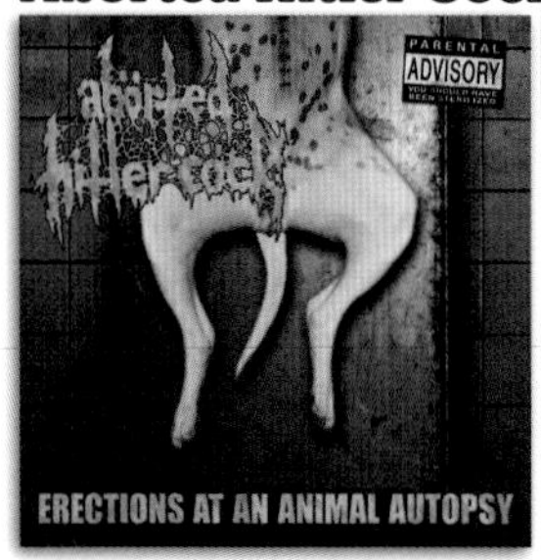

Erections at an Animal Autopsy イギリス
Torn Flesh Records 2011

2005年ロンドンにて結成。El BukkakeとEl Fuckoによるデュオ編成バンド。しかし2008年にEl Fuckoは脱退し、以降はEl Bukkakeによるワンマンプロジェクトとなっている。本作は2ndアルバムにあたり、ワンマンプロジェクトになってからは初の作品である。強烈なベースサウンドと下水道ヴォーカルが特徴的なゴアグラインドをプレイしている。マシンブラストが特徴的な曲からミドルテンポがメインの曲、ショートカットな曲まで幅広く収録されている。またブルータルなビートダウンやエレクトロ由来の効果音なども挟まれており、1枚を通しても非常に満足度は高い。

Bum Sick

機

Smelly Noise イギリス
Independent 2010

2009年ブリストルにて始動。ブルータルデスメタルバンドAmputatedに所属していたAndyによるワンマンプロジェクト。本作が初の単独作品である。スカトロをテーマにしているバンドが数多くいる中でジャケット、曲名に留まらず、ヴォーカルパートを全て放屁音にした筋金入りのスカトロゴアグラインド。ミドルテンポの打ち込みドラムを軸にしたグルーヴィーなフレーズと、パンキッシュなギターが目立つ楽曲をプレイしている。また放屁音もちゃんと高低を使い分けているのがおもしろい点である。本作以降音源はリリースしていなかったが、2020年には各サブスクサイトにて新音源を公開した。

Gorerotted

人

Only Tools and Corpses イギリス
Metal Blade Records 2003

1998年ロンドンにて結成。2008年まで活動し、以降はThe Rottedに改名しデスメタル、ハードコアバンドとして2014年まで活動した。ヴォーカルのBenは現在グラインドコアバンドExtreme Noise Terrorに在籍しており、また改名直前にはCradle of Filthの元メンバーGianが在籍していた。本作は2ndアルバムで、レコーディングを数多くのメタルバンドを手掛けるDave Changが担当した。Exhumedや2000年以降のデスメタルの影響が窺えるゴアメタル系の楽曲をプレイしている。小綺麗なサウンドだがスピード感や邪悪さも十分に表現した作品である。

Malignant Germ Infestation

機

Fields of Forever Lasting Love and Joy イギリス
Grindhead Records 2009

活動開始時期不明、ケンブリッジ出身Robのソロプロジェクトとして開始し、一時バンド編成となるが最終的にデュオ編成となり、2016年まで活動した。2006年より音源を発表し始め、本作は1stアルバムとしてリリースされた。またSystem of a Downのカバーなども収録されている。デスメタル寄りのゴアグラインドにドラムンベース、EDMなどエレクトロ要素を多く織り込んだサウンドが特徴的。さらにメロディックなフレーズやグルーヴィーなフレーズがあったりと、全体を通しても非常にカオティックな雰囲気が漂っている。また後年発売された作品ではエレクトロ要素はそのままよりデスメタルに近づいたスタイルとなった。

最初期にCarcassフォロワーを自認したトップランナー

General Surgery

◎ Regurgitate / Dismember / Birdflesh / Crematory / Nasum
◷ 1988 ～ 1991、1999 ～現在　　🌐 スウェーデン　ストックホルム県ストックホルム
👤 (Gt) Joacim Carlsson / (Ba, Vo) Andreas Eriksson / (Dr, Vo) Adde Mitroulis / (Vo) Erik Sahlström / (Gt) Urban Skytt
ex. (Ba, Vo) Matti Kärki / (Vo) Grant McWilliams / (Dr) Mats Nordrup / (Vo) Richard Cabeza / (Gt, Vo) Johan Wallin / (Ba) Glenn Sykes / (Gt) Tobbe Sillman

1988 年結成。デスメタルバンド Afflicted Convulsion に在籍していた Joacim Carlsson、Carbonized の Jonas Deroueche、同じく Carbonized のメンバーでデスメタルバンド Carnage 等にも在籍していた Matti Kärki、そして Grant McWilliams の４人によって結成された。翌年にはドラマーに Afflicted Convulsion のメンバーであった Mats Nordrup が加入し、Grant が脱退。その後ヴォーカルに Carbonized に在籍していた Richard Cabeza を迎え、1990 年に３作のデモ音源が発表される。その後ヴォーカルに再び Grant が加入し、1991 年に名門 Relapse Records から 1st EP『Necrology』をリリースするも同年バンドは解散する。しかしその後 1999 年に Grant、Joacim を中心に再結成。2003 年にはベーシストにグラインドコアバンド Sayyadina の Andreas Eriksson、ドラマーにグラインドコアバンド Birdflesh の Adde Mitroulis を迎え、同じく Carcass フォロワーの The County Medical Examiners とスプリットアルバムをリリースしている。その後ベーシストに Regurgitate の Glenn Sykes が加入するなど数回のメンバーチェンジを経て、2006 年に 1st アルバム『Left Hand Pathology』がリリースされる。また同年には Impaled、Butcher ABC と共に来日ツアーを挙行している。その後も何度かメンバーチェンジを繰り返すもライブを中心に活動を続けており、2021 年には約 10 年ぶりの単独音源が発表されている。

General Surgery

人

Necrology スウェーデン
Relapse Records 1991

1991 年発の 1st EP。7 インチで発売されたが 1993 年に CD 化され、以降もボーナストラックを追加して何度か再発されている。本作は Grant、Joacim、Mats、Matti の布陣で制作され、デスメタルを多く手掛ける Tomas Skogsberg がエンジニアを務めた作品である。Carcass 影響下のクラシックなデスメタル、グラインドコアサウンドにピッチシフター・ヴォーカルを絡めた楽曲を主にプレイしている。グルーヴ感も感じられるパートや迫力のあるブラスト、掻き鳴らすギターリフなどを含み、後年のゴアグラインドだけでなくデスメタルにも影響を与えた作品といえる。

General Surgery

人

Left Hand Pathology スウェーデン
Listenable Records 2006

2006 年発の 1st アルバム。エンジニアを多くのメタル作品を手掛ける Anders Eriksson、Linus Nirbrant が担当した作品。レイアウトをベースの Glenn が担当し、またゲストヴォーカルに元メンバーの Matti が参加している。楽曲はクラシックで力強いデスグラインドをプレイしている。ミドルテンポを主軸にした重厚でなおかつ安定感のあるサウンドで、ブラストなどのファストなパートからリフを聴かせるゆったりとしたパートまで過不足なくバランスよく含まれている。またピッチシフター・ヴォーカルも引き続き導入されており、ゴアグラインドらしさも失われていない。

General Surgery (Dr.McWilliams, Dr.Carlsson) インタビュー

Q：エクストリーム音楽やゴアグラインドに出会ったのはいつでしたか？　またどのようにしてバンドを始めるに至りましたか？

Dr.McW：多分 80 年代中盤から後半ぐらいで、僕が 10 代の前半だったころかな。どのバンドがエクストリーム音楽に分類されるかはわからないけど、おそらく Septic Death とか Possessed とかじゃなかったかな。僕の音楽変遷についてはいろいろぼやけ始めてきたし、波乱のような時代を過ごしてきたから定かではないけどね。Anthrax を聴き始めてからわりとすぐに Unseen Terror にも出会ったよ。なぜ自分がバンドを組みたいと思うようになったかはあまり覚えていないな。おそらくエゴのようなものだったはずだよ。General Surgery に関しては Carcass と同じくらいすごいものを作りたいという野望だったよ。まあ少なくとも当時の彼らには近づきたかったかな。

Dr.C：僕も同じくらいの時を過ごしているからね。結構不鮮明になってきたよ。80 年代に AC/DC に出会ったことから始まってそこから今まで発展してきたよ。僕は長い間スラッシュメタルにとてもハマっていたよ。そしてクロスオーヴァー系やハードコアバンドをいくつか聴いて、Slayer よりも速くプレイするバンドが存在するってことをすぐ知ったよ。衝撃的だったね！　僕がギターを弾き始めて間もなく、自分は速弾きタイプのギタリストにはなれないってことに気づいた。割と早い段階から自分のアイデアを思いつき始めて、オリジナリティはほとんど無かったけど自分が楽曲を作り始めたというこ

とをはっきりと覚えているよ。そこから先はギターは自分のパートを作曲するためのツールになっていった。その次のステップでは他の人たちと楽曲を一緒に演奏するということを覚えて、そこから今に至るよ。いろいろな意味で 30 年以上前に覚えたことを今までずっと続けているよ。それらの経験が僕の人生を作り上げたんだ。

Q：General Surgery は当時他のデスメタルバンドよりもゴアグラインドの様式を含んでおり最初の Carcass 影響下のバンドと言う人も多くいますが、そもそも Carcass に近づくようなバンドとして始めたのですか？

Dr.McW：確かに僕らは Carcass を模倣する、また正直なところコピーするといったような名目でバンドを始めたよ。僕たちが愛した音楽のトリビュートみたいな感じだったね。歌詞に関して言えばはっきりとしたゴア描写、ばかげた暴力、ブラックユーモアなどが混ぜ合わさった全ての描写が僕の琴線に触れ、音楽に関して言えばより野獣っぽくなりながらも、その背景からはそれぞれのルーツが感じられるところに感銘を受けたよ。

Dr.C：僕はあのスタイルの音楽がやりたくてやっていただけだよ。オリジナルに近づきすぎることにも特に心配はなかったかな。僕が当時メインでやっていたバンドが全く違う方向に行き始めてからそういったはけ口が欲しくなって、General Surgery は可能な限りオリジナルに近づくようになっていったんだ。また僕らが覚えておくべきだったことは楽しむということだった。バンドを始めた当初はほとんど大切じゃなかったけどね。僕らは自分たちの音楽と気味悪さやほとんどの人が気づかないようなユーモアを内包した歌詞について笑ってほしかったんだ。

Q：General Surgery はゴアグラインドというジャンルが確立する前から活動していますが、ゴアグラインドというものに関してどうお考えですか？

Dr.McW：全体的な品質においては非常に一貫しているように思えるよ。デスメタルとは違って、当時圧倒的だったロウなサウンドに反抗するかのようなプロダクションの向上が特に感じられるジャンルだと思う。ゴアグラインドのプロダクションの価値は高まっていったけど、そんな中でも多くのバンドはロウで汚らしいサウンドを奏でていて、彼らは特に魅力的だよ。

Dr.C：正直なところ、もうほとんど追ってはいないよ。最近のメタルバンドの多くは過剰生産されて、そこを移動している最中にいなくなってしまっているように感じるよ。昔のバンドは不安定で、危険で、不安な気持ちにさせるようなサウンドだった。そういった作品の方が忘れられないものになるんだ。たとえ新しいバンドの方が 2 倍速くプレイしていたとしても、彼らのサウンドは野性的だったり狂気じみていたりはしないんだ。僕が 15 歳の頃は特に感受性が強くて、その時聴いていた作品には助けられていたと思うよ。

Q：『Necrology』は今日まで多くのエクストリームバンドに多大なるインパクトを与え

てきたと思うのですが、リリース当時の反応はどのようなものでしたか？

Dr.McW：僕が思い返す限りでは、当時から多くの反応をもらっていたと思うよ。当時はそこまで多くのバンドはいなかったように感じるけどね。何にしても、それまで2本のデモを出してそれなりに名前が知られていたとはいえ、『Necrology』がここまで多くの人に受け入れられたのは非常に驚くべきことだったよ。

Dr.C：僕はちょっとはっきり覚えていないな。僕が覚えている限りではEPがリリースされていた時バンドはすでに活動していなかったからね。だから当時僕はすぐに他のバンドに没頭していたんだ。あと僕は当時General Surgeryがより目新しく思われていたスウェーデン国内よりも他の国からの反応の方が大きかったように思えるよ。僕が覚えている限りではEPが出た当時はインタビューのようなものは全く受けていなかったと思うよ。CDやカセットでの再発を打診され始めた時に、レコード盤が成功したからこそだろうなと思ったことを覚えているよ。だからこの出来事こそが良作という太鼓判を押された理由だと思うよ。多くの人たちが聴きたがっているということだからね。

Q：皆さんはライブでも血塗れの衣装を着ていますが、ゴアまたは医療的なイメージについてのこだわりなどはありますか？

Dr.McW：ゴア、医療的な描写はバンドのテーマにおける全てだよ。そもそもエンターテイメント要素を少し加えたバンドを始めようと思っていたからね。僕らが持っていたアイデアとしてはバカたちがリハーサルしているときのような普通の服を着ているよりも、バカたちが血糊を付けた服を着ていた方が見ていておもしろいと思ったんだ。医療系ゴアグラインド版Village Peopleのような感じかな。じゃなかったとしても、そこまで真剣な思惑はなかったよ。

Dr.C：ロックンロールの名の下にやっているという感じかな。もっとエンタメ性を持たせて観客に覚えてもらえるようなことをしたかった。ありふれた世界からの現実逃避と医療系イメージを掛け合わさせたようなものだよ。僕はAlice CooperとKISSが大好きだし、じゃあむしろなぜコスチュームを着て演奏しない？と思うよ。僕らが初ライブを血糊や他の道具も使ってやり始めてから、以降それにこだわり続けているよ。僕はより死んでいるかのような装いをするように心がけているよ。

Q：General Surgeryは現在まで30年以上もの間活動していますが、バンドを長続きさせる秘訣のようなものはありますか？

Dr.McW：僕は2006年あたりにバンドから抜けていたことを考慮すれば（たまに精神病に侵されていたことが原因とはいえ）、僕はこの質問に答えるべき人間じゃないだろうね。僕から言わせれば物事を楽しむ基本的な能力や相性を持ってやるべきだと思うよ。

Dr.C：僕らは一般的なバンドほどアクティブではないということが長寿の手助けをしているように思えるよ。1週間に3回以上一緒に練習をしたことがないからね。だからこそ一連の過程で損傷を受けることもない。僕らは何かをやりたくなった時にだけ集まる。またチームワークでバンドを動かすという面から、誠実な人間を選ぶということも秘訣だろうね。結成当初に学んだことは意見の違いを認め合うということだった。成長していくために大切なことだと思うよ。

Q：最近のバンド（ゴアグラインドに限らず）を聴いていますか？　また最近のバンドやシーンについてどう思っていますか？

Dr.McW：僕はゴアグラインドが一番ではないにしろ、今でもエクストリーム音楽に対する愛情を持っているよ。素晴らしいグラインド、メタルの作品が今でもたくさんリリースされているね。最初に思い浮かんだ

のはGronibardの新作（『Regarde Les Hommes Sucer』） で、Guineapigの新作（『Parasite』）も良かったね。Thanatologyの新作（『Un Legado de Negligencia Médica』）も非常に満足できた作品の一つだよ。Dopi（Machetazo, etc.）もいつも素晴らしい作品をリリースしてくれるんだ。ここに挙げていないバンドも多いけど、まあつまりジャンルがよく生き残っているということだと思うよ。

Dr.C：僕は人々がエクストリームと考える音楽やもはや聴くに堪えないといえる音楽をたくさん聴いているけど、それらのほとんどはメタル、グラインドの作風である必要はないんだ。だけど、僕はAutopsyがすぐにでも新譜を作ってくれないかと思っているけどね。新しい作品が出たらいち早くチェックしたいバンドはたくさんいるよ。特定のバンドに関しては今でも良いものを聴き続けたいと思っているけど、最近のメタル、グラインド、ゴアに関して言えば50歳の誕生日を迎えようとしている僕と同じくらい衰退していると思うよ。思い返せば、エクストリーム音楽は僕にとっては反抗期の代表のようなもので、当時僕らはみんなそういった音楽やライフスタイルに没頭していったんだ。当時から現在までそれほど時は経っていないけど、昔のお気に入りの作品はまだ支持できるしそれらの作品はまだ満足させてくれるんだ。僕は音楽の愛好家だから新しい作品をチェックすることはやめないよ。でもそれはメタルに没頭するということではないし、それもそこまで長くは続いてないと思うけどね。

Q：特に印象的だったライブは何ですか？また2006年の日本ツアーはいかがでしたか？

Dr.McW：僕からすればAsakusa Extremeが最高だったと確かに思うよ。あれは完璧に非現実的だったね。良いバンドたちと素晴らしく熱狂的な観客たち……。あのツアーには打ちのめされたし、素晴らしい人たちにたくさん出会えたよ。日本についてもっと知りたかったけど、多忙なツアーだったからね。僕が一生大事にする素晴らしい経験だったよ。
Dr.C：僕もDr.McWilliamsと同意見だね。今でもその当時の映像をYouTubeで見返していて、見るたびに非現実を感じるよ。素晴らしい夜だった。それでいて荒々しくもあったね。ツアーもとても楽しかったし、すぐにでも戻りたい気分だね。ずいぶんご無沙汰だけど。
Q：改めて、日本に対する印象や好きな日本の音楽を教えてください。
Dr.McW：僕はずっと日本を愛しているよ。今のところ僕の余暇のほとんどは横浜の街を走り回って脅迫してくる男たちをブチのめしたり、そんな感じの楽しいことを『龍が如く』でやることに費やしているよ。僕の生涯のお気に入りのゲームの一つで、桐生一馬をとても恋しく思っているよ。ああ、僕はちょっとだけオタクなんだ。そして僕のお気に入りの映画監督は北野武で、特に好きなのは『HANA-BI』と『その男、凶暴につき』の2作品だよ。伊藤潤二の漫画、深作欣二や三池崇史の映画……。まだまだ思い浮かぶよ。でももうすでに僕がどれだけ日本と日本文化を愛しているか理解できただろうね。ツアーで初めて実際の場所を見られたことは驚くべき経験だったし、栄誉となる出来事だったよ。日本の人々はとてもフレンドリーで、景色や食べ物、雰囲気など全てが素晴らしかった。僕がもっと見たいと思った小さな町や郊外など、普通のツアー客では見ることができない場所が見られたことも良かったね。バンドに関して言えばButcher ABCとC.S.S.O.は僕にとって特別な存在だよ。Gore Beyond Necropsyもとてもカッコいいし、Gauze、S.O.B.、G.I.S.M.などのクラシックなハードコアは言うまでもなく、Merzbow、KK Null、Boredomsなどのクラシックなノイズも好きだよ。実は、グラインドじゃないけど今のお気に入りのバンドはKing Brothersなんだ。彼らのノイジーなブルースは僕にうってつけなんだ。このインタビューもとても嬉しいよ。Arigato gozaimasu!
Dr.C：僕は2006年にImpaledとButcher ABCとツアーした時の1回だけ日本に訪れたよ。たくさんのいい思い出が作れたし、ずっと僕らは場違いな気分がしていたほどなんだ。何はともあれとても楽しい経験だったよ。覚えている限りではみんなとてもポジティブで非常に礼儀正しかった。もちろん一緒にツアーしたバンドのメンバーも素晴らしかったよ。音楽で言えば今日まで僕にとってのヒーローの一人でもあるNaruがいるButcher ABCが好きだよ。Unholy Graveもいるね。オールドスクールな作風で言えばS.O.B.はいまだにハードだね。Bathtub Shitterは最高な名前のバンドの一つだね。とは言ったものの、僕のお気に入りのバンドはBoris、間違いないね。
Q：最後に日本のゴアグラインドファンへ一言どうぞ。
Dr.McW：年間を通して僕らに興味を持ってくれてありがとう！　本当に素晴らしいことだと思うよ。僕らはいつかまた君たちの土地を血が滴る腐りきったゴアグラインド的立ち位置から祝福できるという名誉を得たいと思っているよ。ゴアの太陽が昇りゆく国旗を高く掲げ続けてくれ！　最高で在り続けてくれてありがとう！　Kanpai!
Dr.C：まずはインタビューありがとう。プロジェクトの成功を祈っているよ。そして日本のファンのみんなもありがとう。また会えることを待ち望んでいるよ。またいつか日本に戻って何かできたら非常に誇らしいと思うね。ゴアグラインドの血をいつも流し続けてくれ。Kampai and Domo arigato to all!

ゴアグラインドとグラインドコアの距離をより近づけた栄光の先駆者

Regurgitate

- General Surgery / Retaliation / Putrefaction Sets In
- 1990 ~ 2009
- スウェーデン　ストックホルム / ミェルビュー
- (Dr) Jocke Pettersson / (Gt) Urban Skytt / (Vo) Rikard Jansson / (Ba) Johan Jansson
  ex. (Ba) Johan "Joppe" Hanson / (Ba)Glenn Sykes / (Dr) Peter Stjärnvind / (Dr, Gt) Mats Nordrup

1990 年結成。ノイズコアバンド Brain Damage にも参加していた Rikard Jansson、General Surgery にも在籍していた Mats Nordrup を中心に結成。結成当初はノイズコアに近い作風で、最初のデモ音源もショートカットな楽曲を 10 曲ほど収録し、計 2 分という作品だった。その後 1 度だけ打ち込みドラムでのライブを行うが、間もなくデスメタルバンド Entombed 等に在籍していた Peter がドラマーに加入。1992 年には Mats がドラムに転向、Mats と共にデスメタルバンド Crematory で活動していた Urban がギタリストに加入する。その後 Peter が復帰し、ベーシストに Crematory の元メンバー Joppe が加入。1994 年には 1st アルバム『Effortless Regurgitation of Bright Red Blood』をリリース。しかし Joppe、Peter が相次いで脱退、後任ドラマーにグラインドコアバンド Retaliation でも活動する Jocke を迎える。以降は 3 人編成にて 2nd アルバム『Carnivorous Erection』のリリースや Obscene Extreme 等のフェス出演も経験する。2002 年には General Surgery でも活動する Glenn をベーシストに迎え、翌年には 3rd アルバム『Deviant』の発売やツアーなどを経験する。その後 Jocke の怪我による一時的脱退を挟むもバンドは多くのライブを経験していき、2006 年には 4th アルバム『Sickening Bliss』をリリース。しかし直後に Glenn が脱退、後任に Entombed A.D. 等に在籍していた Johan が加入。その後 Dead Infection とのスプリットなどが発表されるも、2009 年に解散が発表された。

Regurgitate

人

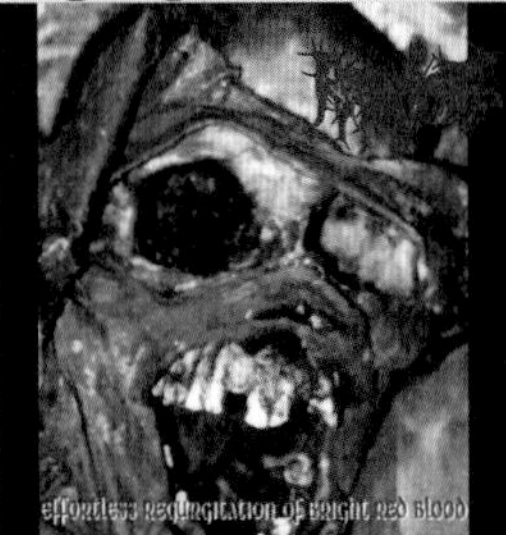

Effortless Regurgitation of Bright Red Blood スウェーデン

Lowland Records 1994

1994年発の1stアルバム。ベースにJohan、ドラムにPeterを迎えている唯一の単独作。また本作にはグラインドコアバンドAgathoclesのカバーも収録されている。初期Carcassを踏襲したサウンドにさらにグラインドコアらしさを加えた楽曲をプレイしている。ブラストやDビートを主体としたファストなドラムに、芯のある弦楽器隊や力強いピッチシフター・ヴォーカルとシャウトが乗っかり、ダーティーな側面もありつつキャッチーで聴きやすいゴアグラインドを作り出している。Carcassのサウンドをさらに発展させたゴアグラインド黎明期の作品で、その後数多くのバンドに多大な影響を与えた作品の一つである。

Regurgitate

人

Carnivorous Erection スウェーデン

Relapse Records 2000

2000年発の2ndアルバム。ドラムにJockeを迎えた初の作品で、また本作ではUrbanがギター、ベースを両方担当している。レコーディング、またゲストヴォーカルをグラインドコアバンドNasumのMieszkoが担当しており、特徴的なジャケットはメタル系を多く手掛けるWes Benscoterが担当した。前作よりもファストでショートカットな楽曲が増えた作品で、ギターもさらに明るいパンキッシュなサウンドになり、ハードコアのエッセンスなども感じられるようになった。その反面、ピッチシフター・ヴォーカルはさらに水気を含んだものになっており、シャウトと併せてよりダーティーな出来栄えとなった。

Regurgitate

人

Deviant スウェーデン

Relapse Records 2003

2003年発の3rdアルバム。ベースにGlennを迎えた初のアルバム作品。前作から引き続きMieszkoがレコーディングを担当し、ジャケットはメタル系を多く手掛けるMike Bohatchが担当した。本作はギターリフがデスメタル風の少々メタリックなものになり、またヴォーカルがシャウト中心でピッチシフター・ヴォーカルが使われなくなるなど、作風がデスグラインドに近づいた作品になっている。ドラムは変わらずブラストを中心にDビートやミドルテンポなども導入したファストなフレーズが多く、プロダクションも相まって非常にキレの良いスタイリッシュなサウンドになっている。

Regurgitate

人

Sickening Bliss スウェーデン

Relapse Records 2006

2006年発の4thアルバム。メンバー編成は前作と変わっていない。本作ではミックス、マスタリングをドラムのJockeが担当しており、ジャケットはメタル、パンクを多く手掛けるPaul McCarrollが担当した。メタリックなギターリフやキレのあるドラムなど前作から引き継がれた要素も多い。本作ではピッチシフター・ヴォーカルが再び導入され、また弦楽器のサウンドも前作よりもさらに重くなったことで、ゴアグラインドらしさが再び表れている。全体的な雰囲気は1stアルバムに若干近くなり、模範的でクラシックなゴアグラインドの作品とも言える仕上がりである。

DPOS!!!

機

Straight Outta Handicap Shithouse スウェーデン
Goregeous Productions 2010

2007年スコーネ県マルメにて結成。バンド名はDisgusting Piece of Shitの略。現在はデスメタルバンドCoffin Creepとしても活動しているSteve、Paddeによるデュオ編成で、ライブサポートメンバーとしてRazorrapeのメンバーらが参加している。本作は2ndアルバムである。Morticianの影響も感じられる打ち込みドラム主体のサウンドに、SE等でところどころユーモアを加えた作風が特徴的である。前作はデスメタル寄りの楽曲が多かったが、本作はピッグスクイールやグルーヴィーなパートを取り入れ、よりゴアグラインドらしい作品となった。

Necrony

人

Pathological Performances スウェーデン
Poserslaughter Records 1993

1990年エーレブルーにて結成。Nasumのメンバーらが在籍しており、1996年まで活動していた。本作は1stアルバムで、ジャケットをメタル系を多く手がけるOla Larsson、エンジニアをデスメタルバンドEdge of SanityのDan Swanöが担当した。またゲストヴォーカルにDanとCarnageのJohanが参加している。Carcassの影響が強く表れた楽曲をプレイしている。同バンド影響下のバンドとしても非常に最初期に位置づけされ、ゴアグラインドというジャンルの発展においても重要な役割を果たしたと言える。

Razorrape

人

Revenge of the Hermaphrodite Whores スウェーデン
Rotten Roll Rex 2012

2004年始動、DPOS!!!にライブサポートドラマーとして参加していたMatrinのソロプロジェクトとしてマルメにて活動開始。音源、ライブではサポートメンバーを加えて活動し、2017年にはObscene Extremeに出演。2ndアルバムである本作ではゲストヴォーカルとしてブルータルデスメタルバンドExtirpatedに在籍していたAlexとDPOS!!!のPaddeを迎えている。ジャケットはBowel Stewなども手掛けるAndreyが担当した。強烈なピッグスクイールと豚声ヴォーカルが特徴的な楽曲をプレイしている。グルーヴィーなフレーズよりも、突っ走るブラストなどのブルータルデスメタル風の要素が多く見られる。

55gore

機

Ingurgitating Succulent Chunks of Regurgitated Feces in Deviated From Ass To Mouth Game as Degraded and Drowning in Slimy Buckets of Bukkake Fluids フィンランド
Independent 2014

2009年ヘルシンキにて結成。デュオ編成にて結成されたが、後に4人組のバンド編成になっている。55goreは通称で、正式名称は55単語344文字の超長大なバンド名である。本作はデジタルフォーマットにてリリースされたデモ音源的立ち位置にある作品で、Lady Gagaの「Pokerface」のゴアグラインドアレンジなども収録されている。メタリックなギターフレーズやピッグスクイールなど、どちらかといえばブルータルデスメタル寄りの要素が多い楽曲をプレイしている。本作以降数本のスプリットをリリースするもしばらく音沙汰がなかったが、2020年にはヘルシンキのライブイベントに出演している。

Creamface

人

Tied down and Fucked Hard フィンランド
Lolita Slavinder Records 2005

1999年ラフティにて始動。ブラックメタルバンドDeathspell Omegaに在籍し、数多くのノイズプロジェクトやレーベルオーナーとしても活動するMikko Aspaによるワンマンプロジェクト。結成から現在まで音源のみならずVHSなど非常に多くのリリースが存在しているが、入手困難なものも多い。本作は2ndアルバムにあたる。ポルノSEを使ったポルノゴアグラインドではあるがオールドスクールなリフが多く、ヴォーカルもノーエフェクトのデスメタル風ヴォーカルのため、楽曲自体は非常にクラシックである。またドラムも生ドラムでありワンマンっぽさを感じさせない非常に優れた出来栄えの作品である。

Decay

機

Mutilating ... Gutting フィンランド
Obliteration Records 2003

1998年始動、フィンランド出身Ville Lintulaによるワンマン・プロジェクト。現在は活動していない。本作は2作のデモ音源を収録したアルバム。ジャケットは死体が腐敗せず蝋状になった「死蝋」の画像。Disgorgeのカバーも収録されており、同バンドからの影響を強く感じるハーモニクスを駆使するギターとマシンブラストが特徴的なサウンドである。ヴォーカルはエフェクターを使わないブルータルデスメタル系であり、一部の曲ではブルータルデスメタル影響下のリフも使われている。全体的にチープな印象の音色ではあるが、アンダーグラウンドの雰囲気を十分感じ取れるアルバムである。

GAF

人

Mongofied フィンランド
Scrotum Jus Records 2008

2007年ヘルシンキにて結成。現在はグラインドコアバンドAfgrundやデスメタルバンドLudicrousにも在籍するメンバーを擁する4人編成で活動している。本作は1stアルバムにあたり、ジャケットはSquash Bowelsなどを手掛けるSzymon Siechが担当した。グラインドコア、ハードコアパンク系統の楽曲に下水道ヴォーカルが乗っかるスタイルの楽曲をプレイしている。Regurgitateの影響が感じられる作風で、同バンドのカバーも収録されている。シャウトヴォーカルも挟まり、ファストな印象が持たれるが、テンポチェンジなどで程よいグルーヴ感も生み出している。

The Decapitated Midgets

人

30 Ways to Die フィンランド
Goatgrind Records 2009

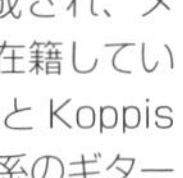

2008年中央スオミ県にて結成。2015年まで活動した。現在パワーメタルバンドPsycheworkに在籍するKonstaを中心に結成され、メロディックデスメタルバンドEphemeraldのメンバーなどが在籍していた。本作は1stアルバムで、オリジナルメンバーのKonstaとKoppisのデュオ編成にて制作された。明るめのスラッシュ、デスメタル系のギターリフと強烈な下水道ヴォーカルが印象的なゴアグラインドをプレイしている。聴かせるようなゆったりとしたリフが多いが、素早いブラストやミドルテンポのパートも導入されており、Regurgitateなどからの影響が感じられるパートも含まれている。

Tolerance

機

Last Days of Capitalism フィンランド

Bringer of Gore 2020

活動開始時期不明、Tunkio などに在籍する Urho によるワンマン・ゴアグラインド・プロジェクト。2016 年からカセットでのスプリット作品を多く制作し、本作は初の 12 インチレコード作品としてリリースされた。初期のデモや EP がゴアノイズ系のロウな作品であったのに対し、本作ではよりクラシックなオールドスクールゴアやデスグラインドに近づくこととなり、音もクリアになった。しかし、マシンブラストがより表に出た分さらに無機質で危険なサウンドになっており、デスメタルの凶悪さやグラインドコアの力強さと結び付き、絶妙な仕上がりになった。

Torsofuck

機

Erotic Diarrhea Fantasy フィンランド

Goregiastic Records 2004

1995 年サタクンタ県ハルヤヴァルタにて結成。幾度かの活動休止を経て 2009 年に解散した。晩年のメンバーは現在デスメタルバンド Cadaveric Incubator や Torture Killer 等で活動している。本作は唯一の単独アルバム作品で、スカトロをテーマにしたジャケットで広く知られている。全曲ホラー /B 級映画やポルノ SE から始まり、楽曲はスラムパートなどブルータルデスメタルの要素を多く含んだゴアグラインドをプレイしている。重低音を強調したどっしりとしたサウンドで、ブラストなどのファストなパートとスラム、ビートダウンパートの緩急をしっかり付けた正統派な楽曲が収録されている。

Tunkio

人

World of Maniacs フィンランド

MELTAAARGH!!!! 2020

活動開始時期不明、ユヴァスキュラにて結成。ノイズコアバンド Beer Terror 等でも活動している Temsu、Urho によるデュオ編成バンド。2017 年より数多くのスプリットを発表しており、本作はデモを除く初の単独音源としてリリースされた。Regurgitate や Dead Infection などオールドスクールなゴアグラインドからの影響が感じられる楽曲をプレイしている。ミドルテンポがメインに使われているが、ブラストのスピードも速く、性急なテンポチェンジからはグラインドコアのエッセンスも感じられる。高音スネアや下水道ヴォーカルが特徴的だが、サウンドはややノイジーに作られている。

Septage

人

Septic Decadence デンマーク

Nihil Productions / My Dark Desires Records / Old Shadows Records 2020

2020 年コペンハーゲンにて結成。デスメタルバンド Hyperdontia のメンバーやグラインドコアバンド Sakatat の元メンバーなどが在籍する 3 人編成のバンド。本作はデビュー EP にあたり、レコーディングはドゥームメタルバンド Demon Head のメンバーが運営する No Master's Voice にて行われた。初期 Carcass 等からの影響が感じられるオールドスクール・ゴアグラインドをプレイしている。リフを聴かせるゆったりとしたパートを組み込みつつも、基本はブラストを導入したファストな楽曲を収録している。ヴォーカルはピッチシフターをメインにグロウルとの掛け合いも挟まれるスタイル。

ピッチシフターVo&工事現場ブラストの新様式を広めた中興の祖

Last Days of Humanity

● FUBAR / S.M.E.S. / Kots / Urine Festival / Biocyst / Tumour / Carnival of Carnage / Stijf Lijk
● 1989 ～ 2006、2010 ～現在　　● オランダ　北ブラバント州
● (Vo) Hans Smits / (Dr) Paul Niessen / (Gt, Ba) Bas Van Geffen
ex. (Vo) Erwin De Groot / (Dr, Vo) Marc Palmen / (Vo, Gt, Ba) Rogier Kuzee / (Vo) Bart Bouwmans / (Gt) William Van De Ven / (Gt) Anne Van De Burgt / (Ba, Vo) Erwin De Wit / (Dr) Glenn Jagers / (Ba) Melanie Stamp

1989 年結成。グラインドコアバンド Fatal Error に在籍していた Erwin De Wit を中心に結成。元々はノイズプロジェクトとして始動しており、最初期は Hans Smits と 2 人でピッチシフター・ヴォーカルにてひたすらシャウトするというスタイルだった。1990 年にはバンド編成となり、1992 年には Hans がギターヴォーカル、Erwin がドラムを担当し Dennis というベーシストを迎えた編成にて最初のデモ音源が制作された。この頃はノイズコアやグラインドコアに近い作風であった。その後 Erwin がベースに転向し、ドラムに Glenn、ギターに William と女性ギタリスト Anne を迎え 1st アルバム『The Sound of Rancid Juices Sloshing Around Your Coffin』をリリースする。しかし Hans、Glenn、Anne が脱退。後任ヴォーカルに Bart、ドラマーに Marc が加入し、2nd アルバム『Hymns of Indigestible Suppuration』を発表。その後も Erwin の脱退や Hans の復帰、S.M.E.S. の Erwin De Groot の一時的加入などメンバーチェンジを繰り返し、2006 年には Hans、Marc、William に Tumour 等で活動する Rogier を迎えた編成でゴアグラインドの代名詞とも言える 3rd アルバム『Putrefaction in Progress』をリリースする。しかし同年にバンドは解散する。2010 年には Erwin De Wit を含むメンバーでの再結成が発表され、フェス出演やツアーなどを経験した。その後は未発表音源等がリリースされることが多かったが、2021 年に Hans にグラインドコアバンド FUBAR のメンバーを加えた編成で約 15 年ぶりの新作アルバムが発表された。

Last Days of Humanity

人

The Sound of Rancid Juices Sloshing Around Your Coffin オランダ

Bones Brigade 1998

1998 年発の 1st アルバム。初代ドラマーの Glenn や女性ギタリストの Anne が参加している唯一のアルバム作品。バンドの武器とも言えるバリエーション豊富で強烈な下水道、ピッチシフター・ヴォーカルが特徴的な作品だが、サウンドはデスメタル、グラインドの両要素を踏襲した非常に聴きやすいゴアグラインドをプレイしている。ギターリフは明るくキャッチーでグラインドロック系のわかりやすいフレーズもあり、またリフを聴かせるようなゆったりしたパートやミドルテンポなども多く挟まれる。一方でブラストのパートは勢いよく雪崩れ込むように進んでおり、それらの緩急が非常によく表れた作品になっている。

Last Days of Humanity

人

Hymns of Indigestible Suppuration オランダ

Bones Brigade 2000

2000 年発の 2nd アルバム。ドラムに Marc、ヴォーカルに Bart が加入し、ギターが William のみになり、またベースの Erwin がサブヴォーカルを務めた布陣にて制作された作品。マスタリングを幅広いジャンルを手掛ける Mark Derksen が担当した。前作と比べてギターの音がより力強く重厚なものになっており、またドラムは高音スネアを導入しブラストの速度が上がり、さらに猟奇的な SE も相まってより凶暴でどっしりとしたサウンドの作品になっている。強烈な下水道ヴォーカルや高音スネアによる高速ブラストという、ゴアグラインドの特徴を最大級に表現した教科書的な作品とも言える。

Last Days of Humanity

人

The Xtc of Swallowing L.D.O.H. Feaces オランダ

Bones Brigade 2004

2004 年発のライブアルバム。ベースヴォーカルに Rogier、ギターに Bas、ヴォーカルに Erwin De Groot を迎えた編成で制作された作品。ライブ録音ではあるが、音質はとてもクリアで各パートのバランスも整っている。またヴォーカルも非常に聴きやすく、楽器陣が響きがちな点を除けばほとんどライブ感は感じられない作品になっている。楽曲は 1st、2nd アルバムや EP に収録されているものをプレイしている。サウンドは前作のスタイルを発展させたものになっている。特に弦楽器隊はさらに低音を前面に出した若干ノイジーな仕上がりになっている。またドラムは前作ほど高音スネアを前面に出していない。

Last Days of Humanity

人

In Advanced Haemorrhaging Conditions オランダ

Bones Brigade 2005

2005 年発のミニアルバム。前作の布陣から Bas が脱退し、再び William のみがギターを担当した編成にて制作された作品。録音は幅広いジャンルを手掛ける Pink Noise Studio にて行われた。高音スネアによる高速ブラストを主軸とした勢い、重視のショートカット・ゴアグラインドを収録した作品。ホラー映画からの SE を挿入しているが矢継ぎ早に一瞬で駆け抜けるような作品で、時折キメパートやストップ＆ゴーのフレーズがある以外は流れるように曲が進んでいく。弦楽器隊はリフが聴き取れないほどノイジーなものになっており、またヴォーカルと高音スネアを重視したプロダクションということもあり、ほとんど目立っていない。

Last Days of Humanity

人

Putrefaction in Progress

オランダ

Bones Brigade　2006

2006 年発の 3rd アルバム。編成は楽器陣はそのままに、ヴォーカルに再び Hans を迎えて制作された。前作に引き続き録音を Pink Noise Studio にて行っている。前作の作風をさらに発展させた作品で、全編を通してほぼエンドレスで鳴り続ける高速ブラストと、そこに乗っかる強烈な下水道ヴォーカルや、ほぼ埋もれがちな弦楽器隊のサウンドが特に印象的である。前作と同じく一瞬のキメや小休止を除いて流れるように曲が進んでおり、また楽曲ごとの違いもほとんど認識できないような作風になっている。本作のような作風はゴアグラインドを表す最大の特徴の一つになっており、後続の多くのバンドに影響を与えている。

Last Days of Humanity

人

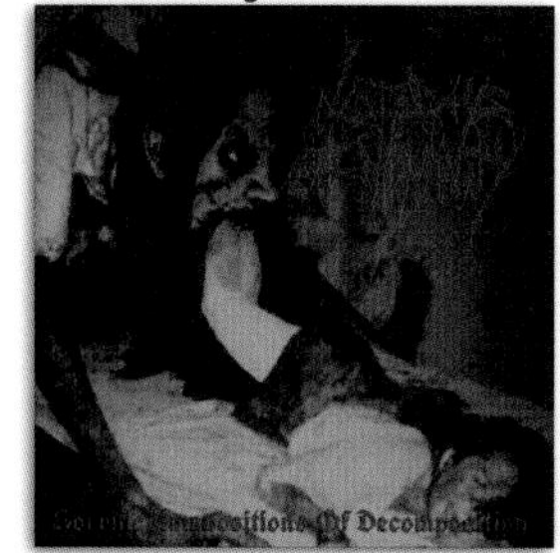

Horrific Compositions of Decomposition

オランダ

Rotten Roll Rex　2021

2021 年発の 4th アルバム。初代ヴォーカルの Hans に FUBAR の Bas（ライブアルバムにも参加していた）と Paul を加えた 3 人編成にて制作された。レコーディングは幅広いジャンルを手掛ける Die Tonmeisterei にて行われた。今までの作品と比べると楽曲はクラシックなグラインドコア寄りになっているもののノイジーなギター、力強いドラムに強烈な下水道ヴォーカルなどサウンドは今までの流派に沿ったものになっている。邪悪さや猟奇性を決して失わず、かつ過去にないアプローチを組み込んだクロスオーヴァー的な仕上がりの作品になっている。

Kots

機

Serial Suicide

オランダ

Bizarre Leprous Production　2004

2004 年結成。S.M.E.S. の Erwin と Rompeprop の Jor'es によるサイバー・ゴアグラインド・プロジェクト。本作が 1st アルバムで、以降数作のスプリットに参加している。サウンドは爆速マシンブラストと下水道、カエル系ヴォーカルが特徴的なサイバーゴア。ギター、ドラムの音は S.M.E.S. で使用されているものと同じだが、S.M.E.S. のようにエレクトロパートは挿入されておらず、様々な SE とマシンブラストやグルーヴィーなパートを交互に繰り返すような楽曲が多い。全体的にチープでポンコツな出来栄えだが同時にとてもクセになるサウンドで、国内外問わずカルト的な人気を博しているバンドである。

S.M.E.S.

機

Gory Gory Halleluja!

オランダ

Bizarre Leprous Production　2006

活動開始時期不明、Last Days of Humanity にも参加した Erwin De Groot によるワンマンプロジェクト。バンド名は「Schijten Met Een Stijve」の略で、「Shitting with an Erection」を意味する。1998 年より音源をリリースしている。スプリット、単独作共に多くの作品を発表しているがサウンドは一貫しており、チープなドラムマシンを主に使用したエレクトロゴアをプレイしている。グルーヴィーな楽曲やひたすらブラストが続く楽曲など様々存在しているが、ほとんどの楽曲にチープなシンセ、8 ビット系サウンドなどの気の抜けたようなポンコツ・エレクトロサウンドが挿入されている。

Erwin De Groot (S.M.E.S. / ex. Last Days of Humanity) インタビュー

Q：あなたがエクストリーム音楽、またはゴアグラインドに出会ったのはいつですか？またなぜそれらに没頭するようになりましたか？

A：僕はアイントホーフェンに住んでいて、その時にメタルやパンク、ハードコアのファンになったよ。Dynamo Cafe っていうヨーロッパにおけるメタル版 CBGB みたいなところにしょっちゅう行ってたんだ。それが 1986 年ぐらいかな。それから間もなく Earache Records がグラインドコアをリリースし始めて、僕の仲間内でも知られるようになったんだ。でも Earache Records を知る前からパンクとハードコアは聴いていたね。その頃はゴアグラインドって名前すら存在していなかった。例えば Carcass の最初の 2 枚のアルバムみたいな、今でこそゴアグラインドと呼ばれる作品もまだグラインドコアっていう扱いだったね。まだ名前で分けていたりしていなかったんだ。それと同じぐらいの時期にこれこそが僕好みの音楽だって気づいたんだ。それが 1987 年か 1988 年ぐらいだったね。

Q：いつ頃から音楽を作り始めましたか？また初めてのバンド経験はいつでしたか？

A：1988 年から 1989 年にかけて Scrotum っていうバンドにいたんだけど、リリースは何もしなかった。少し後に S.M.E.S. として Scrotum の曲を作り直したんだ。そんな感じで Scrotum としてはリリースもなかったしライブもしなかったけど、曲の作り方だったり機材の扱い方、曲の練習方法なんかを学べたいい機会だったよ。

Q：Scrotum ではどんな音楽をやっていましたか？

A：Scrotum ではハードコア / グラインドコアをやっていたよ。ブラストはないけど速くてエフェクトなしの低音ヴォーカルがあるやつだね。僕はベースを弾いていてヴォーカルは Steven（Rompeprop）がやっていたよ。

Q：エレクトロからも影響を受けているかと思うのですが、一番影響を受けたアーティストは誰ですか？

A：確かに僕はテクノも好きだよ。でも誰か一人にすごく影響を受けたということではない気がするな。Big Black とか Front 242 とか Ministry とかいろいろなバンドがいたけど、僕が影響を受けたのはハードコア・トランスとかガバって言われるものだね。そっち方面だと Technohead とか DJ Luna が好きだったね。

Q：S.M.E.S. はまだエレクトロ / サイバーグラインドが一般的になる前に始動していますが、どのようにして S.M.E.S. のスタイルを見つけ出しましたか？

A：僕は音楽においてちょっと変わったスタイルが好きだったから、「普通の」ゴアグラインドに一風変わったスタイルを組み込んだらどうなるか試したかったんだ。つまりジャズ、カントリー、クラシック、レゲエとかのいろんな要素からの影響だね。それらの要素を全部自分自身で演奏しなきゃいけないからたくさんの楽器を練習したし、パソコン上でできるようにもしたよ。その当時すでにドラムコンピューターを使っているバンドがいたからその方法が僕にとってベストだった。僕が探し求めている音を出すためにたくさん学んで洗練し続けてきたけど、今は全部上手くいっているから嬉しいよ。

Q：S.M.E.S. の機材や曲の作り方を教えてください。

A：Cubase に似ているソフトを使ってるよ。それを使って音のサンプルを読み込んだりアレンジしたりしている。僕にとって曲を作ることは絵を描くことに似ているんだ。まずは速さだったり音だったりメロディなんか

を「スケッチ」することから始める。そしてどんな感じになるかざっとチェックする。そこから楽曲を改良するために足したり削ったりをし始める。そして曲が全部出来上がってからヴォーカルを録音する。それが終わるとミックス、マスタリングをして、みんなが聴く楽曲が完成するんだ。

Q：どうやって下水道ヴォーカルのスタイルを発見しましたか？

A：最初にピッチシフターを使ってみて、まあ良かったんだけど、たかが知れてる感じもしてフランジャーみたいなものを加えてみたんだ。その後に Digitech のマルチエフェクターを買って、あらゆる種類のエフェクトをミックスしてその設定を保存することができた。だから今は数種類のヴォーカルエフェクトを用途に応じて使い分けているよ。

Q：S.M.E.S. の曲、アルバムのテーマは主に何ですか？　ポルノ系のものが多い印象があるのですが

A：エクストリームなもの、おもしろいものが主なテーマだね。自分と関わっている多くのレーベル、バンドがポルノ系のテーマを使っていてリリースにポルノ要素を加えているけど、僕は普段はエクストリームでおもしろいものでない限りポルノ系のテーマは入れていないんだ。それよりもいろんな映画を使うことが多くて、イントロは大体 B 級映画のものを使っているよ。

Q：音楽的な面で影響を受けた映画やお気に入りの映画があれば教えてください。

A：トロマ・エンターテイメントの映画からは影響を受けているよ。低予算で、S.M.E.S. に似た精神を感じるんだ。ゴア描写もいっぱいあるけどユーモアだったり、アダルトな（淫らで、皮肉っぽい）一面やジョークのセンスも良いんだ。もうあまり映画を見なくなったけど、『悪魔の毒々モンスター』とか『マウス・オブ・マッドネス』は個人的に傑作だと思うよ。

Q：Last Days of Humanity に在籍していた時代で一番印象に残っているものは何ですか？

A：一番印象に残っているのはゴアグラインドシーンの人たちの親密さを感じたことだね。ライブをしていてファンや他のバンド、レーベル、プロモーターと会うと親戚や家族と話しているのと同じように感じる。みんな同じものに興味を持っていて、もし困難があればいつもすすんで解決しようとするんだ。自分と会ったことがない人も実はすごく近くにいて、良いイベントを作り上げるために助け合うのは素晴らしいことだと思うよ。

Q：日本人を含む多くの人々が Kots の虜になっていると思うのですが、Kots を始めた時のことや反響、また Kots についてどう思っているか聞かせてください。

A：Kots は Rompeprop のドラマーの Jor'es のおかげで始動したんだ。彼は毎週僕を訪ねてきて、ただしゃべったり音楽を聴いたりいろいろしていたよ。それで僕らなら一緒に音楽を作れるんじゃないかってなったんだ。S.M.E.S. と似た感じで、エクスペリメンタルな要素を除いてもっと速いパートを加えたようなやつだね。でもその後に僕はオランダからカナダに引っ越して彼とも曲作りのために会うことができなくなって、そこで活動が終わってしまったんだ。Jor'es との曲作りはいつも楽しかったから、終わってしまったことはとても悲しいよ。

Q：あなたは多くの楽曲にゲストヴォーカルとして参加していますが、その際の要件やこ

だわりなどはありますか？　例：あなた自身が感銘を受けたバンドの曲にだけ参加するのか、また逆にスタイル関係なく誘われたらとにかく参加するのかなど……。

A：確かに僕はButcher M.D.とかDrenched（Anal Fistfuckers等のメンバーによるプロジェクト）にも参加しているし、ゲストヴォーカルとして参加することもあるよ。ゲストヴォーカルとして参加するにあたっての最優先事項は僕自身がその音楽を好きなことだね。もし僕が好きでもない曲だったら100%のフルパワーを出したり、できる限り楽曲をより良いものに作り上げるという姿勢になれないと思うからね。あとヴォーカルを録音する時間がないこともある。でも他のバンドとの曲作りは良いものだし、ノイズコアみたいな自分ではやらないようなスタイルのバンドに参加できるのも良いね。

Q：日本に対しての印象やもし好きなバンド、アーティストがいたら教えてください。

A：日本は僕が一番訪れてみたいと思っている国だよ。日本に行っていろいろなものを確認したり、人と話したり、曲を作ったり、ライブをやってみたりしたいね。Kotsの初期のリリースにも携わっているObliteration RecordsのNaruもいるしね。好きなバンドはC.S.S.O.、Catasexual Urge Motivation、Gore Beyond NecropsyとButcher ABC。でも僕が一番好きなバンドは間違いなくMaggutだね。大好きなんだ。ジャンルは違うけど東京スカパラダイスオーケストラも好きだよ。素晴らしいバンドだね。

Q：S.M.E.S.として来日公演をやってみたいということでしょうか？　ちなみに今までにライブの経験はありますか？

A：日本のファンに自分の音楽を広めるのは最高だろうね。S.M.E.S.は打ち込み音楽だからやるとしたらカラオケみたいになるかもしれないけど、日本こそがそういうパフォーマンスをやる場だと思っているよ。S.M.E.S.としては一回だけライブをやったことがある。ニューヨークのパーティでね、素晴らしい時間だったよ。

Kots (左 Erwin、右 Jor'es)

Q：では最後に日本のゴアグラインドファンに向けて一言どうぞ

A：みんなサポートしてくれてありがとう！いつか直接会って一緒にいい時間が過ごせることを楽しみにしているよ！　Arigatou gozaimasu!

今は全部上手くいっているから嬉しいよ

ゴアグラインドをさらにおもしろく、カッコよく仕立て上げた実力派

Rectal Smegma

- 666 Shades of Shit
- 2004 ～現在
- オランダ　南ホラント州ナールトウェイク
- (Dr) Walter / (Vo) Yannic / (Ba) Baard / (Gt) Stijn
  ex. (Ba) Robin / (Gt) Frans / (Ba) Madhur / (Gt) Jimmy

2003 年に Carnal Rancidity として結成、2004 年に現在の名義となる。数回のメンバーチェンジの後にドラムの Walter、ヴォーカルの Yannic、ベースの Robin、ギターの Frans による 4 人編成となり、2005 年に 2nd アルバム『Licking a Leper』をリリースする。その後数回のライブをこなした後 Robin が怪我により脱退するが、2006 年には Madhur がベースに加入する。2008 年には Obscene Extreme に出演､翌年には Namek とのスプリット及び 2nd アルバム『Keep on Smiling』をリリース。2010 年 Cuntgrinder とのスプリットをリリースした後、Madhur が脱退。翌年発売された 3rd アルバム『Because We Care』はゲストベーシストを迎えた編成で制作された。同年後任のベーシストとしてドゥームメタルバンド Throw Me in the Crater でも活動し、エクストリーム系バンドの国外ツアーを運営する Doomstar Booking にも所属している Luuk が加入した。その後 Frans も脱退しており、2013 年にリリースされた 4th アルバム『Become the Bitch』では新たにギターに Jim を迎えているが本作のみで脱退。2014 年に 666 Shades of Shit 等で活動する Stijn がギタリストとして加入。2016 年には 5th アルバム『Gnork』をリリースし、現在も精力的に活動を続けている。Obscene Extreme には 2008 年のほかに 2011、2014、2018 年にも出演しており、常連バンドとなっている。また 2015 年に日本で開催された Obscene Extreme Asia にも出演しており、同公演にて初来日を果たしている。

Rectal Smegma

人

Licking a Leper オランダ
Independent 2005

2005 年発の 1st アルバム。初代ベーシストの Robin が参加している唯一の作品。また Mortician のカバーも収録されている。グルーヴィーなゴアグラインドを基調に、スラミングなパートなどブルータルデスメタルの要素も組み込まれた楽曲をプレイしている。若干迫力を欠いたロウなサウンドプロダクションではあるが、ノリの良さやある程度の重たさはしっかりと表現できている。ヴォーカルはピッチシフターを中心に様々なスタイルが導入されている。またイントロに使用されている出所不明の SE を始め、ボイスチェンジャーを使用した曲やアカペラの曲などファニーな側面も多く見られる。

Rectal Smegma

人

Keep on Smiling オランダ
Bizarre Leprous Production 2009

2009 年発の 2nd アルバム。ベーシストに Madhur を迎えた唯一の単独アルバム作品。ゲストヴォーカルにグラインドコアバンド Jesus Cröst の Joop が参加している。本作ではよりキャッチーで明るい作風になったグルーヴィー・ゴアグラインドをプレイしている。プロダクションもクリアになり、安定感のあるギターと少し前面に出たドラムが特徴的なサウンドへと変化した。ヴォーカルも水気が増したことで汚らしさや邪悪さに磨きがかかっている。またイントロの SE も前作同様の出所不明のファニーなものに加え、有名映画からポルノ、スカトロ系まで幅広いジャンルのものが使用されている。

Rectal Smegma

人

Because We Care オランダ
Herrie Records Inc. 2011

2011 年発の 3rd アルバム。本作においてベーシストはセッションベーシストという名目で参加している。ミックス、マスタリングをデスメタル系を多く手掛ける John Bart Van Der Wal が担当した。またグラインドコアバンド Birdflesh のカバーなども収録されており、ゲストヴォーカルにはグラインドコアバンド Inhumate の Christophe が参加している。作風は前作と大まかに変わっていないが、プロダクション面においてドラムが若干目立っていた前作に対し、本作ではギターが前面に出た作品になっており、またサウンドにおいても低音が増したことでさらに重厚なものへと変化した。

Rectal Smegma

人

Become the Bitch オランダ
Herrie Records Inc. 2013

2013 年発売の 4th アルバム。録音をデスメタル、グラインド系を多く手掛ける Dirty Bird Productions にて行い、ミックスを前作から引き続き JB Van Der Wal が担当した。またジャケットはパンクバンド Human Alert にも在籍するアーティストの Roel Smit が担当した。本作はテンポチェンジは多いものの、どっしりとした印象が持たれる楽曲面や、全てのパートのバランスが良くなったプロダクション面の両方において特に安定感が感じられる作品になっている。また前作からファニー要素は減少していたが、本作ではヘヴィメタルのパロディ楽曲なども収録されている。

Rectal Smegma

人

Gnork オランダ

Rotten Roll Rex 2016

2016 年発の 5th アルバム。レコーディングをブラックメタルバンド Dodecahedron のメンバーらが担当した。またゲストヴォーカルにブルータルデスメタルバンド Aborted、Severe Torture のメンバーらが参加している。本作は若干グラインドコア、デスグラインド寄りの楽曲が収録された作品で、ヴォーカルがピッチシフターとシャウトのクラシックな掛け合いスタイルへと変化したのが特徴的である。しかしミドルテンポを中心としたグルーヴィーなパートなど、バンドの特長やゴアグラインド要素は無くなっておらず、スタイリッシュな作風だがゴアグラインドとしても楽しめる作品になっている。

コラム ゴアグラインド界における略称一覧

Catasexual Urge Motivation	C.U.M.
Choked By Own Vomits	CHOV
Cock And Ball Torture	C.B.T.
Corpse Molesting Pervert	CxMxP
Destructive Explosion of Anal Garland	D.E.O.A.G.
Disgorgement of Intestinal Lymphatic Suppuration	D.I.L.S.
Fecal Body Incorporated	F.B.I.
Last Days of Humanity	L.D.O.H.
Red Hot Piggys Pussys	R.H.P.P.
Regurgitate	RGTE
Satan's Revenge On Mankind	SxRxOxM
Sublime Cadaveric Decomposition	S.C.D.
Undying Lust For Cadaverous Molestation	UxLxCxM

ゴアグラインドには長い名前のバンドも多いため、しばしば略称が使われる。特によく使われているのが以上のバンドである。ちなみに SxRxOxM のようにカンマの代わりに x を使用する手法は、日本のグラインドコアバンド S.O.B. が SxOxB と表記する例などに始まるハードコアパンク等でよく使われていた文化でもある。本書ではゴアグラインドに触れて日が浅い読者を想定して全て正式名称で記載したが、インターネットにおいては上記の略称が使われることもあるので参考にしていただきたい。また、特に長い名前でないバンドに関しても略称が使われることもある（例：Pulmonary Fibrosis → PxFx など）。しかし、正式な略称が存在しない、また略称が一般的でない以下のバンドについては例外的に短縮系を使用した。

・Paracoccidioidomicosisproctitissarcomucosis → Paracocci...
・Mincing Fury And Guttural Clamour of Queer Decay → Mincing Fury...

Paracoccidioidomicosisproctitissarcomucosis は 2004 年に Butcher ABC とのスプリットが Obliteration Records から発売された際には、CD の帯に「Paracocci...（以下略）」と記載されており、日本ではその表記が一般的だったりもする。

グラインドロックにも通じるミドルテンポのグルーヴ感を追求

Rompeprop

- Kots / Smegma / Suppository
- 1999 ～現在
- オランダ　北ブラバント州アイントホーフェン
- (Dr) Jor'es du True / (Gt, Vo) Dirty Dr. Dente / (Ba) BoneBag Rob
  ex. (Vo) Steven Smegma / (Ba) Micheil the Menstrual Mummy

1999 年結成。Jor'es Du True、Dirty Dr. Dente、そしてグラインドコアバンド Smegma でも活動する Steven Smegma の 3 人によって結成。本格的に活動が開始したのは 2001 年にベーシストである Micheil the Menstrual Mummy が加入してからであり、2002 年には最初の EP 作品『Menstrual Stomphulk』をリリース。本作は 3 ヶ月で売り切れるという好セールスを記録し、同年すでに各国からの反応や多くのライブ経験を得るなど非常に早い段階でバンドの存在は広く知れ渡っていた。翌年には 1st アルバム『Hellcock's Pornflakes』をリリースし、アメリカツアーなどを経験する。2003 年には Steven が仕事上及び健康上の問題から脱退し、2004 年には彼が携わった最後の作品である Tu Carne とのスプリットがリリースされた。その後は Dente がギターヴォーカルを担当する 3 人編成にて活動し、Obscene Extreme への出演や新たなツアー等を経験する。2006 年には Gut とのスプリットがリリースされるが、翌年 Micheil が脱退。後任にはグラインドコアバンド Suppository にも在籍していた BoneBag Rob こと Robin が加入し、ライブにおいて骸骨姿でパフォーマンスする様子が話題となった。2010 年には 2nd アルバム『Gargle Cummics』をリリース。2015 年には「Obscene Extreme Asia 2015」に出演するため来日。以降は Haemorrhage や Guineapig とのスプリットなどをリリースするもその後バンド活動は停止傾向にあり、現在メンバーは現地アイントホーフェンにて「Grindhoven」というフェスの運営を主に行っている。

Rompeprop

人

Menstrual Stomphulk オランダ

Dismemberment Records 2002

2002年発の1st EP。レコーディングをメタル系を多く手掛けるPopEi Studioにて行い、マスタリングをTu Carne等も手掛けるThe Voidにて行っている。また本作にはImpetigoのカバーが収録されている。Gut、Cock and Ball Tortureの影響が感じられるグルーヴィーなゴアグラインドをプレイしている。ブラストは少なく基本的にはゆったりとしたミドルテンポや、少しファスト気味のドラムにて曲が構成されている。ファニーなSEも使われているが、曲自体におふざけ要素はなく、グラインドロックにも通ずる比較的正統派のグルーヴ感を生み出している曲がほとんどである。

Rompeprop

人

Hellcock's Pornflakes オランダ

Bizarre Leprous Production 2003

2003年発の1stアルバム。メンバー編成やレコーディング、ミックス担当は前作から変わっていない。本作にはGutのカバーが収録されている。非常に印象的なジャケットで有名な作品でもある。前作と作風は変わらずグルーヴィーなゴアグラインドをプレイしている。ブラストや速いテンポの曲、またメタリックなリフが増えたり、ピッチシフター・ヴォーカルの汁気が若干強くなったり、曲中に何度もテンポチェンジする曲が増えたりと新たな要素も多数組み込まれている。ポルノゴアではあるがポルノSEは挿入されておらず、全体を通してノリとグルーヴ感をひたすらに追求し続けた作品となっている。

Rompeprop

人

Gargle Cummics オランダ

Bizarre Leprous Production 2010

2010年発の2ndアルバム。本作よりベースにRobinが加入する。また本作ではDenteがギターヴォーカルを務め、サポートヴォーカルにCliteaterのJoostを迎えている。レコーディングをThe Voidにて行い、ジャケットはイラストレーターのMaarten Gerritsenが担当した。また本作には「Born to Be Wild」のゴアグラインドカバーが収録されている。ブラストが増えた前作に対し本作ではゆったりとしたテンポが主軸となり、またSE等でファニーな要素が増した点が大きな特徴といえる。またプロダクションにおいては音の厚みがさらに増えた作品になっている。

大型ライブイベント Grindhoven

GrindhovenはRompepropのメンバーがDoomstar Bookingと共に運営する大型ライブイベント。開催地はアイントホーフェンのDynamo。2014年の初回よりHaemorrhage、Gruesome Stuff Relish、Gut、Stoma、Meat Spreaderといった多くのベテランゴアグラインドバンドを招聘している。他にもWolfbrigadeなどのハードコアパンク、Misery Indexなどのグラインドコアバンドも参加している。

666 Shades of Shit

人

Bitchagram オランダ

Pathologically Explicit Recordings 2016

2015年ティルブルフにて結成。現在はRectal Smegmaやデスメタルバンド Faalのメンバーらが在籍しており、以前はブルータルデスメタルバンド Prostitute Disfigurementのメンバーが在籍していた。本作は1stアルバムにあたり、ジャケットを多くのブルータルデスメタルを手掛けるLordiganが担当した。また Gutalaxのカバーが収録されている。Gut等の影響が色濃く感じられるクラシックなグルーヴィー・ゴアグラインドをプレイしており、ミドルテンポのドラムやキャッチーなギターリフ、そして豚声ボーカルが織り成す非常にわかりやすい構成が印象的な作品になっている。

Anal Penetration

機

Spray for Jesus オランダ

Last House on the Right 2007

2000年北ブラバント州にて始動。グラインドコアバンド Suppositoryの元メンバーで Last Days of Humanityに参加していたこともあるRoel Nydoomによるワンマンプロジェクトで、2013年まで活動した。多くのスプリットに参加し、本作が1stアルバムとして発売された。レーベルオーナーのWilliamがプロデューサーを務め、マスタリングを様々な分野で活動するJames Plotkinが担当した。マシンブラストを中心にグラインド、メタル両要素を組み込み、時にプログレッシヴで時にグルーヴィーな要素を取り入れたオールマイティなゴアグラインドをプレイしている。

Bile

人

The Shed オランダ

So It Is Done Productions 2000

1997年リンブルフにて結成。InhumeのBen、Loekとグラインドコアバンド Blind to Faithにも所属するRobによるバンドで2006年まで活動し、以降はSkullhogへと名前を変えて現在まで活動している。本作がデビュー作でレコーディングをErwin Hermsen、マスタリングをWillem Steentjesが担当した。高音スネアを使用し、遅いパートも速いパートも卒なくこなすバンド。ゴアグラインドにドゥーム系の重く遅いパートを含んだ独自のスタイルは、後のSkullhogにも引き継がれることとなる。また歌詞は全て映画『悪魔のいけにえ』シリーズに関連している。

Brutality Reigns Supreme

機

Back From the Dead オランダ

Bloodbath Records 2000

1998年アルフェン・アーン・デン・レインにて結成。1990年結成のグラインドコアバンド Sexorcistのメンバーが、解散後打ち込みドラム体制にて名前を変えて再結成したバンド。現在はすでに活動していない。本作が唯一の単独作で、マスタリングをストーナーロックバンド Toner Lowなどに在籍するJack Koekebakkerが担当した。Morticianの影響が感じられるデスメタリックなゴアグラインドをプレイしている。ドラムはチープで無機質だが、フレーズの幅は広くギターはヘヴィなサウンド、そしてヴォーカルはパワフルなピッチシフター・ヴォーカルである。

Cliteater

人

Clit 'Em All オランダ
Dismemberment Records 2003

2001 年リンブルフ州ヘルデンにて結成。ベースの Verdan、ギターの Ivan による打ち込みドラムのスタジオ・プロジェクトとして結成され、その後ヴォーカルに元 Inhume の Joost、ドラムに Hymen Holocaust の Maurice が加入し、バンド形態となった。1st アルバムである本作は Inhume、Bile 等を手掛ける Erwin Hermsen をプロデューサーに迎え制作された。サウンドはデスグラインド寄りだが、Dead Infection などの影響も感じられるクラシックなゴアグラインド。また毎度ジャケットに描かれているキャラクターは Andrej Nicolai という名前が付けられている。

Cliteater

人

Eat Clit or Die オランダ
Restrain Records 2005

2005 年発売の 2nd アルバム。前作の後新たなギタリストとして Alex が加入し、5 人編成となった。レコーディングを前作に引き続き Erwin が担当し、マスタリングを同じく Inhume や Bile などを手掛ける Willem Steentjes が担当した。またゲストヴォーカルとしてハードコアバンド Citizens Patrol のメンバーが参加している。ギターが 2 本になったことでより重厚なサウンドになり、より低音が目立つゴアグラインドらしいサウンドに成り代わった。この後、数回のメンバーチェンジを経ているがバンドの人数は変わらず、現在まで多くのアルバムをリリースしている。

Hymen Holocaust

人

Hot Love オランダ
Rotten Roll Rex 2010

2005 年始動、Cliteater のドラマー Maurice によるソロプロジェクトで、ライブではゲストミュージシャンを迎え活動している。2007 年の Obscene Extreme に出演しており、ライブでは防護服や囚人服を着て演奏している。本作は 3rd アルバムにあたる。多くの作品で Jörg Buttgereit 監督の映画作品が SE として使われており、本作もアルバム名と同名の作品が SE に使われている。ひたすら遅いテンポで構成されるグルーヴィー・ゴアグラインド。ノれる箇所も多いが 1 曲の尺も長めでドゥーム、スラッジのようなパートも挟まり、世界観としてもホラー調の不気味で邪悪なオーラが漂う作品である。

Inhume

人

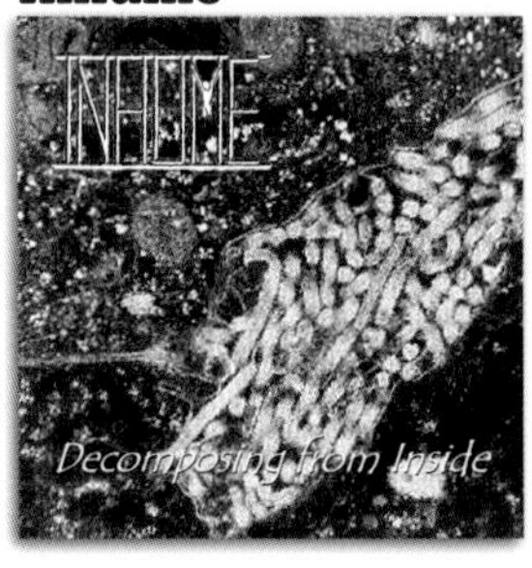

Decomposing From Inside オランダ
Bones Brigade 2000

1994 年にリンブルフ州にて結成。本作は 1st アルバムにあたる。メンバーは流動的だが、本作には Bile の元メンバーである Loek と Ben、デスメタルバンド Asphyx の元メンバーの Roel、デスメタルバンド Mangled の Harold、Cliteater の Joost が参加している。また S.M.E.S. の Erwin がプロデューサー及びレコーディングに携わっている。楽曲は Dead Infection 流のオールドスクールサウンドに、デスメタル成分をさらに強めたデスグラインド風。高低ツインヴォーカルが乗っかるクラシックなゴアグラインドをプレイしている。

Intumescence

人

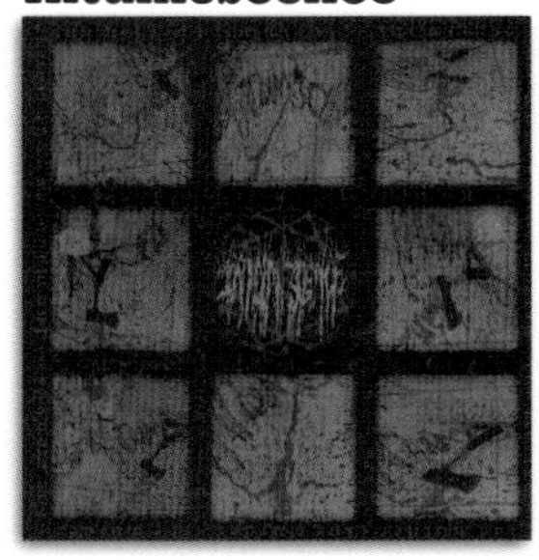

The Method - The Motive - The Murder - The Madness オランダ
Grindfest Productions 2007

活動開始時期不明、Last Days of Humanity にも在籍していたウフストヘースト出身 Rogier Kuzee が所属するバンド。本作は 2000 年～ 2006 年までにライブを含めレコーディングされた音源を集めた作品で、編成や楽器担当のメンバーもギターの Rob を除き流動的である。楽曲はファストなオールドスクール・ゴアグラインドに、強烈なピッチシフター・ヴォーカルが乗っかるスタイルを基調としつつ、ドゥーム系の楽曲やノイズグラインド的な楽曲なども収録される。プロダクションなど全体の雰囲気からは、カバーも収録されている Gore Beyond Necropsy からの影響が強く感じられる作品になっている。

Savage Man Savage Beast

機

The Stiffs Are Looking Lively オランダ
Rottenpyosis Records 2016

活動開始時期不明、オランダ出身の Joey という人物によるワンマンゴアプロジェクト。バンド名は映画『グレートハンティング』から取られている。2000 年初頭よりデモ音源やスプリットをリリースしており、本作は 4 作のデモ音源とスプリット音源、未発表音源をまとめたコレクションアルバムである。ジャケットはパンク、メタル系を手掛ける Lobo Ramirez が担当した。サウンドはエレクトロ調のチープな打ち込みドラムにスラッシュ、パンク系のギターリフが絡むゴアグラインド。ドラムはストップ＆ゴーが多用されるグラインド系フレーズで、ギターリフと相まって耳馴染みが良く、非常にとっつきやすい楽曲となっている。

Stoma

人

Scat Aficionados オランダ
Bizarre Leprous Production 2004

1998 年ヘーレンフェーンにて結成。元々 Brainshit というバンドのメンバーによるサイドプロジェクトとして始まり、1999 年に両バンドが融合した。本作は 1st アルバムでレコーディングは Sing Sing Studio にて行われた。またジャケットは日本のスカトロ AV の画像が使われている。サウンドはキャッチーでメタリックなギターリフを導入したグルーヴィーなゴアグラインド。構成はグラインドコア寄りで、ブラストなどのファストなパートからスラッジ風の遅いパートへと、1 曲の間に目まぐるしくテンポが変わる曲なども多く収録されている。ヴォーカルはシャウトとピッチシフターのツインヴォーカル。

Stoma

人

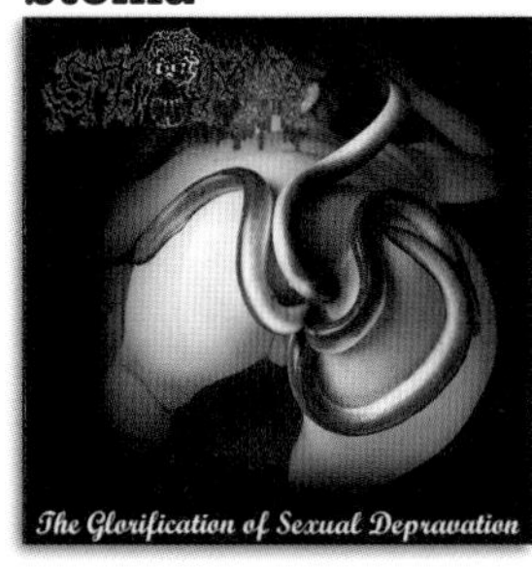

The Glorification of Sexual Depravation オランダ
Bizarre Leprous Production 2012

2012 年発売の 2nd アルバム。前作からギター、ベースのメンバーチェンジを行っており、ギタリストとして加入した Dennis はブルータルデスメタルバンド Braincasket にも在籍している。前作と同じくレコーディングを Sing Sing Studio にて行っており、またジャケットにも引き続き日本のアブノーマルな AV の画像が使われている。サウンドは前作と基本的に変わっておらず、デスメタル系統のギターリフとツインヴォーカルをブラスト、スラミングなパートを兼ね備えた楽曲に組み込んだゴアグラインドをプレイしている。また前作今作共に作中にポルノ SE 等は一切使われていない。

Tumour

機

Goreaholic オランダ
Klysma Records 2006

活動開始時期不明、Last Days of Humanity、Intumescence にも在籍する Rogier Kuzee によるソロプロジェクト。1999 年よりスプリット、単独作共に多くの作品をリリースしており、本作はアルバムとしては 4 枚目の作品にあたる。ジャケットは Amoebic Dysentery 等も手掛ける Jake Karns が担当した。サウンドはマシンブラストと下水道ヴォーカルが特徴的なゴアグラインドで、時期によっては一辺倒なゴアノイズ的な楽曲をプレイすることもあるが、本作はメタリックなリフやプログレッシヴなパートなども挿入された比較的正統派寄りの作品になっている。

Urine Festival

機

Of a Hermaphroditic Enema & an Urophilic Pissparty Pleasure オランダ
Klysma Records 2005

活動開始時期不明、Last Days of Humanity にも在籍していた Marc Palmen によるソロプロジェクト。一時期同じく Last Days of Humanity に在籍した Erwin も参加していた。2003 年より音源を発表し、本作は 1st アルバムにあたる。本作では Marc が楽器陣を担当し、Erwin がヴォーカルを務めた。水気たっぷりの溺死ヴォーカルが非常に特徴的なサイバーゴアグラインド。マシンブラストが大半を占めており、一見するとゴアノイズのようにも思えるが、使われているドラムのパターンは多く、グルーヴィーな箇所もある。また決して闇雲に鳴らしているわけではなく、よく聴けば曲ごとの展開が見えてくる作品である。

Brutal Sphincter

人

Analhu Akbar ベルギー
Rotten Roll Rex 2018

2012 年リエージュにて結成。精力的にライブを行い、大型フェスにも多く出演しており、2019 年には Obscene Extreme に出演。本作は 2nd アルバムで Serrabulho の Guilhermino のプロデュースにより制作され、Pussyvibes に在籍した Bruno がミックスを担当。ジャケットは Karl Dahmer が担当した。またインターネットミームとして有名な「We Are Number One」のカバーも収録されている。Gutalax 等に影響を受けた明るいグルーヴィーゴアを基軸にスラムパートなどを織り込み、耳に残りやすくひたすらにノれる楽曲をプレイしている。

Hybrid Viscery

人

Army of Pussy Land / Bloody Face ベルギー
Coyote Records 2003

2000 年エノー州ゴゼにて結成。何人かのメンバーはグラインドコアバンド Mucus にも在籍しており、またかつて Squash Bowels の Paluch やブラックメタルバンド Emptiness のメンバーが参加していたこともある。本作は 1st アルバムと 1stEP を収録したコレクションアルバムである。現在はどちらかといえばデスグラインドに分類されるが、本作に収録されている 2 作はゴアグラインド要素が強い作品である。迫力のあるシャウトとブラストが炸裂するファストな楽曲に、ピッチシフター・ヴォーカルが乗っかるスタイルが特徴的。またいくつかの楽曲からは Dead Infection の影響が感じられる。

同郷Gutの血を受け継いだダンサブル下水道Voポルノゴアの立役者

Cock and Ball Torture

Pared Amnion / Carnal Tomb / Bradyphagia
1997 ～現在
ドイツ　バイエルン州アルテンマルクト・アン・デア・アルツ
(Ba, Vo) Timo Pahlke / (Dr, Vo) Sascha Pahlke / (Gt, Vo) Tobias Augustin
ex. (Vo) Sebastian

1997 年結成。Timo Pahlke、Sascha Pahlke の兄弟と Tobias Augustin の 3 人により結成。3 人は 1995 年にデスメタルバンド Pared Amnion に在籍し、同年 Carnal Tomb というデスメタルバンドも結成している。バンドの母体となったのはポルノ要素を含んでいた Carnal Tomb で、同バンドでのメンバー脱退がきっかけで Cock and Ball Torture が結成された（Pared Amnion は 1998 年に解散）。1997 年にデモ音源『Cocktales』を発表。1998 年に CD 媒体で早くも再販されている。また同年ライブサポートメンバーとしてヴォーカリストに Sebastian を迎えており、以降発売される Squash Bowels、Last Days of Humanity 等とのスプリットアルバムも参加している。彼は 2002 年まで在籍した。2000 年には 1st アルバム『Opus(sy) VI』がリリースされ、2002 年には 2nd アルバム『Sadochismo』がリリースされている。また同年には Bradyphagia というグラインドコア・プロジェクトを同一メンバーで始動し、Neuro-Visceral Exhumation とのスプリットアルバムをリリースしている（現在は活動休止中）。これまではドラムの Sascha がヴォーカルを担当していたが、以降は全員がヴォーカルを取る形となり、2004 年には 3rd アルバム『Egoleech』をリリースしている。以降はコレクションアルバムや初期音源の再発盤がリリースされているが、新作は発表されていない。しかし 2006 年には来日公演を行っており、その後も Obscene Extreme 等のフェスへの出演やツアーなど精力的なライブ活動を続けている。

Cock and Ball Torture

人

Cocktales ドイツ
Independent 1998

1998年発のミニアルバム。エンジニアをUtopieなども手掛けるSebastian Dunstが担当した。Gutの影響が非常に色濃く表れたグルーヴィー・ポルノゴアをプレイしている。ブラスト等は入るものの全体的にテンポは遅めで、低音が響く弦楽器隊を基調に作り出されるひたすらダンサブルに進む曲調と、そこに乗っかるダーティーな下水道ヴォーカルが特徴的。プロダクションはあまり良くなく、音が篭りがちではあるがグルーヴ感は非常によく表現された骨太なサウンド。遅い曲調も相まって、ところどころデスメタル的なグルーヴも生み出されている。また本作ではポルノSEは一切使われていない。

Cock and Ball Torture

人

Opus(sy) VI ドイツ
Shredded Records 2000

2000年発の1stアルバム。レコーディングはMucupurulentなどの現地メタルバンドを多く手掛けるSubzero Studioにて行われた。本作においてヴォーカルは、下水道ヴォーカルとグロウル及びピッチシフター・ヴォーカルのツイン仕様になっている。楽曲のスタイルは大まかに変わっておらずノリの良い踊れるゴアグラインドをプレイしているが、前作に比べて音がだいぶクリアになったことで全体を通してさらに聴きやすい。またバランスの取れたタイトなサウンドになっている。ギターリフなどもキャッチーなものが増えたことで、楽曲ごとの個性が強く反映された作品になっている。

Cock and Ball Torture

人

Sadochismo ドイツ
Ablated Records 2002

2002年発の2ndアルバム。前作から引き続きSubzero Studioにてレコーディングを行っている。またジャケットはドラムのSashaが担当している。作風は変わらず、もはや模範的とも言えるグルーヴィー・ゴアグラインドの楽曲を、テクなどの余計な要素を一切取り除きあくまでゆったりと表現している。また若干ではあるがヴォーカルが目立つプロダクションになっており、前作よりもリズミカルなフレーズがやや前面に出たヴォーカルが収録されている。本作では日本由来のポルノSEが多く使用されており、今まであまり表現されていなかったポルノゴアらしさが色濃く表れた作品になっている。

Cock and Ball Torture

人

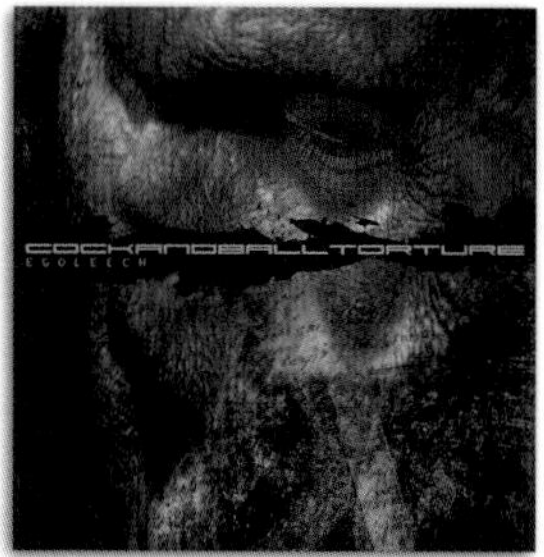

Egoleech ドイツ
Morbid Records 2004

2004年発の3rdアルバム。前作と同じくSubzero Studioにてレコーディングを行っており、マスタリングをドイツの音源制作会社Music Support Groupが担当している。また本作もジャケットはSashaが担当している。大まかに作風は変わっていないが、前作よりもさらにグルーヴ感を追求した作品でブラストなどはほとんど挿入されず、ミドルテンポやビートダウンでひたすら突き進むような楽曲が収録されている。またヴォーカルには新たに低音シャウトが追加されている。前述の作風からデスメタル要素もさらに表現されており、時折ブルータルデスメタル風のパートなども導入されている。

コラム

8ビートを多用し、遅さを追求するポルノゴア

1989年頃にMeat Shitsが確立したポルノ映画やビデオの音声を使用し、ミソジニーな世界観をタイトルや歌詞に組み込んだグラインドコアのサブジャンル「ポルノグラインド」。ポルノグラインドは後年のゴアグラインドにも少なからず影響を与えている。

1991年から活動するGutはポルノ系の音声を使用し、ミソジニーな思想はないものの純粋にポルノをテーマにしたゴアグラインドをプレイしたバンドの第一人者と言われており、後に「ポルノゴアグラインド（ポルノゴア）」と呼ばれるサブジャンルが誕生した。またGutはスピード感を重視していたゴアグラインドからは一線を画し、8ビートのドラムパターンを多用したミドルテンポの遅いゴアグラインドをプレイしており、これらは別名「グルーヴィーゴアグラインド」、「モッシュゴア」とも呼ばれている。また海外では「Tupa-Tupa」とも呼ばれており、これは日本語で言うところの「ツタツタ」「ドタドタ」といったドラムパターンの擬音語から来ている。Gutフォロワーで90年代後半から活動するCock and Ball Tortureは、ブラストをあまり使わず、ひたすらに遅いテンポの楽曲をプレイしたことで知られている。またそもそもミドルテンポ自体は80年代後半～90年代初頭に台頭したGrave等のスローテンポなデスメタルなどで多く見られたもので、初期のCarcassの楽曲などにもすでに使われていた。しかし、ほぼ全編ミドルテンポというスタイルは当時としては革新的であった。

Cock and Ball Torture

Rompeprop

以上がポルノゴアの特徴であり、ポルノゴアとはポルノをテーマにしたゴアグラインドを指すサブジャンルである。しかし、Gutに影響を受けた遅いゴアグラインドをプレイしているバンドのほとんどがポルノをテーマにしていることもあってか、遅いゴアグラインドそのものをポルノゴアと呼ぶ事象も多く見受けられる。この分け方は本来誤りであり、例えばポルノをテーマにしているがスピード感を重視しているバンドもいれば、逆にポルノをテーマにしていないがミドルテンポを多用するバンドもいる。またアルバムの中で数曲ポルノをテーマにした楽曲を収録しているバンドなどもいるが、彼らをポルノゴアと呼ぶことはほとんどなく、あくまでほぼ全編を通してポルノをテーマにしているバンドがポルノゴアと呼ばれる。ちなみにポルノゴアに関してはポルノグラインドにあったミソジニー的思想は完全に薄れており、SM等アブノーマルなテーマは多いものの、純粋にポルノに対する愛を謳っているバンドが多い。

エレクトロ活用、下品で踊れるグルーヴィー・ポルノゴアのパイオニア

Gut

◎ Nunwhore Commando 666 / Libido Airbag / Agoraphobia / Immortal Hate
◷ 1991 ～ 1995、1999、2004 ～現在　　🌐ドイツ　バーデン ヴュルテンベルク州シュトゥットガルト
👤 (Dr, Vo) Tim Eiermann / (Gt) Joe Proell / (Vo) Olli Roder / (Ba) Andreas Rigo
ex. (Ba) Michael Beckett

1991 年結成。ドゥーム / ゴシックメタルバンド Pyogenesis に参加していた Olli こと Oliver Roder、同じく Pyogenesis と前身バンドであるデスメタルバンド Immortal Hate にも参加していた Joe Proell、Tim Eiermann に Michael Beckett を加えた 4 人にて結成。同年にはすでに最初のデモ音源が発表されている。その後 1994 年にはデモ音源、ライブ音源に加えグラインドコアバンド Retaliation や Gore Beyond Necropsy らとのスプリット音源など多くの作品をリリースするも、Michael が脱退する。後任として Tim も参加していたデスメタルバンド Agoraphobia の Andreas Rigo が加入。翌年には 1st アルバム『Odour of Torture』をリリースする。以降活動休止や一時的な復活を挟み、2004 年より本格的に活動を再開する。その間 Olli と Joe は Nunwhore Commando 666 を結成しており、以降 Gut においてもエレクトロの影響が顕著に表れることとなる。2006 年にはエレクトロアーティスト Otto Von Schirach とのコラボ作品や Rompeprop、Gonorrhea Pussy とのスプリット、2nd アルバム『The Cumback 2006』がリリースされている。2007 年には 2005 年より一時的に脱退していた Andreas が復帰し、2010 年までに Satan's Revenge on Mankind らとのスプリットなどをリリースしている。以降メンバー各々のプロジェクトは活動しているも Gut に関してはほとんど音沙汰がなかったが、2020 年に約 10 年ぶりの新作アルバム『Disciples of Smut』をリリース、ライブ活動も併せて行うなど完全復活を遂げている。

Gut

人

Odour of Torture ドイツ
Regurgitated Semen Records 1995

1995 年発の 1st アルバム。レコーディングはメタル系を多く手掛けるFactory of Audio Arts にて行われた。エンジニアを務めた Roman Schönsee をゲストヴォーカルに迎えた曲や、ヴォーカルの Oliver がギター、ベースを担当した曲なども収録されている。多くのフォロワーを生んだグルーヴィー・ポルノゴアの元祖的作品。ポルノ SE をイントロに取り入れ、ミドルテンポを基調としたキャッチーな楽曲にグロウル、ピッチシフター・ヴォーカル、シャウト、裏声ヴォーカルが絡み合うスタイルで作品を作り上げている。またショートカットで少しファニーな楽曲なども収録されている。

Gut

人

The Cumback 2006 ドイツ
Necroharmonic / Obliteration Records 2006

2006 年発の 2nd アルバム。アメリカ、日本、ヨーロッパでそれぞれ異なるボーナストラックを収録したバージョンが 3 種類リリースされた。レコーディングは幅広いジャンルを手掛ける Tonstudio Bieber にて行われた。基本的なスタイルは前作と変わっていないが、本作はバンドがエレクトロに傾倒していた時期の作品で、エレクトロ、ラップ系の楽曲が間奏として収録されていたり、ヴォーカルもラップ風のものが時折挿入されるなど、一風変わったスタイルの作品となっている。プロダクション面では前作より音質がクリアになっており、また前述のスタイルからミクスチャー風の曲も収録されるなどさらに聴きやすくなった作品と言える。

Gut

人

Disciples of Smut ドイツ
Splatter Zombie Records 2020

2020 年発の 3rd アルバム。レコーディングを幅広いジャンルを手掛ける Audiodrive Studio にて行い、マスタリングはメタル、パンクを多く手掛ける Audiosiege にて行われた。またゲストヴォーカルに Gutalax の Martin やデスメタルバンド Pungent Stench、Disharmonic Orchestra のメンバーらが参加している。前作のエレクトロ要素はなくなり、全編ゴアグラインドのみで構成されている。作風はデスメタル寄りになっているが、グルーヴィーなパートやピッチシフター・ヴォーカルなどは健在で、より重厚で作り込まれた楽曲が収録されている。

Libido Airbag

機

Knee Deep in Her Pussy ドイツ
Machismo Productions 1999

1995 年始動。Gut の Olli とデスグラインドバンド Demonic Compulsion としても活動する Didez によるサイバーゴアグラインド・プロジェクト。主に Olli がヴォーカルを務め、Didez が作曲を担当している。本作は 1st アルバムで、1995 ～ 1996 年に発売されたデモ音源 2 作品を再録したものである。サウンドはインダストリアルなエレクトロドラムに、ノイジーな弦楽器が乗ったサイバーゴアをプレイしている。ブレイクコア、トランス、ガバなど多くのエレクトロ要素を導入し、軽快なドラムが特徴的なダンサブルでノれる楽曲をメインに制作している。

Libido Airbag
機

Barrel Blow Job ドイツ
Stuhlgang Records 2001

2001年発売の2ndアルバム。前作以上にエレクトロ要素が強まりドラムンベース、トランス、ハードコアテクノ系のフレーズが増え、また挿入されるシンセなどのエレクトロサウンドの種類もさらに広まった。一方でピッチシフターや下水道ヴォーカル、シャウトなどのヴォーカルの使い分けやポルノSE、マシンブラストなどのゴアグラインドらしさも決して失わずに表現し続けた作品である。エレクトロゴア最初期のプロジェクトながら最先端のサウンドやスタイルを作り上げ、その後のエレクトロゴアに大きな影響を与えた。またライブも行っており、その際には覆面やコスプレを着用してパフォーマンスしている。

Nunwhore Commando 666
機

Home Sweet Home ドイツ
Autopsy Stench Records / Stuhlgang Records 2003

1995年結成。GutのOlli、Joeを中心にElectro Toilet Syndromにも在籍するPontifex PornやグラインドコアバンドNyctophobicの元メンバーらが参加しているバンド。本作は1stアルバムにあたる。インダストリアルなマシンドラムとエレクトロサウンドを導入したゴアグラインドで、グルーヴィーなパートではヴォーカルやSEなどが曲のテンポに合わせてリズミカルに挿入されるのが特徴的である。ノリやグルーヴ感を追求しつつもグラインドコア的なアプローチもしっかりと取り入れており、ベテランならではの高いスキルが表れた作品である。

Olli (Gut, Libido Airbag, Nunwhore Commando 666) インタビュー

Q：エクストリーム音楽やゴアグラインドに出会ったのはいつでしたか？　またどのようにしてバンドを始めるに至りましたか？

A：1988～1989年ごろにデスメタルやグラインドと出会ったんだ。僕はずっとバンドを組むことを夢見ていた。僕はImmortal Hate（Pyogenesisの前身）に所属していた2人のメンバーと知り合いで、彼らは遊びの一環でGutを始めたんだ。そして僕が加入した。しばらくは遊びのサイドプロジェクトとしてやっていて、デモ音源の『Drowning in Female Excrements』もPyogenesisのデモ音源を作っている最中に空き時間ができたから作っただけだった。僕がPyogenesisのみんなとスタジオに入るようになってから僕らは即興でいろいろなものを録音し始めた。僕らのデモ音源はおおよそリハーサル音源だと言えるだろうね。デモへの反応はとても良い感じだった。だから僕らは微調整や手直しをしつつ、今後もレコーディングをしていくことに決めたんだ。

Q：その時からずっとヴォーカルをやっていましたか？　また他に楽器をやった経験はありますか？

A：そうだね。その時からGutではヴォーカルをやっていたよ。他の楽器はやったことがないね。Chaos Cascadeっていう自分のノイズプロジェクトでは作曲や演奏を全て自分でやってるけど、ほとんどはエフェクターやペダルを使ってるだけだから楽器には入らないだろうね。

Q：あなた達がやっているポルノグラインドというジャンルはMeat Shits等がやっていたオリジナルのポルノグラインド（ミソジニー的なメッセージを含むもの）とは少し違うと思うのですが、実際彼らから影響を受けた部分はありますか？

A：音楽的な面ではMeat Shitsからは影響を受けていないけど、ビジュアル面やテーマ的な面では確かに影響を受けているかもね。僕らはゴアなものからポルノまでとても多くの要素を入れてきたよ。

Q：あなた達のグルーヴィーなゴアグラインドというスタイルは現在まで多くのバンドに影響を与えてきたと思うのですが、どのようにしてこのスタイルをやるに至りましたか？

A：音楽面ではImpetigoやPungent Stenchからの影響がとても大きい。彼らもグルーヴィーな一面を持っていたから、僕らも自分たちなりのスタイルで彼らのようなことをやってみたかったんだ。僕らのスタイルが色んなバンドに影響を与えるなんて考えてもみなかったね。つまり僕らは結構正しいことをやってきたんじゃない（笑）？

Q：ポルノ作品からはどのような影響を受けましたか？

A：大きな影響はテーマ、曲名、アートワーク等だね。

Q：曲やアルバムのタイトル、ジャケット、歌詞やSEなど全てご自身で決めていますか？　その際単語やテーマをどのように決めていますか？

A：曲名はほとんど僕のアイデアだね。でも他のメンバーもたくさんアイデアを持ってきてくれるよ。アルバムのタイトルやジャケットはみんなで決めるよ。僕やみんなで考えたものがそのまま形になることが多いね。とても速い時もある。「こんなアイデアがある」「……よしやってみよう」といった感じに。またある時はもう少しメッセージのようなものを入れて、全員が納得するまで時間がかかることもある。

Q：あなたはエレクトロからも影響を受けており、またノイズのプロジェクトにも参加し

ていますが、これらの音楽に関して特に影響を受けたアーティストは誰ですか？

A：僕はN.W.A.、Ice-T、Ice Cube、Public Enemy等のラップをよく聴いていたけど彼らから影響を受けているとは思わなくて、ただ好きな音楽ってだけかな。その後はドラムンベースやトリップホップなんかもよく聴いていたよ。ノイズに関しては90年代にMerzbow、Hanatarash、The Gerogerigegege、Masonnaなどの日本のノイズをよく聴いていたよ。Chaos Cascadeっていうノイズプロジェクトを始めた当初はRevenge、Nyogthaeblisz、Gnaw Their Tonguesとかからの影響が大きかったけど、後にハーシュノイズやパワーエレクトロニクスの要素をもっと入れたくなったんだ。僕はいろんなバンドをやってきたけど、あくまで自分なりのスタイルでやりたくて他のバンドからの影響はあまり出さないようにしてきたんだ。

Q：『The Cumback 2006』にはエレクトロの要素が多く含まれており、またOtto Von Schirachとコラボレーションした音源などもリリースしていますが、Gutの音楽にエレクトロの要素を入れようと思った理由を教えてください。

A：僕らは普段からいろんなジャンルの音楽を聴いていて、自分たちの音楽に変わった要素を入れてみたかったんだ。僕らが新しいものを作る時、誰もが予想しなくて、また誰かを怒らせるかもしれないようなアイデアのもとに作品を作り出すんだよ。Gutに関しては僕たちがやりたいと思うことをずっとやってきていて、それこそが僕らのやり方なんだ。

Q：ではポルノをテーマにした音楽を始めたのも同じような理由でしょうか？　バンドのテーマにポルノを選んだ理由を教えてください。

A：僕らは「限界を超えた」エクストリームなものをやりたかった。必ずや大勢の人たちに巨大なFUCKサインを見せてやりたかったのさ！（笑）Meat Shitsは他の多くのバンドがデス/ゴア系をやる中でポルノをテーマにした唯一のバンドだと思うよ。だから当時はポルノ系っていうのは一般的ではなかった。そんなポルノとゴアを混ぜ合わせたものが僕らにはとてもしっくりきた。そして当時そんなスタイルは衝撃を与えるのにも十分だった。もちろん最近では同じようなテーマのバンドも増えたけど、僕らは少し違ってもっとダークな感じだったね。

Q：10年ぶりの復帰作である『Disciples of Smut』ではエレクトロの要素は減り、クラシックなデスメタルやグラインドコアからの影響が感じられるようになりましたが、この作品のテーマはどのようなものでしたか？　またどのようにして作られましたか？

A：『Disciples of Smut』の最初のアイデアは言わば原点回帰（『Odour of Torture』のスタイルの下、もう少しダークな雰囲気で）だった。僕らはとても多くのアイデアを出したけど、多くのバンドが今までに同様のスタイルでアルバムを出してきた以上、昔のスタイルをそのままやるのは意味がないということに気づいたんだ。そしてこのアルバムはGut史上初めての即興要素がない作品なんだ。今までの作品はすでに作詞作曲した楽曲が少しと、不意に思いついてスタジオで録音しておいた楽曲がたくさんあ

るといった感じだったからね。個人的にはこの『Disciples of Smut』がこんな感じに育つなんて思っていなかったよ。出来栄えにもとても満足しているし、僕たち全員が今までで一番いい作品だと思っているよ。

Q：Libido Airbag と Nunwhore Commando 666 はいつ、どのように始まりましたか？ またどのように曲を作っているか教えてください。

A：Libido Airbag も Nunwhore Commando 666 も 1995 年に始めたよ。Nunwhore Commando 666 のアイデアは Libido Airbag を始めるより前からあったんだけど、他の作品作りで忙しかったし何より録音するのが面倒くさかったんだよね。だから Libido Airbag のいくつかの作品は Nunwhore Commando 666 よりも前に出ているんだ。Libido Airbag ではサンプリングを担当していて、メンバーの Didez が作曲を担当している。使っている機材は基本 Cubase と Reason だね。Nunwhore Commando 666 はギターとベースを導入していて、ドラムやエフェクトをデジタル音源で作っているよ。

Q：最近のゴアグラインドやグラインドコアを聴いていますか？　また最近のバンドやシーンについてどう考えていますか？

A：僕はジャンルやシーンについて全く気にしていなくて、ただ自分が好きなものを聴いているだけだよ。このレーベルが、このバンドがと言うのはとても難しいけど、ゴアグラインドに関しては新しいものや僕が知っているもので好きなものはほとんどないね。Fluids は思い浮かんだよ。彼らはとてもかっこいいね。良いと思ったバンドはもうちょっといたはずだけど、今すぐには思い浮かばないな。それこそ 90 年代のものになってしまうね

Q：日本に対する印象と好きな日本の音楽を教えてください。

A：日本にはずっと魅了されているよ。でも一回も行けてないんだ。だからはっきりとこれとは言えないけど、おそらく文化は全く違うだろうね。好きな日本の映画やバンドはたくさんあるよ。音楽なら Gore Beyond Necropsy、Masonna、Butcher ABC、Anatomia、Legion of Andromeda や先ほど言った Hanatarash とか。みんな素晴らしいよ。

Q：最後に日本のゴアグラインドファンへ一言どうぞ。

A：サポートありがとう！　『Disciples of Smut』を楽しんでくれているといいな！　まだまだリリースもあるし、いつの日かは日本でライブができるといいな！　Shi no kiken! Sayonara!

5 Stabbed 4 Corpses

人

Get Smashed ドイツ

Rotten Roll Rex 2011

2009年アウクスブルクにて結成。現在のメンバーはブルータルデスメタルバンドFetus Christの元メンバーを擁する4人編成。また以前は同じくFetus Christの元メンバーでLast Days of Humanityのライブサポートもした女性ベーシストMelanieが在籍していた。2012年にはObscene Extremeに出演している。本作は1stアルバムにあたる。ブルータルなエッセンスも感じられるグルーヴィー・ゴアグラインドをプレイしており、Rectal Smegmaからの影響を感じさせる曲が多い。様々なヴォーカルが入れ代わり立ち代わり登場し、聴きごたえのある楽曲を作り出しているのが特長である。

Anal Fistfuckers

人

Scat Porn Maniacs ドイツ

Splatter Zombie Records 2014

結成時期不明、2004年より活動するバンド（特に活発に活動するようになった2014年を結成年と表記することもある）。数回のメンバーチェンジを経ており、現在のメンバーは2018～2019年にかけて加入したメンバーで、唯一のオリジナルメンバーであるEl Excrementoはゲストヴォーカルとしてのみ参加している。本作は2ndアルバムにあたる。ポルノSEを使ったグルーヴィーなゴアグラインドをプレイしている。音質はそこまでクリアではなくサウンドも重厚ではあるが、要所要所にカウベルが使われている点などから、ダンサブルで軽快な印象が特に感じられる作品である。

Anal Whore

機

Pornorama ドイツ

Divine Noise Entertainment 2006

1999年始動、多くのバンドに所属しているAndreasによるワンマンプロジェクト。数本のスプリットをリリースし、本作は1stアルバムにあたる。本作ではThe Swinger Clubというグループの一員としてGutのOlliやDecomposing SerenityのWitterらがゲストヴォーカルで参加している。日本語のポルノSEが多く使われているが、サウンドはマシンブラストと強烈なピッチシフター･ヴォーカルが目立つ､比較的クラシックなゴアグラインドで、グルーヴィーな箇所は少しだけ存在している。またノイズグラインド的なショートカットチューンも収録されている。

Anus Tumor

機

Be Openminded ドイツ

Septic Aroma of Reeking Stench 2007

2000年始動、グラインドコアバンドIntestinal Infectionにも在籍していたニーダーザクセン州出身Danによるソロプロジェクト。ドイツにおける最初期の打ち込みゴアグラインドとしても知られている。単独作は少なく、スプリット作品を多くリリースしている。本作はBandcampでダウンロード可能な2007年にカセットとして発売されたEPである。爆速のマシンブラストが多用されているが、パンクやスラッシュメタル風のわかりやすいフレーズも時折挟み込まれるのが特徴的である。全体的にチープな音作りになっているのも、最初期から活動する打ち込みゴアグラインドらしい特徴といえる。

Bitch Infection

機

The Gory Side of Life ドイツ

Necroharmonic 2003

1998 年 Utopie の Patrick によるサイドプロジェクト S.O.S Infection をきっかけとして始動。1999 年にワンマンプロジェクトとなっており、現在 3 人のメンバーの名前がクレジットされているが全て Patrick のニックネーム、ステージネームである。本作は 1st アルバムにあたる。ポルノ SE を導入し、チープなマシンドラムを使用したゴアグラインドで曲調はファストなものから、グルーヴィーなものまで幅広い。ギターのフレーズはわかりやすくキャッチーなものが多いものの、本作においてはギターの音も安っぽく、また全体的に少しノイジーなサウンドとなっている。

Bitch Infection

機

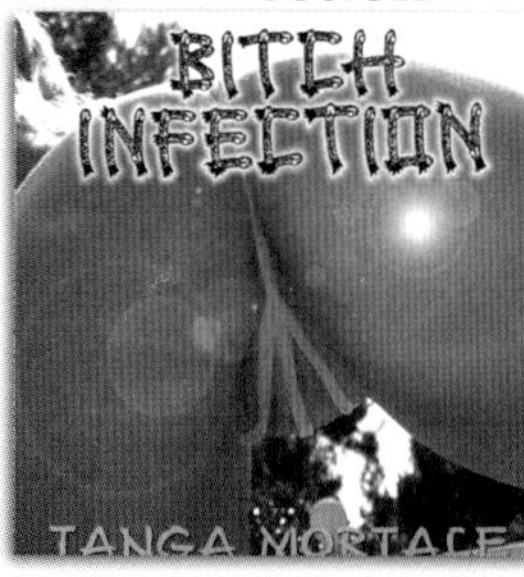

Tanga Mortale ドイツ

Necroharmonic 2006

2006 年発売の 2nd アルバム。前作の死体ジャケとはうってかわってポルノジャケが使用されている（リリース全体を見てもポルノテーマのものが多い）。また本作には S.O.S Infection 時代のセッション音源も収録されている。前作と比べてギターの音の厚みが出てきており、またさらに低音も強調され、よりブルータルで力強いサウンドとなった。全体的に曲のテンポが下がったことでグルーヴィーなものが増え、ひたすらゆったり進む曲なども収録されており、改良されたサウンドの強みが色濃く表れる作品となった。またヴォーカルも若干聴こえやすくなるなど、プロダクション面においても改良の跡が見られる。

Bowel Evacuation

人

Fecal Fetishist ドイツ

Endwar Records 2015

2011 年コトブスにて結成。4 人編成にて結成され、メンバーは全員覆面を被って活動している。本作はデモ、スプリットを経ての 1st アルバムである。世界観はスカトロゴアで高音スネアが目立つ楽曲をプレイしているが他のスカトロゴア、ポルノゴア系バンドと比べて、ロウなプロダクションということもあり、グルーヴィーさはさほど前面には出ていない印象が見受けられる。ミドルテンポのパートは多いものの、スラムの影響が感じられるビートダウン、ブレイクダウンパートやデスメタルなどにおける遅いテンポのパートなどが主に挿入され、全体的にミドルテンポよりも遅くゆったりとした楽曲を作り上げている。

Cerebral Enema

人

Erase the Human Dung ドイツ

Endwar Records 2019

2013 年 TerroRape としてベルリンにて結成、2014 年に現在の名称となる。打ち込みドラムの 3 人編成で結成されるが、2019 年にブルータルデスメタルバンド Hymenotomy などで活動する Are がドラムとして加入する。本作は 1st アルバムで、レコーディングを多くのメタルバンドを手掛ける Karl Korts と Are が担当した。サウンドは Rectal Smegma や Gutalax など比較的最近のバンドの影響が色濃く表れたグルーヴィー・ゴアグラインド。ブルータルデスメタルの要素も含まれており、グラインドよりもメタルに寄った楽曲が多く収録されている。ヴォーカルのバリエーションもとても広い。

Corpse Molesting Pervert

人

Transforming into a Grinding Beast ドイツ

God.spit Records / Divine Noise Entertainment 2003

2002 年フランクフルトにて結成。Anal Whore の Andreas が所属する 3 人編成バンド。唯一の単独作である本作と数本のスプリットを発表し、現在は活動休止している。また 2005 年の Obscene Extreme にも出演している。グラインドコア特有の疾走感溢れるサウンドと迫力のあるシャウトヴォーカルに、ダーティーなピッチシフター・ヴォーカルが絡むゴアグラインドをプレイしている。オールドスクールな作風だが、わかりやすいパートもありつつ、時折挟まる荒々しい演奏との対比もできており、初期衝動的な勢いの良さとゴアグラインドとしての魅せ方を両立させた作品である。

Cuntemonium

人

Raped, Butchered and Eaten ドイツ

Low.B Records 2011

2008 年オルディスレーベンにて結成。1st アルバムである本作は Satan's Revenge on Mankindのメンバー全員が制作に関わっており、Helreath がレコーディング、Goreblast がアートワーク、Tomhet がプロデューサー、そして Genital Lecter がベースを担当した作品となっている。サウンド面や楽曲においても Satan's Revenge on Mankind の影響が感じられる作品だが、よりデスメタルの影響が強く、低音の重みが出ているのがこのバンドの特徴といえる。また高音スネアを使用してはいるが、ダンサブルなグルーヴィーパートよりもメタリックな縦ノリ系のパートに重きを置いている。

Cuntgrinder

人

...The Day of Judgement ドイツ

Independent 2000

1995 年ゲルリッツにて結成。現メンバーや元メンバーにデスメタルバンド Profanation に在籍するメンバーがいる。楽器陣は覆面を被って活動している。現在までスプリットや単独アルバムを多くリリースしており、本作はデモ音源発売後の 1st アルバムにあたる。ブルータルなエッセンスも取り入れられたデスメタル、グラインドコアサウンドに高音スネアやグルーヴ感などのゴアグラインド的要素を組み込んだスタイルで楽曲を作り上げている。フレーズや展開などはクラシックでわかりやすいものが多く、またメタル、グラインド両要素を踏襲したストレートで万人受けするような楽曲が収録されている。

Dead

人

Whorehouse of the Freaks ドイツ

Obliteration Records 2006

1990 年ニュルンベルクにて結成。デスメタルバンド Deadlock の元メンバーらにより結成され、また現在はデスグラインドバンド Maggot Shoes の Christoph が在籍している。本作は 3rd アルバムで、特にゴアグラインド要素が強い作品である。ポルノ SE を多く使用し、オールドスクールなデスメタルを主軸に Butcher ABC 等にも引き継がれるグラインドロックを組み込んだ楽曲をプレイしている。ハードロック調のグルーヴィーサウンドと、キャッチーな高低掛け合いツインヴォーカルが挿入されるパートが特に印象的である。また 2004 年には来日公演も行っている。

Deep Dirty

機

Brutal Silence ドイツ

Gore Cannibal Records / 666 Records / Bizarre Leprous Production 2018

2017年始動。ゴアグラインドバンドRapemachineに所属し、レーベル666 RecordsやGutalax、Haemorrhage等をサポートするギターブランド666 Stringsを運営するニーダーザクセン州出身のStefanによるワンマンプロジェクト。2018年に来日し、同じく2018年のObscene Extremeにも出演した。覆面を被っているがスーツ着用という特徴的な装いで活動している。グルーヴィーなフレーズが多いがブルータルデスメタルのアプローチも感じられる。クリアだが重いサウンドに邪悪な下水道ヴォーカルが乗るスタイルのゴアグラインドをプレイしている。

Electro Toilet Syndrom

The Meathookers ドイツ

FDA Rekotz 2010

2004年結成。Nunwhore Commando 666、Libido Airbagにも参加するPontifex PornがElectro Dahmer名義で在籍しているユニット。当初はギターのいない打ち込みプロジェクトであったが、後にギタリストが加入した。本作は唯一の単独作品で、ジャケットをNecroartが担当した。インダストリアルなドラムマシンによるマシンブラストを中心としたエレクトロゴアをプレイしている。打ち込みならではのプログレッシヴなドラムパターンなども導入され、ストリングスなどの多くの要素が絡み合うエクスペリメンタルな楽曲が収録されている。

Erotic Gore Cunt

Sick Songs for Infected People ドイツ

Bizarre Leprous Production 2012

2008年アウリッヒにて結成。以前は4人編成であったが2ndアルバムにあたる本作は3人編成にて制作されている。また本作ではレコーディングをMeatknife等を手掛けるFrank-Otto Conradsが担当した。ノリの良いグルーヴィー・ポルノゴアグラインドを中心にプレイしている。ドゥームのようなフレーズもあるほどゆったりとグルーヴィーに楽曲が進んでおり、ブラストの速さもあまり速くはないが、ギターのフレーズは素早く刻み、掻き鳴らすデスメタル系統のものも多く挿入されている。ヴォーカルはRompeprop系のピッチシフター・ヴォーカルで、楽曲の低音をさらに強調させている。

Gonorrhea Pussy

人

Sleazography ドイツ

Splatter Zombie Records 2021

2004年ニュルンベルクにて結成。「淋病オメコ」という別名でも知られている。本作は現在入手困難である1stデモ音源やGut、Necro Tamponとのスプリット、そして2019年発売の4バンドによるスプリット音源を集めたコレクションアルバム。GutやSatan's Revenge on Mankind影響下のダンサブルなポルノゴアグラインドをプレイしている。デモ音源ではいわゆるデモクオリティなロウなプロダクションが目立つが、スプリットは特にスネアなどの音が精細になっており、グルーヴィーさに拍車がかかり、更にノれる作品へと変貌している。またSEは日本のポルノ作品のものが多い。

Gored

人

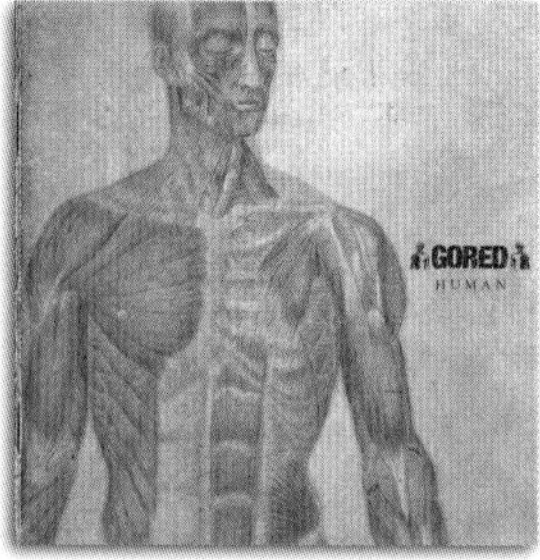

Human ドイツ
Last House on the Right 2008

2003 年ザールブリュッケンにて結成。ベース & ヴォーカルの Johannes と、イラストレーターとしても活動するドラム & ヴォーカルの Andreas によるデュオ体制にて活動している。本作は 1st アルバムで、エンジニアをメタル系を多く手がける Phil Hillen、ジャケットを Andreas が担当した。ブラストを多用したグラインドコア色が強く疾走感のある楽曲を主にプレイしているが、ドゥーム的な非常にゆったりとしたパートも組み込まれており、両者の性急なテンポチェンジが大きな特徴である。ヴォーカルは邪悪なピッチシフター・ヴォーカルで、ゴアグラインドらしさを強く表す要素の一つになっている。

Meatknife

人

Vaginal Blast ドイツ
Noise Variations 2003

1995 年ニーダーザクセン州エムデンにて結成。かつてデスメタルバンド Anasarca や Torchure の元メンバーらが在籍していた。本作は 3rd アルバムでレコーディングを Frank-Otto Conrads が担当し、ゲストヴォーカルにデスメタルバンド Fearer の Tom が参加している。サウンドはデスメタル風だが、グルーヴィーなパートを多く取り入れたゴアグラインド。ヴォーカルは Oxidised Razor に近いピッチシフター・ヴォーカルを基調にシャウト、グロウルなどが挿入されるスタイル。またポルノ SE や放屁音の導入、気の抜けたようなコーラスなどファニーな側面も見られる。

Mucupurulent

人

Sicko Baby ドイツ
Subzero Records 1997

1995 年エーリンゲンにてスラッシュメタルバンド Anticipation、デスメタルバンド Minority のメンバーによって結成。本作は 1997 年発売の 1st アルバムでミックス、マスタリングは Cock and Ball Torture なども担当する Ecki が手がけている。Gut のグルーヴィー・ポルノゴアグラインドのスタイルを引き継いだ第一人者とも言われており、同バンドの影響を最大限に表現したアルバムになっている。このバンドの特徴としてはスラッシュメタル的なグルーヴを組み込んでいる点や、高音ヴォーカルがいわゆるヘアメタル風になっている点などが挙げられる。また SE には日本語のものも多く使われている。

Mucupurulent

人

Horny like Hell ドイツ
Subzero Records 1999

1999 年発の 2nd アルバム。前作とメンバーは替わらず、ミックス、マスタリングも Ecki が引き続き担当している。本作をきっかけに音楽性がデスグラインドやグラインドロックに近づき、この作品以降もその音楽性が引き継がれていくことになる。しかし、SE やブラスト、グルーヴィーパート、Gut 風の高音ヴォーカルは健在で、楽器陣の音も非常に重たいものとなっているので、ところどころにゴアグラインドの要素が活かされていることがわかる。本作発売後、2000 年と 2013 年の Obscene Extreme に出演しており、また 2006 年の 4th アルバムにてドラマーの交代が行われた。

Plasma

人

Creeping! Crushing! Crawling! ドイツ
Bizarre Leprous Production 2007

フランクフルトのゴアグラインドバンドAfterblastに所属していたMarcusによるワンマンプロジェクトとして1995年に始動。その後2003年に同じくAfterblastのAlfがドラマーとして加入し、バンド編成となる（後に脱退）。また一時期Corpse Molesting Pervert、Anal WhoreのAndreasも在籍していた。1stアルバムの本作ではレトロなSF映画をテーマにしている。ゴアグラインドにおいて最高峰ともいえる、水気と汚さを十分に含んだ下水道ヴォーカルが特徴的。楽器陣のサウンドはオールドスクール風であるがブラスト、グルーヴィーパートとゴアグラインドの持ち味を手広く生かしている。

Sadistic Blood Massacre

人

Anal Intruder ドイツ
Independent 2003

2000年バンベルクにて結成。2002年にはObscene Extremeに出演している。本作は1stアルバムでドラムにデスグラインドバンドMaggot Shoesにも在籍したMarcoが加入し、人力ドラムになってから初の作品である。ライブ音源も収録されており、ヴァイキングメタルバンドThy Wickedの元メンバーHolgerがゲストヴォーカルで参加している。デスメタルを基調にしたサウンドだがGutのカバーも収録されており、同バンドの影響が感じられるポルノSEやグルーヴィーなパートも導入されている。ヴォーカルはノンエフェクトだが邪悪なグロウル、豚声ヴォーカルなどがかわりがわりに登場する。

Sanitys Dawn

人

Mangled in the Meatgrinder ドイツ
Shredded Records 1998

1987年ニーダーザクセン州にて結成。本作は2ndアルバムにあたり、ミックスをパンクバンドGigantorに在籍するNico Poschkeが担当した。またドイツの詩人ゴットフリート・ベンの詩を歌詞に引用した楽曲なども収録されている。ノリが良くキャッチーなゴアグラインドをプレイしており、最初から最後まで勢いやテンションを保ったまま突き進む作品となっている。ヴォーカルのバリエーションの多さが特徴的で、ピッチシフター、シャウト、グロウル、下水道ヴォーカルや咳払いのようなヴォーカルなどを使い分けている。本作以降はパンクの要素が増し、よりグラインドコアへ近づいた作風へと変化していった。

Satan's Revenge on Mankind

人

Goreblast ドイツ
Rotten Roll Rex 2006

2004年結成。ドラマーのThe Almighty Mr. Goreblastを中心にデスメタルバンドMortis Nexの元メンバーらを迎え、結成された3人編成のバンド。現在はCuntemoniumのメンバーも在籍している。本作は1stアルバムで、マスタリングをメタル系を多く手掛けるJaime Gómez Arellanoが担当した。サウンドは低音がうねるようなギターと、高音スネアが特徴的なノリの良いグルーヴィー・ゴアグラインド。ブラストからのビートダウンなど曲中のテンポの緩急をしっかりと付けつつもファニーなアプローチを感じさせるような曲もあり、安定感とユーモアを上手く両立させた作品である。

Satan's Revenge on Mankind

人

Supreme Malicious Necro Terror ドイツ
Rotten Roll Rex 2009

2009年発売の2ndアルバム。前作と同じくマスタリングをJaime Gomez Arellanoが担当しており、またゲストヴォーカルにMucupurulentのTimoが参加している。前作同様空き缶のような高音スネアを導入しつつ、ギターにおいてはソロパートがある曲が収録されるなどよりギターらしい所作が目立つサウンドとなっている。前作の低音を前面に出したギターサウンドは本作において、ベースと同じ立ち位置を担っている。曲の構成はグルーヴ感は残しつつも前作ほどのノリは感じられず、オールドスクールなデスメタルやドゥームの要素が反映されたクラシックな作風のアルバムとなっている。

The Creatures From the Tomb

人

The Terrifying Menace ドイツ
Rotten Roll Rex 2018

2012年アウリッヒにて結成。一度メンバーチェンジを行っており、現在はデスメタルバンドWeak Asideの元メンバーであるJörgが参加している。本作は1stアルバムにあたり、ミックス、マスタリングを現地メタルバンドを手掛けるHenning Ukenaが担当した。グルーヴィーなゴアグラインドをプレイしているが、ホラー映画やSF映画をテーマにしていることもあり、明るい雰囲気ではなく邪悪な世界観である。デスメタル、ドゥームのような遅いパートもあり、重くドロドロしたサウンドもありつつグルーヴィーでグラインドコア風のパートも挿入されており、過不足のない両者の対比が唯一無二のスタイルを確立させている。

Tourette Syndrom

機

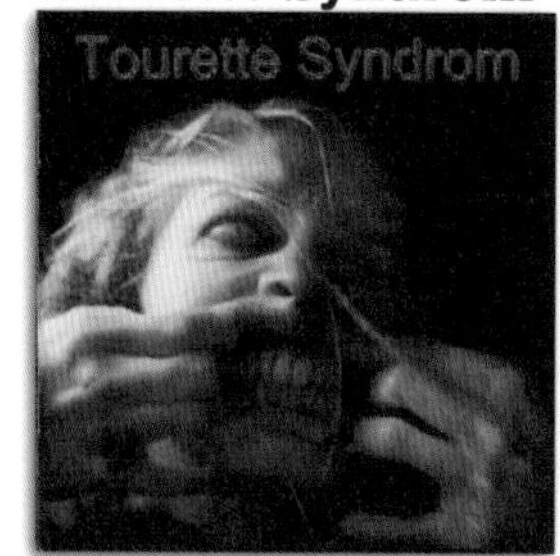

Gabbergrind ドイツ
Apathic View Productions 2005

2002年コブレンツにて結成。Rotten Roll RexオーナーのMarcoがヴォーカル、打ち込みを担当し、ギター2名とライブにおけるゲストヴォーカルを含む4人編成。単独作は本作のみで、これ以外では数作のコンピレーションアルバムに参加している。また本作ではアボリジニの民族楽器ディジェリドゥを担当したゲストメンバーもいる。アルバム名からも判る通りガバキックをふんだんに盛り込んだエレクトロゴアをプレイしている。楽曲は下水道ヴォーカルと高音シャウトヴォーカルが絡み合った、グラインドコア寄りの作風になっている。ちなみにメンバーはアダルトグッズなどをまとった奇抜な装いをしている。

Ulcerous Phlegm

人

Phlegm as a Last Consequence ドイツ
Power It Up 2015

1989年バイエルン州ホーホシュタットにて結成。グラインド系レーベルDhyana Recordsを運営するBerndらが在籍しており、現在は解散済み。本作は1990～1991年にリリースされた2枚の単独音源と未発表音源、ライブ音源などを収録したコレクションアルバム。オールドスクールなデスグラインドをプレイしており、カルト的な存在だったが、当時まだ珍しかったグルーヴィーなフレーズを前面に出した楽曲や重厚な弦楽器のサウンドなどがゴアグラインドシーンにも大きな影響をもたらした。後にGut、Dead Infectionに始まる多くのゴアグラインドバンドに楽曲がカバーされている。

Undying Lust for Cadaverous Molestation

人

UxLxCxM ドイツ

Independent 2012

2007年バーデン・ビュルテンベルクにて結成。数回のメンバーチェンジを経ており、元メンバーは現在デスメタルバンドDistressed to Marrowに在籍している。2015年にはObscene Extremeに出演している。本作は自主制作にて発表された1stアルバムである。言わば模範的なグルーヴィー・ポルノゴアグラインドをプレイしている。系統としてはRompepropに近く、ヴォーカルなどから同バンドの影響が窺える。本作のサウンド面はクリアな仕上がりになっているが、メンバーチェンジ後の2ndアルバムではクセのあるダーティーなプロダクションになっており、まるで違った印象が見受けられる。

Utopie

人

Instinct for Existence ドイツ

Bizarre Leprous Production / Disgorgement of Squash Bodies Records 1999

1996年ローゼンハイムにて結成。後にBitch Infectionを始動させるPatrickが在籍していたバンド。数本のデモ音源やスプリットを除く唯一のアルバム作品で、レコーディングをCock and Ball Tortureなどを手掛けるSebastian Dunstが担当した。Gutの影響が色濃く表れており、ダンサブルとまではいかないが、グルーヴ感が特に感じられる楽曲をプレイしている。テンポチェンジが多く、ファストなパートとミドルテンポのパートが交互に繰り広げられている。ヴォーカルの表現も多彩で早口でまくしたてるグロウルやシャウトなどを使い分け、楽曲をそれぞれ特徴づけている。

Nuclear Monstrosity

人

So Let's Nuke'm First オーストリア

Nice to Eat You Records 2012

2010年ウィーンにてギターを担当するToxic Boyによるソロプロジェクトとして始動。2011年にシンフォニックメタルバンドDaedric Talesのメンバーらが加入し、バンド体制となる。またライブではしばしば覆面を被っている。本作は1stアルバムで、レコーディング及びミックスはグラインドコアバンドPigstyのOtynが運営するDavos Recordsにて行われた。バンド名やタイトル、アートワークに至るまで核兵器や放射性物質をテーマにしている。楽曲はRompeprop等の影響が感じられるグルーヴィー・ゴアグラインド。キャッチーで耳に残りやすいフレーズも多く、ノリの良さを最大級に表現した作品である。

Squirtophobic

人

Cuntry Loads オーストリア

Nice to Eat You Records 2012

2008年トゥルン地区にて結成。2014年まで活動し、2015年にObscene Extreme出演のため一夜限りで再結成した。何度かメンバーチェンジを経ており、主に4～5人編成で活動していた。本作がキャリアにおいて唯一のアルバムで、ミックス、マスタリングをグラインドコアバンドMastic Scumなどを手掛けるGerhard Vellusigが担当した。グルーヴィーなゴアグラインドをプレイしており、スラムパートやロック調のギターなどが挿入される。強烈なピッグスクイールが乗っており、終始ダンサブルに進む一面などから、日本のものすごい光などに大きく影響を与えたと推測できる。

VxPxOxAxAxWxAxMxC

機

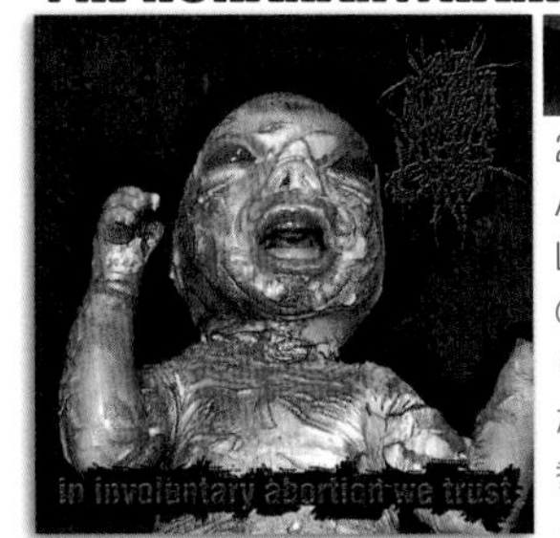

In Involuntary Abortion We Trust オーストリア

Kaotoxin Records / Putrid Attitude Records 2012

2008 年リンツにて結成。正式名称は「Vaginal Penetration of an Amelus with a Musty Carrot」。元メンバーは現在デスメタルバンド Legions Descend で活動しており、またメンバー全員がオーストリアの殺人犯の名前を冠して活動している。数本のスプリットに参加しており、本作は初の単独 EP となっている。Kaotoxin Records の Nicolas がプロデューサーを務め、また S.M.E.S. の Erwin がゲストヴォーカルで参加している。スラムパートを導入したグルーヴィーゴアをプレイしており、凄まじいゲロゲロヴォーカルが特徴的である。

Cakewet

人

Too Avek Un Pied スイス

Independent 2003

2002 年ローザンヌにて結成。ブルータルデスメタルバンド Porifice のメンバーが在籍しており、また歴代女性ヴォーカルが在籍している。現在までスプリットを中心に音源をリリースしており、本作は初の単独作品である。主にグラインドコアを基調とした高音スネアブラストが特徴的なゴアグラインドをプレイしている。ブルータルなフレーズやテンポチェンジなども多く導入され、一見複雑な印象も見受けられるが音のバランスは良く、比較的聴きやすい楽曲が収録されている。また一方で Slipknot のパロディなどファニーな一面も垣間見え、全体を通して見ても非常に変態性の高いバンドといえる。

Embalming Theatre

人

Sweet Chainsaw Melodies スイス

Razorback Records 2003

1995 年スイスにて結成。ドラマーの Li Quescent はデスメタルバンド Disparaged でも活動しており、他のメンバーも現地のデスメタルバンドの元メンバーである。ライブではコスプレをしていたりとファニーなアプローチも表れている。現在まで多くのスプリットやアルバムをリリースしており、本作は 1st アルバムにあたる。デスグラインド系の小ぎれいで聴きやすいサウンドと、そこに乗っかる邪悪なゴアヴォーカルが特徴的。デスメタルを重視した楽曲も多く、スタイルとしてはゴアメタルにも共通点が感じられる。歌詞は全て実際に世界各国で起こった猟奇的事件をテーマにしている。

Nasty Face

人

Obsequious Disinterment of Long-Forgotten Grot スイス

Choothar Tapes 2015

2015 年バーゼルにて結成。ブルータルデスメタルバンド Kastrated でも活動する Elliot が参加している。自身らが運営する Choothar Tapes よりスプリットを中心に音源をリリースしており、本作はカセット、デジタルのフォーマットにて発売された。ブルータルなフレーズが組み込まれたゴアグラインドをプレイしている。デスメタル、スラッシュメタル風のギターリフとテクニカルなフレーズや手数の多いドラムが楽曲を織り成し、1 曲のうちにファストにもグルーヴィーにも変貌するアヴァンギャルドなサウンドである。ヴォーカルはピッチシフターとシャウトのツインスタイルでこちらは比較的クラシックである。

気の抜けたヴォーカル、クリーンギターのおふざけファニーゴアの始祖

Gronibard

- Warscars / Aborted / Frankensperm / Belenos
- 1998 ～現在
- フランス　ノール県リール
- (Ba) Albatard / (Dr) Godemichel / (Gt, Vo) P'tite Bite / (Gt, Vo) Necronembourg / (Vo) Anal Capone
  ex. (Ba) Leffe Moualafatte / (Dr) Natachatte / (Vo) Dark Jeanne / (Key) Danton Cul

1998 年結成。グラインドコアバンド Frankensperm に所属していた Albatard、Necronembourg、Anal Capone の 3 人を中心に結成。完全なるおふざけバンドとして誕生するが、同時期に Anal Capone を抜いたメンバーによる比較的真面目なグラインドコアバンド Warscars も結成されている。その後ドラマーに Natachatte が加入、同年には最初のデモ音源が発表される。この作品においては新たなベーシスト、ヴォーカル、キーボーディストを加えた総勢 7 人によって制作され、ショートカットなグラインドコアを中心にノイズセッションなども収録されている。その後 Natachatte は脱退するが、以降もイラストレーターとしてバンドの作品へ携わっている。後任ドラマーに後にブルータルデスメタルバンド Aborted やブラックメタルバンド Belenos に在籍することとなる Godemichel こと Gilles を迎え、1st アルバム『Gronibard』をリリース。またこのアルバムをきっかけにヨーロッパツアーなどを経験することとなる。2003 年には新たなギタリスト P'tite Bite を迎え 5 人編成となり、Gorerotted、Gruesome Stuff Relish とのスプリットを発表。翌年にはミニアルバム『Satanic Tuning Club』をリリースし、更なるツアーや Maryland Deathfest への出演などを経験する。しかしツアーによる疲弊から 3 年ほど休止期間を設ける。その後 2008 年には 2nd アルバム『We Are French Fukk You』をリリース。以降も Obscene Extreme への出演などライブ活動を中心に活動する。2022 年には 14 年ぶりとなるアルバム『Regarde Les Hommes Sucer』が発売される。

Gronibard

人

Gronibard フランス
Bones Brigade 2001

2001 年発売の 1st アルバム。レコーディングは幅広いジャンルを手掛ける Studio Midnight にて行われた。Gut、Last Days of Humanity やブラックメタルバンド Belenos のカバーが収録されており、また元メンバーの Natachatte がゲストヴォーカルで参加している。サウンドはキャッチーなフレーズを基調にしたグルーヴィーなゴアグラインドをプレイしているが、ブラストのスピードもとても速い。また Gut 影響下の裏声ヴォーカルや気の抜けたコーラス、クリーンギター、パロディフレーズなどおふざけ、ファニー要素が詰め込まれており、本作はファニーゴアと呼ばれるジャンルの元祖的な作品といえる。

Gronibard

人

Satanic Tuning Club フランス
Bones Brigade 2004

2004 年発売のミニアルバム。2012 年には本作にライブ音源、スプリット音源等のボーナストラックを追加収録したコレクションアルバム『Satanic Tuning Club Turbo!』が発売された。本作より新たにギタリストとして P'tite Bite が参加している。ハードコアバンド Disrupt 等のカバーや、自身の曲のアンプラグドアレンジなどが収録されている。前作よりもさらにキャッチーで耳に残りやすいフレーズが増え、グルーヴィーなパートはそのままに、よりファストでグラインドらしくなった楽曲が収録された作品である。前述のアンプラグドや気の抜けたシンセなどファニーパートも変わらず収録されている。

Gronibard

人

We Are French Fukk You フランス
Bones Brigade 2008

2008 年発売の 3rd アルバム。前作と同じく録音を Studio Midnight にて行っており、ミックス担当の Hubert Letombe がゲストギターで参加している。ジャケットを元メンバーの Natachatte が担当し、またデスメタルバンド Necrophagia のカバーが収録されている。前作同様キャッチーでグルーヴィーなフレーズを主軸にしているが、本作ではギターソロなどに始まるハードロック、メタル系のフレーズが若干増えている。また本作ではバラード、アコギなどのファニーパートが含まれている。ほかにもアニメ『北斗の拳』の音声を使った曲も収録されており、日本人であればさらに楽しめる作品となっている。

Gronibard

人

Regarde Les Hommes Sucer フランス
Season of Mist 2022

2022 年発の 4th アルバム。前作から 14 年振りのアルバムとなった。レコーディングは C & P Studio にて行われ、またアートワークは Mat Cop1 が担当している。歴代のレコーディングスタジオと違う場所で制作されたこともあり、音作りに大きな変化が見られた作品になっている。特に楽器陣のサウンドはデスメタル系統のキメ細かく芯が太い音へと進化した。楽曲もゴアグラインドという一言では片付けられない洗練されたものが多く収録されているが、同時に多くのパロディパートやおふざけパートも含まれており、ファニーゴアとしての立ち振る舞いは衰えるどころかさらに勢いを増している。

超高速ブラストからゆったりミドルテンポまでなんでもこなす重鎮

Pulmonary Fibrosis

◎ Embryopathia / Baptized in Vaginal Liquid / Blue Holocaust / Vomi Noir
◔ 1998 ～現在　　🌐 フランス　イェユール＝シュル＝クルーズ
👥 (Ba) Renaud / (Vo, Gt, Dr) Guyome / (Vo) Adrien / (Vo) Simon
ex. (Vo) Pascal / (Gt, Vo) Yanosh / (Gt) Pierre / (Ba) Marc / (Ba) Seb / (Gt) Joaness

1998 年結成。現在も在籍している Renaud、ドゥームメタルバンド The Bottle Doom Lazy Band でも活動する Guyome を中心に結成。Guyome はドラムをメインに作品によってはギターやヴォーカルも担当しており、また現在ベーシストの Renaud も当初はドラムを担当していた。結成直後からスプリットを中心に多くの作品をリリースしており、1st アルバム『Organ Maggots』が発売される 2007 年までにリリースしたスプリットは 20 作以上にも上る。2002 年にはヴォーカルに現地でメタル専門のラジオ番組も担当していた Pascal とギターに Joaness が加入するが、2006 年に Pascal は自殺により他界し 2008 年に Joaness は脱退する。その後もメンバーは非常に流動的で、わずか数作品のみ参加したメンバーも多数存在している。しかし 2008 年に加入したギタリストの Yanosh は 2018 年まで在籍していた。同年には現在も在籍するヴォーカルの Adrien も加入している。また Guyome、Yanosh、Adrien はブルータルデスメタルバンド Embryopathia や Baptized in Vaginal Liquid としても活動している。以降 2010 年頃より現在まで 3 枚のフルアルバムと 100 作近いスプリットをリリースしている。現在はヴォーカルにノイズコアバンド Grinder Bueno でも活動する Simon が加入し、ツインヴォーカル体制となっており、また 2018 年頃には Blue Holocaust 等でも活動する Pierre がギタリストとして参加していた。また Obscene Extreme など主にヨーロッパのフェスに多く参加するなどライブ活動も積極的に行っており、2015 年には Embryopathia と共に来日ツアーを行った。

Pulmonary Fibrosis

人

Organ Maggots フランス

Last House on the Right 2007

多くのスプリットを経て 2007 年に発売された 1st アルバム。初代ヴォーカルの Pascal が参加している。マスタリングはグラインドコアバンド Agoraphobic Nosebleed の Scott Hull が所属する Visceral Sound にて行われた。またグラインドコアバンド Pigsty や Malignant Tumour、Mortician、デスメタルバンド Jungle Rot のカバーが収録されている。サウンドは高速ブラストを取り入れたクラシックなゴアグラインド。下水道ヴォーカル、グロウル、シャウトを使い分けたヴォーカルやカウベルを導入した軽快なドラムが特に印象的である。

Pulmonary Fibrosis

人

Interstitial Lung Diseases フランス

Mierdas Production 2011

2011 年発の 2nd アルバム。ベースの Renaud、ヴォーカルの Adrien など現在も在籍するメンバー陣により制作された作品。また本作において Guyome はドラムだけでなくギター、ヴォーカルも担当している。ミックスをグラインドコアバンド Mesrine の Jack、ジャケットを Haemorrhage の Luisma が担当した。前回同様軽快でハイスピードなドラムを導入しながらも本作ではデスメタルの要素やグルーヴィーなパート等が追加され、より表現の幅が広がった作品といえる。またヴォーカルは汁気の多いピッチシフター・ヴォーカルがメインとなり、邪悪さにもさらに磨きがかかっている。

Pulmonary Fibrosis

人

Idiopathic Pulmonary Fibrosis フランス

Rotten Roll Rex 2016

2016 年発の 3rd アルバム。前作と同じ布陣で制作され、またミックス、マスタリング担当の Jack やジャケット担当の Luisma も引き続き参加している。録音は Guyome が運営する The Cripple Room にて行われ、また一部のデザインに Pierre De Palmas も参加している。また本作には Dead Infection のカバーも収録されている。前作と大まかにスタイルは変わっていないが、メタル要素が若干強まりブルータルデスメタル的なフレーズも時折挟まった作品となっている。グルーヴィーなものやブラストが続くものなど曲によって印象が異なり、1 枚のアルバムで様々なスタイルの楽曲を体感できる。

Guyome (Pulmonary Fibrosis) （前ページ写真左から 2 番目） インタビュー

Q：エクストリーム音楽やゴアグラインドに出会ったのはいつでしたか？　またどのようにしてバンドを始めるに至りましたか？

A：僕が 11 歳の時に友達から Sepultura の『Arise』、Cannibal Corpse の『Butchered at Birth』、Slayer の『Reign in Blood』のカセットテープをもらったんだ。同じころに Massacra の『Enjoy the Violence』や Loudblast の『Disincarnate』などのフランスのオールドスクールデスメタル・レジェンドなんかにも触れた。全ての始まりはそこからで、その後ゴアグラインドやテクニカルデスメタルを勧めてくれた友達に会ったり

もした。ほとんどはEmbryopathiaのギタリスト/ベーシストでPulmonary Fibrosisで数回ドラマーをやってくれたSebだったけどね。彼は兄弟のMarc(初代Pulmonary Fibrosisベーシスト)やChristophe(初期Pulmonary Fibrosisヴォーカリスト)、Joaness(初期Pulmonary Fibrosisギタリスト)とOrgan Maggotsというバンドもやっていたんだ。そしてBones BrigadeのNicoがレーベルを立ち上げるにあたり、数多くのアンダーグラウンドなエクストリーム音楽をリリースした。彼のレーベルから初めて買ったものはLast Days of Humanityの1stアルバムとHaemorrhageの『Anatomical Inferno』だったな。僕がPulmonary Fibrosisを結成したのはSepulturaを聴いたことがきっかけなんだけど、その中でも『Bestial Devastation』と『Morbid Visions』が特にきっかけになったかな。この2作は特にエクストリームでダーティだったからね。そして1997年頃に近所の友達をドラマーに迎え入れてPulmonary Fibrosisを結成したんだけど、彼はメタルをほとんど聴いたことがなかったからどうやってドラムを叩くか僕が見せてあげなきゃいけなかったんだ。まあその頃は**僕もドラムを叩いたことはなかった**んだけどね(笑)。それで最初はデスメタルやスラッシュメタルをやり始めて2、3曲ほど作ってから、僕がグラインドシーンを見つけたことをきっかけにゴア/グラインド/ノイズのスタイルに変更した。だから本当の意味でPulmonary Fibrosisが始動したのは1998年で、そこから1年ほどを練習に費やした末に1999年にはもうデモ音源が完成していたんだ。古い4トラックレコーダー(ちなみにまだ持っているよ)を使って録音したね。

Q:あなたはドラム、ギター、ヴォーカルと様々なパートを担当していますが、どの楽器から始めましたか?

A:ギターからだったね。Scream(地元のグランジロックバンド)のギタリストで友達だったFrançoisが弾き方を教えてくれた。それからギター雑誌を買って独学で練習してみた。僕にとってタブ譜はとてもわかりやすかったから、その後Sepulturaの楽譜を全部買ってみたりもしたんだ。だから彼らからの影響はとても大きいよ。そのほかにJoe Satrianiの『Surfing with the Alien』の楽譜なんかも買ったよ。このアルバムを弾きこなしているギタリストに会ったことがあってとても感銘を受けたんだ。だから自分でもやってみようと思ったけど失敗したね(笑)。そして2001年にライブがあったんだけど、ギタリストとドラマーが同じ日に抜けてしまってOrgan Maggotsからメンバーを借りることになってSebがドラムを担当することになった。その時点では僕はまだドラムを叩いたことはなかった。そしてライブに行くと友達のReno(現在のPulmonary Fibrosisベーシスト)に会って、僕らは一緒に午後に練習していた曲を数曲やってジャムセッションなんかもやってみた。同じ時期に僕はCorporal Abuseというノイズプロジェクトを始めて、そこではギター、ベース、ドラム、ヴォーカル、ノイズと全ての楽器を自分一人で担当した。僕は自分のブラックメタル・プロジェクトでキーボードを弾いたこともある。でも全然うまくないからゆっくり鍵盤を鳴らすアンビエント的なことだけやっているよ。Crackhouseっていうストーナー/ドゥームバンドでベースを弾いていたこともあって、今はRottenっていうデスメタルバンドでギターも弾いているよ。

Q:同じドラマーとして、あなたはゴアグラインドの中でも特に速いドラマーの一人だと思うのですが、どのようにしてそのスキルを会得しましたか? また特別な練習やトレーニング等はやっていますか？

A：おお！　嬉しい言葉をどうもありがとう。まあ実際ドラムセットを叩く前に僕ができたことはスネアを連打することだけだったからね（笑）。だからそれが僕ができる最大限ってことだね。僕はドラマーというよりもプレイヤーっていう自覚の方が強いから、いろいろな楽器を楽曲や演奏者を通して自分自身で学んでいるんだ。楽器をやり始めて20年以上経つけどこの考え方は変わっていないかな。自分がやりたい楽器をやる、ただそれだけ。

Q：Pulmonary Fibrosisの特徴の一つはLast Days of Humanityのような非常に速いドラムですが、GutやCock and Ball Tortureのようなミドルテンポを使ったグルーヴィーな一面も持ち合わせていると思います。なぜこのようにとても速いパートとグルーヴィーなパートを併せ持つスタイルをやるに至りましたか？

A：グラインドコアは速い音楽だからね。まあつまりそこがポイントだよ。速く演奏するっていうね。でも僕らはいろんなジャンルを聴いてきていて、それらが混ざってPulmonary Fibrosis独自のスタイルが出来上がったと思うよ。もちろんLast Days of Humanityからはずっと影響を受け続けているけど、GutやCock and Ball Tortureも同じくらいだよ。なぜなら90年代半ばにゴアグラインドシーンに出没してきた最初期のバンドの一つだからね。僕らが始めた頃はチェコのグラインドシーンが一番盛り上がっていた頃で、僕もMalignant TumourやCerebral Turbulency、Grideなど多くのバンドが好きだったよ。彼らは速いフレーズとグルーヴィーなフレーズを混ぜ合わせていて、僕らにとっても彼らの印象はとても強かった。同様にCarcass、Necrony、Xysma、Dead Infection、Regurgitateなどの昔のデス/ゴアグラインドバンドも速くそしてグルーヴィーな意識を持っていて、でもヤバい音で最高の曲を作っているんだ。だから僕らもみんなが覚えられるような曲を作っているんだ。僕はThe Bottle Doom Lazy Bandっていうドゥームバンドもやっていて、そこで速すぎずゆっくり演奏することを学んだ。これも僕のプレイスタイルに影響を与えているだろうね。

Q：とても多くの作品をリリースしていてその中のほとんどがスプリット作品ですが、多くのバンドとスプリットをリリースすることは大切だと思いますか？

A：まず僕らは多くのスプリット依頼を受けているんだ。僕らはいろいろなバンドとスプリットをリリースしたいと思い続けているし、いろいろなバンドを発掘するいい機会だと思うからね。僕にとってアンダーグラウンドシーンっていうのは作品をシェアし合って助け合うもので、デスメタル/ブラックメタルシーンのようにデモとアルバムだけをリリースする利己的な志向のものではないと思っているよ。僕らは最初は有名なバンドにスプリット依頼をすることから始めていた。AgathoclesやMalignant Tumourとか、彼らは僕らにとってのアイドルだからね。そして最近若いバンドが同じことを僕らに対してやってくるんだ。すごいことだと思うよ。なぜなら僕らはいまだに彼らと同じく寝室で曲を作っているようなバンドだと思っているからね（笑）。だからスプリットをリリースすることは大御所、若いバンドに限らずとても喜ばしいことだと思っているよ。でも最近は少しだけ相手のバンドを選ぶことをやり始めている。

Q：スプリットを通して最近のバンドも聴いているのですね。最近のゴアグラインドバンド、シーンやそれらの発展についてどのような印象を持っていますか？　また、バンドに限らず今までにスプリットを通した運命的な出会いなどはありましたか？

A：僕はたいていDead Infection、

Regurgitate、Carcass、Xysma、Disgrace、Feculent Goretomb、Rot などのグラインドシーンを盛り上げた古い音源を聴いているけど、もちろん新しいバンドも聴いているよ。一方でオールドスクールな感性を持つ真のアンダーグラウンドとも言えるバンドもいて、彼らはカッコよく、汚らしく、狂ったサウンドで僕にとってはこれこそゴアグラインドだって感じだね。例えば Yakisoba、Rawhead、Grotesque Organ Defilement、Gourmet、Clogged、Active Stenosis とかかな。

Q：アルバムや曲のタイトルの世界観を医療系にした理由は何ですか？

A：僕らはいろいろなスタイルのバンドを聴いていて、特にオールドスクールなデス / グラインド系のバンドから大きな影響を受けている。曲名は完全にランダムで多くは Disgorge やゴアグラインド時代の Malignant Tumour の歌詞から取られている。いくつかの作品は肺疾患に焦点を当てたものになっていて、僕らのバンド名や世界観にとても合ったものになっているよ。

Q：近年いくつかの作品やライブにおいてツインヴォーカル（ヴォーカリストが２人）という少し変わったスタイルを取り入れていますが、このスタイルになるきっかけやこのスタイルに対するこだわりはありますか？

A：僕らは 2008 年から 2018 年の 10 年間同じメンバーだったんだけどギタリストの Yanosh がバンドを続けることが困難になって、ヴォーカルの Adrien も個人的な事情でバンドを離れたんだ。その後 Simon がメインヴォーカルとして加入し、Fred がさらなるヴォーカルとして加入した後ギタリストに転向したんだけど、2018 年のアメリカ / カナダツアーの後に亡くなってしまったんだ。その後もヴォーカルが２人というアイデアを保ち続けていた。その当時は３人体制だったから僕がドラムを叩きながらバッキングヴォーカルをやってみたんだけど、ライブで毎回エフェクターに不具合が起きたりエンジニアがグラインドや速い音楽を知らないということも多かった。だから僕らは２人ヴォーカルというアイデアをヴォーカリスト２人で違った声にするというものにした。Adrien がたまに加入してやったこともあるけど完璧で、Simon と Adrien のデュエットもとても良かった。僕はこれが Pulmonary Fibrosis にとっての新時代だと思っていて、僕らはヴォーカルを楽曲の基本的な構造に対して重視していなかったけどレコーディングセッションをやると多くの創造性が簡単に表れるようになった。

Q：2015 年の来日ツアーはどうでしたか？一番印象に残っていることは何ですか？

A:僕らはみんな『シティハンター』や『宇宙海賊キャプテンハーロック』『UFO ロボ グレンダイザー』のような漫画や任天堂、セガ、ネオジオなどのゲームと共に育ってきたから、ずっと日本文化に魅了され続けてきたんだ。一緒に回った Sulsa や Embryopathia のメンバーも最高で、会場も良かったし、東京の２回目のライブでは Napalm Death の Barney にも会えたんだ。

Q：日本に対する印象と好きな日本の音楽を教えてください。

A：バンドなら C.S.S.O.、Catasexual Urge Motivation、Maggut、Realized とかいっぱい好きなものはあるよ。彼らはヨーロッパからの影響を受けているけど日本流の音楽をプレイしているんだよね。

Q：最後に日本のゴアグラインドファンへ一言どうぞ。

A：まずは良いインタビューをありがとう。そして 2015 年の Embryopathia とのツアーで出会ったみんなへ、最高だったよ。そしてツアーを実現可能にしてくれたたくさんの人たち（Naru, Yutaka, Toyo, Takaho, etc...）。またいつか帰ってくるよ。cheers.

コラム　死体・ポルノ画像ジャケット・カルチャー解説

Viscera Infest の『Verrucous Carcinoma』に使用された写真の別アングル。

死体ジャケットの元祖 Carcass

ゴアグラインドの元祖的アルバムであるCarcassの『Reek of Putrefaction』は死体写真をコラージュしたジャケットで発売された。一部の店舗では販売を拒否され、後日別のアートワークにて再発されるなど多くの反響を呼んだ。しかし実はメンバーの多くがベジタリアンだったという逸話を知った上でジャケットを見ると、メンバーなりのメッセージや皮肉が込められているようにも見える。

このメッセージをしっかりと受け取っているのか受け取っていないのかは定かではないが、このアルバムがきっかけでゴアグラインドにおいては死体のジャケットを使うことが主流となった。少なくともアルバム発売からわずか3年後に発表されたDead Infectionのデモ音源にはすでに死体の写真が使用されており、その翌年に発表されたPathologistの1stアルバム、その後もHaemorrhage、Regurgitateと多くのバンドにそのスタイルが引き継がれている。

死体写真を使ったジャケット自体はグラインドコア等のジャンルを中心に以前から存在していたが（実は1985年発売のX JAPANのデビューシングルにも死体写真が使われている）、ここまで生々しい写真をカラーで使うようになったのは間違いなくCarcassの影響だろう。

また以前存在したものの多くは戦争関連の写真だったが、医療関連や事件、事故の写真を使用しているのがゴアグラインドにおける死体写真の特徴の一つである。その後年月が

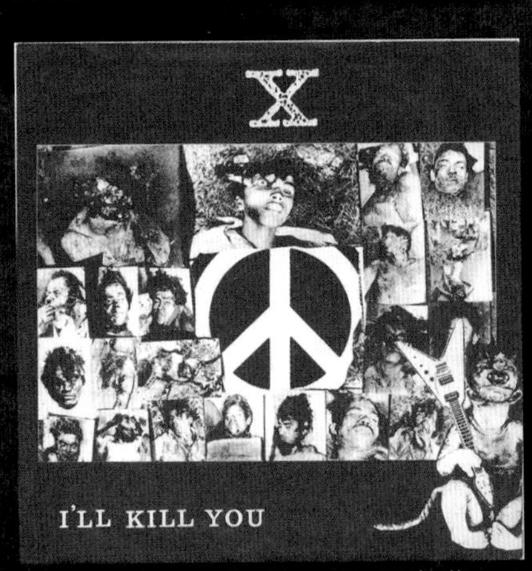

X JAPANの1stシングル「I'LL KILL YOU」。使用されている写真はベトナム戦争時のもの。

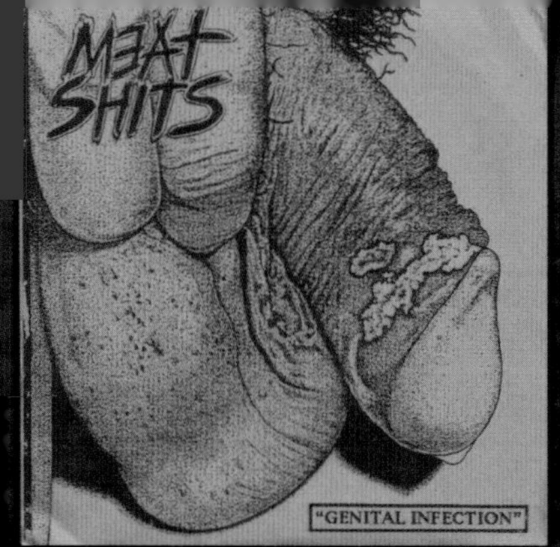

Meat Shits の７インチ作品「Genital Infection」

経つにつれゴアグラインドのジャケットはより過激なものになり、インターネットが普及して以降はショックサイトと呼ばれるショッキングな画像、動画をアップしているサイトに掲載されているものを無断使用するという様式が一般的となった。また同じ死体写真が複数のバンドのジャケットにされることもある。

ポルノ画像、日本のアダルトビデオも流行

もう一つの勢力ポルノグラインド / ポルノゴアに関しては Meat Shits 等初期のバンドはイラストを使用することが多く、そこまで露骨な写真を使うこともなかったが、こちらもインターネット普及以降より生々しく過激なポルノ画像を使用するようになった。また日本のスカトロアダルトビデオの画像をそのまま使用した Stoma や日本のアダルトや漫画の画像を使用した

Jig-Ai など、こちらでは日本由来とわかるものが高頻度で使用される傾向にある。両者ともより過激でより目を惹くものを使用しているが、近年ではジャケットの過激さに焦点を当てすぎるがあまり、肝心の音源のクオリティがそのジャケットに合っていないという現象も起きがちになっている。

この現象を知ってか知らずか近年特に人気があったり評価されている音源のジャケットはそこまで過激な写真を使用しておらず、原点に帰る意味合いも含めてかコラージュ等を施し、よりアーティスティックなジャケットを作り上げている傾向にある。

しかしゴアグラインドにおいてジャケットのインパクトが特に重要なのも事実で、Bandcamp や YouTube 等ジャケットが大々的に表示されるサイトではそのインパクトが強いほど楽曲の再生や音源の購入に繋がることも多い。他ジャンルと比べても特にビジュアル面を重視されるゴアグラインドにおいて注目を集めるようなジャケットを作成することはなかなか難しいが、より過激な写真が手に入りやすくなった昨今、今後どのような画像を目にすることになるのかリスナーとして楽しみな一面もある。

Stoma の『Scat Aficionados』のジャケットに使用された

Ass Deep Tongued

人

Shit's All Right フランス

Meat 5000 Records 2021

2013年リヨンにて結成。メンバーは Vulgaroyal Bloodhill ともスプリットをリリースした Vaginotopsy に在籍しており、またヴォーカルの Vinz はデジタルグラインドバンド Mulk としても活動している。2019年には来日公演を行っている。本作は 1st アルバムで Spasm の Radim などの多くのゲストヴォーカルを迎えている。多様なヴォーカルスタイルを取り入れたグルーヴィーなポルノゴアをプレイしているが、同時に自らをボーイズバンド（One Direction 等に代表される男性ヴォーカルグループ）と称しており、オートチューンを使ったエレクトロポップの楽曲も収録されている。

Blue Holocaust

機

Twitch of the Death Nerve フランス

Murder the World 2004

2001年始動、Pierre De Palmas によるワンマンプロジェクト。現在はベースに Vomi Noir の David、ドラムにグラインドコアバンド Biotox の Laurent を迎えて活動している。本作は 1st アルバムで、ジャケットは Pierre が担当した。多くのレトロホラー /SF 映画の SE をイントロに挿入し、サウンドは Dysmenorrheic Hemorrhage やカバーも収録されている Savage Man Savage Beast の影響が感じられるインダストリアル寄りのマシンドラムに、クラシックなメタルリフが絡むオールドスクールなゴアグラインド。

Blue Holocaust

人

Flesh for the Cannibal God フランス

Cadaveric Dissolution Records / No Bread! / A Symphony of Death Rattles 2020

2020年発売の 2nd アルバム。バンド編成になってからの初の単独アルバム作品である。ジャケットは引き続き Pierre が担当している。ノイジーで若干粗削りだった 1st アルバムに比べ本作はより楽曲が洗練されており、前作同様ホラー /SF 映画の SE から始まるオールドスクールなゴアグラインドをプレイしているが、楽曲面において生ドラムならではの精細さが最大級に表れている。ヴォーカルはピッチシフターとグロウルのクラシックな掛け合いがメインである。Regurgitate、Carcass などに加えデスメタル系統の影響も色濃く表れており、オールドスクールゴアの模範的な作品となっている。

Clitorape

人

Gynaecological Apocalypse フランス

Splatter Zombie Records / Putrid Attitude Records 2015

2014年ストラスブールにて結成。Brutal Sphincter の元ヴォーカル Léo や Ass Deep Tongued の Vinz らが在籍している。本作がデビュー作にあたり、ミックス、マスタリングを Vinz、ジャケットはデスメタル、ゴアグラインドを多く手がける Gruesome Graphx が担当した。高音スネアが目立つグルーヴィーゴアで、そこに様々なヴォーカルが重なるスタイルで楽曲をプレイしている。低音がよく響いており、スラム、デスメタル要素やストーナーロックの要素なども表れている。またメンバーはボンデージファッションや覆面を身に着けてパフォーマンスしている。

Defecal of Gerbe

人

Discolocauste フランス
Show Me Your Tits Records 2007

2005年モンタルジにて結成。本作はデビュー作にあたり、後に発売されるスプリットアルバムにも同じ内容が収録されている。メンバーはヴォーカル3人にデスメタルバンドSavage Annihilationのメンバーを擁する楽器陣3人という編成で、後にヴォーカル3人は脱退している（亡くなったとの情報もある）。グルーヴィーでスラミングなサウンドに3人のバリエーション豊かなヴォーカルが絡む楽曲をプレイしている。また、本作に収録されている「I'm Your Boogie... (La Quatre)」のPVは日本でも非常に有名な作品である。

Disgorged Foetus

人

Years of Goremageddon フランス
Imphalte Productions 2006

1996年ラングルにて結成。2006年に解散し、その後2017年に再結成した。本作は解散の2006年までに発売されたデモ音源、EP、スプリット、未発表曲、ライブ音源などを集めたコレクションアルバム。デモ音源は怪しげな雰囲気のひたすらロウでノイジーなサウンドを奏でているが、EP音源はクリアなサウンドでミドルテンポのパートなども登場してくる。EPにはGutのカバーも収録されており、またホラー映画SEが主力だが時折ポルノSEが入り込むこともある。スプリット音源ではグルーヴィーな要素を残しつつもメタリックなアプローチが増え、より重厚でノイジーなサウンドになった。

Disgorgement of Intestinal Lymphatic Suppuration

機

Hospital Holocaust フランス
Septic Aroma of Reeking Stench 2007

2007年アンジェにて結成。2009年まで4人編成で活動し、2011年以降は3人編成で活動している。多くのスプリット音源をリリースしており、本作は初の単独作品となっている。またブラックメタルバンドMayhemのカバーなども収録されている。ほとんどが1分以下の楽曲でひたすら突っ走るマシンドラムを主軸に構成されている。ギターはタッピング等を使用したメタリックな作風で、ヴォーカルはほとんど隙間なく敷き詰められ、各パートが複雑に絡み合う少しカオティックな仕上がりとなっている。ブラスト、ヴォーカルが途切れず続き、メタル風のギターが絡む様はメキシコゴアに近いものも感じられる。

G.Z.P.

人

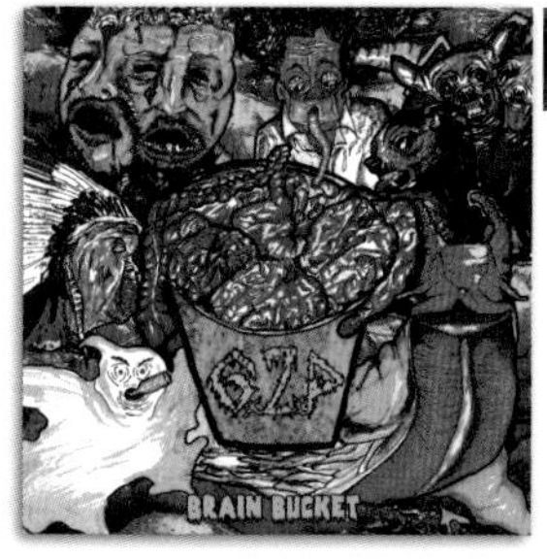

Brain Bucket フランス
Inhuman Homicide Records / Blatte House Records / Clabasster Records, Base Record Production 2021

活動開始時期不明、マルヌ＝ラ＝バレにて結成。LoïcとRéによるデュオ編成バンド。本作は1stアルバムにあたり、ゲストヴォーカルにBrutal Sphincter、Holy Costのメンバーらが参加している。ミドルテンポをメインに使った楽曲に、ピッチシフターとパワーバイオレンス風のシャウトヴォーカルが乗るスタイル。ビートダウンやスローテンポのパートも多く、ノリ重視でなおかつ終始ゆったりしている雰囲気からはCock and Ball Tortureからの影響も感じられる。またネタ要素の強いSEも多く挟まれており、ファニーゴアとしての一面も垣間見える。

Infected Pussy

人

Gynecrolorgy フランス
Independent 2006

1992 年サルトルービルにて結成。メンバーはブラックメタルバンド Ancêtres や Melwosia としても活動している。編成人数は流動的。2000 年以前より多くのベテランバンドとのスプリットをリリースしており、本作は唯一の単独アルバムとしてリリースされた。レコーディングを現地パンクバンドを多く手掛ける Vincent Nivart が担当した。初期はノイズコア / ノイズグラインドをプレイしていたが、本作においてはパンキッシュでグルーヴィーなオールドスクール・ゴアグラインドをプレイしている。高音スネアによる素早いブラストやパワフルなシャウトとグロウルのツインヴォーカルが特徴的。

Magistral Flatulences

機

Pussyfist フランス
Eclectic Productions 2010

2002 年アキテーヌにて始動。基本はワンマンプロジェクトで、音源によってはゲストヴォーカルが参加している。初期はデスグラインド寄りの楽曲が多く、また音源ごとにドラムの音も変わっているので時期によって違った印象が持たれる。基本的にどのリリースでも爆速マシンブラストとピッチシフター・ヴォーカル（ひたすら下水道ヴォーカルということもある）を中心に楽曲が作られているが、本作においては高音スネアを使い、比較的グルーヴィーでわかりやすいフレーズが多い。また、ほとんどのリリースでもポルノ SE を導入しており、ジャケットもポルノ作品が多く、その中には日本のアダルト漫画を使っているものもある。

Pulsating Cerebral Slime

Disciples of Disgust フランス
Cadaveric Dissolution Records 2018

2013 年リヨンにて結成。バンド名はグラインドコアバンド Xysma の曲名から。デスメタルバンド Coffin Terror に在籍していた Jérémy のソロプロジェクトで、ライブではデスメタルバンド Aeon Patronist のメンバーらが参加し、バンド編成で活動している。本作は 2017 年までのほぼすべての音源を寄せ集めたコレクションアルバムである。全体的にオールドスクールな雰囲気でデスメタルにも影響を受けたサウンドだが、ギターはスラッシュ系の聴き取りやすいリフがほとんどである。SE などからもオールドスクール特有の汚さや、血生臭さがうまく表現できた作品といえる。

Purulent Excretor

機

Sex, Beer and Grindcore! フランス
Independent 2002

1998 年パリにて結成。本作は 3 枚目の音源で、とても目を惹くジャケットが特徴的。ブルータルなエッセンスも感じられるギターリフと爆速マシンブラストがひたすら続く中に、おふざけ SE やおふざけパートが入りまくるゴアグラインドをプレイしている。楽曲はひたすら短く雪崩れ込むように進んでおり、ノイズグラインド的な要素を感じる場面もある。そんな中にメタリックな箸休め的パートや、カズーを吹き鳴らすおふざけパートが容赦無く入り込むことで、両者の緩急がついたバラエティに富んだ楽曲を収録した作品が出来上がっている。また本作には「The Final Countdown」のカバーも収録されている。

Putrid Offal

人

Mature Necropsy フランス
Kaotoxin Records 2015

1990年ノール県ドゥシー＝レ＝ミーヌにて結成。ゴアグラインドにおける最初期の作品として知られている数本のデモやスプリット音源をリリースし、1995年まで活動した。その後2013年に再結成、1stアルバムである本作をリリースし、以降現在も活動を続けている。CarcassやGeneral Surgeryの影響も感じられるオールドスクールなゴアグラインド/デスグラインドをプレイしている。リバーブのかかったサウンドプロダクションや、不気味なコーラスが挿入されたりとプリミティヴな作風の楽曲も多いが、いわゆる現代風のグルーヴ感なども挟まれており、比較的聴きやすい作品でもある。

Sublime Cadaveric Decomposition

人

Sublime Cadaveric Decomposition フランス
Bones Brigade 2001

1996年パリにて結成。数作のスプリットなどを経ての本作が1stアルバムにあたる。メンバー、編成は何度か変わっているが本作はブラックメタルバンドAntaeusに所属するメンバーを含む4人編成で制作された。歌詞、タイトル、SEなどを一切排除し最初から最後まで一気に駆け抜けるような作品になっている。ゴアグラインドらしく低音を十分に押し出したサウンドだが、重苦しさを全く感じさせないほどのスピード感が特徴的で、初期の作品でありながら後年の他のバンドと比べてもアルバムを通しての体感速度は段違いである。本作以降はデスグラインド的な要素が強まったサウンドとなる。

Ultra Vomit

人

M. Patate フランス
Obliteration Records 2004

1999年ナントにて結成。メンバーは現地の多くのメタルバンドでも活動している。本作は1stアルバムにあたり、映画『マダガスカル』にも使用されたReal 2 Realの「I Like to Move It」のカバーなども収録されている。サウンドはグルーヴィー・ゴアグラインドでミクスチャー、ブラックメタルなど他ジャンルのパロディを盛り込んだファニーゴアグラインドに分類される。同じくフランス出身のGronibardと比べるとポルノ要素はなく、おふざけよりあくまで音楽に焦点を当てていることがわかる。本作以降グラインド要素は薄まるが、パロディメタルとしてさらに多様な音楽を表現し続けている。

Vomi Noir

人

Les Myasmes De La Deliquescence フランス
Bringer of Gore 2019

2015年トゥールーズにて結成。Blue HolocaustのPierreを中心とした3人編成バンド。本作は1stアルバムで2019にLPとしてリリースされ、2020年にCD版がリリースされた。ジャケットはPierreが担当している。Carcass、Dead Infectionなどの多くのオールドスクールゴアのエッセンスを混ぜ込んだ非常にダーティーで凶悪なサウンドのゴアグラインド。リバーブの効いたサウンドプロダクションにファストなドラム、掻き鳴らすギターソロ、グロウルと下水道ヴォーカルの掛け合いとオールドスクールの特長が入り混じった、模範的な作品となっている。

花形女性ギタリスト、医療コンセプト、メタルとパンクの要素併せ持つ

Haemorrhage

● Avulsed / Depopulation Department
● 1991 ～現在　● スペイン　マドリード州コスラーダ
● (Gt, Vo) Luisma / (Vo) Lugubrious / (Ba, Vo, Gt) Ramón / (Gt) Ana / (Dr) Osckar
ex. (Dr) Jose / (Dr) Daniel / (Dr) David / (Dr) Erik

1990 年結成。デスメタルバンド Avulsed に在籍していた Luisma とハードコアバンド Ultimo Gobierno でも活動する Jose によって前身バンド「Devourment」が結成。翌年ドラマーが加入するもすぐに脱退。その後 Jose がドラマーに転向、バンド名も現在の名前へと変更し、最初のデモ音源を制作する。1993 年にはデスメタルバンド Lugubrious に在籍していた Lugubrious こと Fernando とデスメタルバンド Greenfly に在籍していた Ramón が加入する。翌年には後に Luisma の妻となる女性ギタリスト Ana が加入、そして 1995 年には 1st アルバム『Emetic Cult』がリリースされる。その後 Dead Infection らとのツアーなどを経るも 1996 年に Jose が脱退、後任に元 Greenfly の Rojas が加入。また Jose は現在 Luisma、Ana と共にクラストコアバンド Depopulation Department にて活動している。1997 年には新体制にて 2nd アルバム『Grume』をリリース、その後とても早いスパンでアルバムや音源を次々とリリースしていく。またライブ活動も並行して行っており、2005 年には来日公演を挙行する。Rojas、Ana が入院し急遽打ち込みドラムにてライブを行うも、大盛況に包まれた公演となった。その後もリリース、ライブ共に活発的に行うも、2011 年に Rojas が脱退。その後ライブサポート等も含め Jose が一時的に復帰するも 2014 に脱退。その後、後任にブルータルデスメタルバンド Human Mincer 等に在籍していた David や Avulsed に在籍していた Erik などを迎えるも、2 ～ 3 年という短期間で相次いで脱退した。2019 年から現在までは Avulsed 等の元メンバーである Osckar を迎えて活動している。

Haemorrhage

人

Emetic Cult スペイン
Morbid Records 1995

1995年発の1stアルバム。レコーディングは幅広いジャンルを手掛けるEl Jardín Paramétricoにて行われた。サウンドは初期Carcassの影響が窺えるオールドスクールデスメタル/ゴアグラインド。メロディックなリフを聴かせるパートもあれば、慌ただしいブラストやミドルテンポのパートもあるなど、オールドスクールらしいクロスオーヴァーが表現された楽曲をプレイしている。またグラインドロック的なリフワークやグルーヴ感が表れる一面もある。ヴォーカルはピッチシフター・ヴォーカルとシャウトの掛け合いを中心としたスタイルで、以降の作品にも受け継がれている。

Haemorrhage

人

Grume スペイン
Morbid Records 1997

1997年発の2ndアルバム。ドラムにRojasを迎えた最初の作品。レコーディングは幅広いジャンルを手掛けるReactor Studioにて行われた。前作の作風を発展させ、グラインドコアのエッセンスがさらに追加された楽曲をプレイしている。ブラストを中心に楽曲全体としての勢いが増し、パワフルなサウンドになっているが、メロディックなリフなどのデスメタル的アプローチも変わらず挿入されている。またリフ、ヴォーカル等のキャッチーさにも磨きがかかり、前作よりもグルーヴ感が前面に出た作品となっているが、パソロジカルなドロッとした世界観も同時に表現されている。

Haemorrhage

人

Anatomical Inferno スペイン
Morbid Records 1998

1998年発の3rdアルバム。前作と同じ布陣にて、また引き続きReactor Studioにて制作された作品。前作の作風がそのまま引き継がれているが、1stアルバムにて顕著に表れていたCarcassの影響が改めて反映された楽曲を多く収録している。また本作ではスラッシュメタルやハードコアパンク等のエッセンスが前面に出ており、ファストなドラム、ギターのリフやソロパート、ヴォーカルスタイルなどにて特に色濃く表れている。前述の影響や作風により前作以上にノリの良さやキャッチーさが表現されたグルーヴィーな楽曲を多く収録しており、オールドスクールながらも非常にポップなサウンドへと変貌を遂げた。

Haemorrhage

人

Morgue Sweet Home スペイン
Morbid Records 2002

2002年発の4thアルバム。レコーディングは現地メタル系バンドを多く手掛けるCube Studioにて行われた。本作は特にゴアグラインドらしい作品になっており、Dead Infection系統のパンキッシュなゴアグラインドの影響やExhumed系統のゴアメタルの影響が同時に表れた曲を収録している。また本作を機にバンドの音楽性がある程度固まり、パンキッシュなオールドスクールゴアを基調に、ギターソロやヴォーカルスタイルなどにおいて、ゴアメタルのエッセンスを組み込んだ楽曲をプレイするようになった。また本作ではプロダクション面において若干のデスメタルっぽさが表現されている。

Haemorrhage

人

Apology for Pathology スペイン
Morbid Records 2006

2006 年発の 6th アルバム。レコーディングはデスメタル、グラインドを多く手掛ける VRS Studio にて行われた。またブラックメタルバンド Venom のカバーも収録されている。本作はリリース元のドイツにて発売禁止の憂き目に遭っており、2013 年に「Goregrind Is Not a Crime」というタイトルで LP にて再発された。本作はサウンドプロダクションが特にクリアで、またバランスの取れたものになっており、グルーヴィーな楽曲も多いことから特に聴きやすい作品になっている。また楽器陣は安定感のある重厚なサウンドになっており、聴き心地の良さにさらに磨きをかけている。

Haemorrhage

人

Hospital Carnage スペイン
Relapse Records 2011

2011 年発の 6th アルバム。前作から引き続き VRS Studio にてレコーディングを行い、マスタリングを Scott Hull が担当した。本作はノリの良いミドルテンポのグルーヴィーな楽曲が大半を占めており、全体を通しても基本的にゆったりとしたテンポの楽曲が多いが、曲中にファストなテンポへと転調する楽曲なども収録された作品になっている。ギターは刻む系統ではなく、キャッチーなメタリックリフを流れるように弾いていくスタイルでギターソロも挿入されているが、メタルっぽさはほとんど感じられない。キメパートなどはクラシックなグラインドコアの影響が感じられるものになっている。

Luisma (Haemorrhage) インタビュー

Q：エクストリーム音楽やゴアグラインドに出会ったのはいつでしたか？　またどのようにしてバンドを始めるに至りましたか？

A：子供の頃（10 ～ 11 歳の時）にメタルを聴き始めて、そこからエクストリーム音楽に発展していった感じだね。僕は Iron Maiden とか Judas Priest から聴き始めて、それから Metallica、Slayer、Sepultura みたいな速いバンドが好きになって、その後 Death が出てきてからは各地でデスメタルをプレイするバンドが出現してきたね……。一方で僕の友達のほとんどがパンクスだったこともあって、スペインのパンクバンドも聴き始めた。そこから D.R.I. とか M.O.D. とかも聴き始めたね。でもそこで僕は Napalm Death の『Scum』というアルバムを発見した。スペインには Napalm Death のようなバンドがメタルシーンにはいなくて、パンク系のディストロからしか買うことができなかったんだ。だからこうやってデスメタルとグラインド両方の誕生を目の当たりにできたのはラッキーだったね。バンドは僕の友達のほとんどがパンクやスラッシュメタルのバンドをやっていたから自分もやってみたくなった。でも僕はもっとエクストリームな音楽がやりたかったからみんなとは少し違うだろうね。

Q：Haemorrhage はメタルとパンクの両要素を併せ持った最初期のバンドだと思うのですが、どのようにしてこのスタイルに行きつきましたか？　また長年このスタイルにて音楽を続けていることへのこだわりなどはありますか？

A：確かに僕はメタルとパンク両方を聴いて

育った。メタルもしくはパンクが 100% 好きという感じではなく、50% ずつといった感じだったから、多分僕が作る音楽はメタル、パンクを混ぜ合わせたものになったんだと思う。バンドメンバーも 80 年後半から 90 年を過ごした同年代だから、彼らも僕と同じ影響を受けているだろうね。もし同じスタイルの下に音楽をやり続けるとしたら一番大切なことはルーツに忠実であること。でも全く同じことばかりやらないこと、そうするとつまらないからね。

Q：確かに、Haemorrhage は長年同じ音楽スタイルにて活動していますが、アルバムごとには違いが感じられます。アルバムごとの音楽的なテーマやミックス、マスタリングのこだわり等をどのように決めていますか？

A：たいていの場合何か事前に決めていることが多くて、僕が覚えているのは『Emetic Cult』を録った時に当時もツインペダルを使っているバンドが多かったからあえて外したんだ。そして遅いパートも他のバンドがやっているのとは違うものを作ってみたよ。また時には収録する曲に合うようなまさにこれといった感じの音にすることもあって、例えば『Hospital Carnage』はリハーサルスタジオにレコーディングスタジオの機器を持っていってドラムの録音をしたんだ。レコーディングスタジオの音よりもそっちの方が合うと思ったからね。毎度同じ事をするんじゃなくて新しいことに挑戦している。でも Haemorrhage の音を保ち続けているんだ。

Q：バンドの世界観や歌詞を医療系にした理由は何ですか？

A：音楽に関しては先ほども言ったように多くの影響が一堂に会したような感じだけど、僕らはとにかくエクストリームな音楽、歌詞を取り入れたかった。僕らがバンドを始めた頃にちょうど Carcass が『Reek of Putrefaction』をリリースして、その当時では一番と言っていいほど強烈な歌詞だったんだ。初期の僕らの歌詞は Pungent Stench や Impetigo みたいないわゆる「ゴア志向」なものだったけど、僕らはもっと過激にそして他とは違うものにしたくて医療系 / 医学系のテーマを選んだんだ。

Luisma

Q：歌詞、タイトルを決めるために医学書を読んでいるそうですが、最も興味をひかれた、またお気に入りの用語や部門はありますか？

A：解剖学にはずっと興味を持っているよ。よく歌詞に用語を使っている。あとはフォレンジック（法医学）かな。

Q：Haemorrhage は歌詞を重視しているとの記事を以前読んだのですが、歌詞を持たないゴアグラインドバンドが多い中、歌詞が重要だと考える理由を教えてください。

A：僕は曲の中で気持ちだったり思想だったりを表現したいんだ。いくつかの曲はゴア風な物語のようにもなっている。もちろん歌詞のないバンドもリスペクトはしているけども、何の意味も持たないグロウルやシャウトは僕はやりたくないかな。それでおもしろくなる曲もいくつかあるだろうけど、自分自身で長い間やり続ける想像はつかないな。

Q：あなたたちは手術着を着て、またヴォーカルの Fernando 氏は大量の血糊を被ってパフォーマンスをしていますが、やはりヴィ

ジュアル面も重要だと思いますか？

A：そうだね。思い返せば他人と違うことをする手段の一つだったと思うよ。こういう装いでパフォーマンスをした時には同じことをやっているバンドはいなかった。かなり衝撃的だっただろうね。僕らが初めてヨーロッパツアーをやった時は手術着を着ないことにしたんだ。他のヨーロッパの国の人たちはこういうのが好きかどうかわからなかったからね（笑）。でも僕らの初期のライブではスペインの人たちに衝撃を与えることができて、それこそが僕らが求めていたエクストリームな音楽とヴィジュアルだったんだ。

Q：ギタリストのAnaさんはエクストリームシーンで活躍した初めての女性の一人で、彼女の存在が多くの女性ファンや女性ミュージシャンを勇気づけたと思っているのですが、実際にそういった反応を耳にしたことはありますか？

A：確かに彼女はゴアグラインドにおけるパイオニアの一人だろうね。パンクやデスメタルから来た女性はもっといるだろうけど、彼女はこのスタイルで活動した最初の女性だと思うよ。そして彼女も同じ境遇の女性たちに影響を与える人物になっているよ。ゴアグラインドはそこまで商業的なジャンルじゃないし、ゴアグラインドに関わっている人一人一人に感謝しないといけないね。僕は男性か女性かはあまり気にしないけど、このジャンルにおける性差別はなくしていきたいね。

Q：アルバム『Apology for Pathology』に関して、このアルバムが当時ドイツで発売禁止になったと聞いて驚きました。ただの音楽であるところのゴアグラインドを禁止する人や国が存在することについての意見を聞かせてください。またゴアグラインドを30年ほどやり続けていて、このようにゴアグラインドならではの生きづらさを感じた経験があれば教えてください。

A：1stアルバムの『Emetic Cult』をリリースした時も発売禁止にされたよ。当時大手だったメタル系ディストロのSPVによれば、レコードショップにジャケットを表示させたくなかったらしいね（レコードショップが存在していた時期のことを覚えている人いるかな？（笑））でも僕らは理解できた。アルバムはレコードショップの棚にアルファベット順に置かれる。つまり「Haemorrhage」と「Helloween」が同じ棚に並ぶとなると、普通のメタルファンに僕らのジャケットを見せるのはキツイだろうからね。でも『Apology for Pathology』の発売禁止は僕らもとても驚いた。当時のレーベルMorbid Recordsは警察からアルバムの広告を作ってはいけない、雑誌でも宣伝してはいけない、そして18歳以上にのみにしか表示できないと言われたと聞いたよ。レーベルはポスターやフライヤーを全部ゴミにして、アルバムをポルノ映画かのように売ることしかできなかった。数日経ってドイツの司法官から手紙が来て、僕らは危険なメディアのリストに追加されたとのことで裁判所に行かなければならなくなった。若者を守るための裁判みたいな感じ

だったね。でも僕らは行かなかったよ。僕らが知る限りではとある若いファンの母親が歌詞を読むことができたらしく、それで警察に連絡したらしい。そこからすべて始まったということだね。だから僕らがドイツでライブをやるときも、このアルバムに収録されている曲名を言うことができないんだ。

Q：Haemorrhageはフェス等にも出演してますが、フェスで演奏する時とライブハウスで演奏する時の気持ちの違いなどはありますか？

A：アンダーグラウンド的なルーツにも合うからライブハウスの方が好きだけど、大きいフェスも好きだよ。楽屋で有名なバンドといっぱい会えるからね（笑）！

Q：2005年の来日ツアーはどうでしたか？一番印象に残っていることは何ですか？

A：とても印象に残っているよ。全てが素晴らしくて……愛おしく思うほどだよ。ファンも国柄もスペインとは全く違う。僕らは喋るのも笑うのも大きい声でしょ？　でも日本の人々は静かで無口で……僕はそこがすごく好きなんだ。でもライブになるとみんな最高！　忘れられないよ！

Q：あなたはイラストレーターとしても活躍しており、Haemorrhageだけでなくいろいろなバンドのジャケットを手掛けていますが、いつごろから絵を描き始めましたか？また何から影響を受けましたか？

A：確かに僕はImpetigo、Cliteater、Pulmonary Fibrosis、Last Days of Humanity等のアートワークを担当していて、ジャケットだったり時にはTシャツとかもデザインしたりしているよ。絵を描き始めたのはすごく小さい頃で、僕は美術学校に数年通っていたんだ。当時の年齢では出来は良い方で、大人の人と同じクラスにいた。覚えているのはヌードデッサンをやるときがあって、先生が僕に教室から出るように言ったんだ。だからその時裸の女性が見れなかった（笑）!!　僕のアートワークはDerek Riggsや Dan Seagrave等のアルバムジャケットや漫画、コミック、絵画からも影響を受けている。美術館にも何度も行ったことがあるよ。

Ana

Q：あなたが影響を受けた、またお気に入りのゴアグラインド作品を挙げてください。

A：一番影響を受けたのはCarcassの『Reek of Putrefaction』だね。Carcassの他のアルバムはそこまで好きじゃないけど、このアルバムは僕に新しい世界を見せてくれた作品なんだ。昔のImpetigoの作品やPungent Stenchとかの厳密にゴアグラインドに分類されていない古いアルバムも好きだよ。

Q：日本に対する印象と好きな日本の音楽を教えてください。

A：日本は僕と僕の家族が夢見ている場所だよ。息子が日本に行って、住みたがっているんだ。彼は日本文化とアニメのファンでね。好きな日本の音楽は八代亜紀（笑）!!　全くアンダーグラウンドじゃなくてごめんね!!　好きなバンドはC.S.S.O.、Butcher ABC、Unholy Grave、Gore Beyond Necropsyなどいっぱいいるよ。

Q：最後に日本のゴアグラインドファンへ一言どうぞ

A：愛してるよ!!

Gruesome Stuff Relish
人

Teenage Giallo Grind スペイン
Razorback Records 2002

2000 年ミエレスにて結成。メンバーはデスメタルバンド Altar of Giallo、Boneyard 等にも在籍している。本作は 1st アルバムでマスタリングを幅広いジャンルを手掛ける Bunker Estudios にて行い、ジャケットを Razorback Records のオーナーである Billy Nocera が担当した。レトロなホラー映画をテーマにした世界観で、サウンドは Haemorrhage などの影響が表れたゴアメタル的楽曲をプレイしている。デスメタル風のリフにおどろおどろしく汚いヴォーカルが乗ったスタイルは、後の Crash Syndrom 等にも大きな影響を与えた。

Gruesome Stuff Relish

Horror Rises From the Tomb スペイン
Razorback Records 2008

2008 年発の 2nd アルバム。メンバーは前作と同じ布陣にて制作された。ジャケットを多くのデスメタル系バンドを手がけ、特にレトロホラー系の作風を得意とする Jeff Zornow が担当し、ゲストヴォーカルに Impetigo の Stevo が参加している。サウンドやテーマは前作から大まかには変わっていないが、本作ではグルーヴィーでノリの良いパートやシンガロング的なパートなどが導入されており、また途中のキメなどもストレートなグラインドコア風のものが多くなったことで、作風がよりグラインドに近づいた作品と言える。本作以降もスプリット、ライブアルバム、EP 等数多くの作品をリリースしている。

Machetazo

Realmente Disfruto Comiendo Cadáveres スペイン
Machetazo Records 1998

1994 年ラ・コルーニャにて結成。スラッシュメタルバンド Dishammer やデスメタルバンド Come Back From the Dead などのメンバーらを擁し、2014 年まで活動した。本作はバンド最初期のデモ的作品で、ミックスをスタジオ経営者で、また本作にもギターで参加している Gonso が担当した。デスグラインド的なサウンドで知られているバンドだが、本作はゴアグラインドの要素が強く感じられる楽曲を収録している。オールドスクールゴアのエッセンスを基調にグルーヴィーなフレーズやノイズグラインド的要素、また少々ファニーなフレーズなど様々な要素が組み込まれた作品になっている。

Medical Etymology

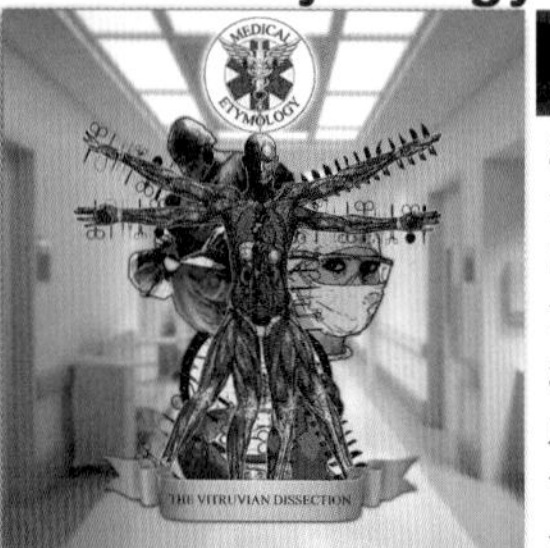

The Vitruvian Dissection スペイン
Base Record Production / Ruido Noise 2019

2014 年フミーリャにて始動。Vaginal Kebab の Ton によるワンマンプロジェクト。また同じく Vaginal Kebab の Gaspar がベースに参加していたこともある。本作は 2nd アルバムにあたる。Carcass の 1st アルバムに影響を受けた楽曲をプレイするバンドは数多いが、本作には 3rd 以降のメロディックな要素も含まれたスタイルに影響を受けた楽曲が収録されている。また自らを「パソロジカル・デスグラインド」とも称しており、デスメタル由来のギターソロや少しテクニカルなフレーズも挟まれている。打ち込みドラムを使用しているが、スピード感や世界観なども全てオールドスクール寄りになっている。

Mixomatosis

人

Recuento De Cadaveres スペイン
American Line Productions 2004

1990年カタルーニャ州にて結成。オリジナルメンバーは脱退しているが、現在も多くのバンドに在籍し、レーベルも運営している1992年以降は同年加入のMarcを中心としたバンドになっている。本作は2ndアルバムにあたる。時期によって作風がデスメタル、グラインドコア、ゴアグラインドと変化するバンドで、本作では全ての要素をバランス良く組み合わせたオールドスクールゴアをプレイしている。Carcassの影響が表れたロウなプロダクションの下、グルーヴ感が感じられる楽曲や少々モタつき気味だが、疾走感も感じられる楽曲などが収録されている。また若干ファニーさも表れている裏声シャウトヴォーカルが特徴的である。

Moñigo

機

Coprometidos Con La Causa "Shit & Honor!" スペイン
Xtreem Music 2011

2005年マドリードにて結成。3人編成で、現在のメンバーは多くのデスメタルバンドのメンバー、元メンバーである。本作は1stアルバムでデザインを多くのブルータルデスメタルを手掛けるPhlegeton Art Studioが担当し、またGruesome Stuff RelishのNoelがゲストヴォーカルで参加している。グルーヴィー・ゴアグラインドではあるがしっかり歌詞を歌うタイプのヴォーカルで、スラッシュメタルやデスメタルの影響が際立って感じられる。現在までのリリースほぼ全てでスカトロをテーマにしており、また本作においてもシンフォニックなパートを挿入したりとおふざけにも力を注いでいる。

Mutilated Judge

人

Coldplay Is a Shoegaze Band スペイン
Knives Out Records 2017

2013年アルテアにて結成。BabyrapistとGutcockによるデュオ編成で活動している。多くのスプリットをリリースしており、本作は1stアルバムにあたり、ゲストドラマーとしてPulmonary FibrosisのGuyomeを迎えている。作品によって打ち込みと生ドラムのものが混在しており、作風に関してもグラインドコア、ノイズグラインドなどと変わっているが、本作はゴアグラインドの要素が非常に強い作品である。高音スネアブラストが続く中に豚声ヴォーカルが介入するスタイルで、耳馴染みの良い楽曲群である。ライブ音源も収録されており、そこでは打ち込みドラムのグラインド寄りの楽曲を聴くことができる。

Neuntoter

人

Stench To Stench スペイン
Xtreem Music 2017

1988年パンプローナにて結成。1992年まで活動し、以降はDemented Foeticideへと改名するも、1993年に解散。本作は1990年から1991年の間に発表された2作のデモ音源と1991、1992年のライブ音源を収録したコレクションアルバム。デスメタル、スラッシュメタル、ブラックメタルなどあらゆる要素が合わさった楽曲に強烈なピッチシフター・ヴォーカルが乗っかるスタイル。曲の長さも3分越えや8分などの長編のものから10秒以下のショートカットなものまでさまざまであり、90年代前半という黎明期でありながら非常に斬新で挑戦的なバンドであったことがわかる。

Tamagotchi Is Dead

機

The Cold Stares of 99 Dead Tamagotchis スペイン
Base Record Production 2015

スペイン出身、活動開始時期やなぜ「たまごっち」をテーマにしているのかなど不明な点が多いバンド。1st アルバムである本作も「たまごっち」をテーマにした脅威の 99 曲を収録し、アルバムジャケットにも「たまごっち」を載せているが、ロゴ画像は臓物のようなものを使っている点も謎である。サウンドはひたすら続くブラストとノイジーなベースを基調としたゴアノイズ寄りのものであるが、ヴォーカルは高音低音を使い分けており、楽曲ごとの特徴が比較的掴みやすい。Facebook の投稿によると 2016 年にドラムヴォーカルを担当していたメンバーが「たまごっち」を捨てて「ポケモン GO」を始めたことが原因で解雇されている。

Tibosity

機

Sweet Home Carbonara スペイン
Bizarre Leprous Production 2011

2005 年結成。現在デスメタルバンド Christ Denied やブルータルデスメタルバンド Infected Flesh としても活動している Roger が在籍している。2016 年の Obscene Extreme に出演しており、ライブではメンバー全員がフィットネスウェアを着用している。サウンドはファニーでグルーヴィーなゴアグラインド。明るいギターやダンサブルなドラムパターンに、出所不明の気の抜けたような SE を冒頭に挿入したスタイルを基調としている。ヴォーカルはピッグスクイールやシャウト、ピッチシフターを幅広くも使い分けており、楽曲にしっかりと彩りをもたらしている。

Tu Carne

人

Antologia Del Horror Extremo スペイン
Hecatombe Records 2001

1997 年アリカンテにて結成。ベース、ドラム、ヴォーカルは現在もオリジナルメンバーが在籍しており、ベースの Flipi はグラインドコアバンド Germen にも在籍していた。本作は 1st アルバムで、メンバーがかつて在籍したバンドのカバー曲が複数収録されている。ホラー映画からと思われる不気味な SE をイントロに挿入し、邪悪で重たいメタリックなギターリフを基調としながらも、グラインドコア流の勢いのあるブラストが多く含まれた楽曲が特徴的である。同時期に似たスタイルのバンドは Last Days of Humanity を始め多く存在しており、本作は前述の音楽スタイルの模範とも言える作品である。

Tu Carne

人

...Me Quedo Con Tu Dolor! スペイン
Bizarre Leprous Production 2002

2002 年発の 2nd アルバム。前作から引き続き同じメンバー編成にて制作された。またグラインドコアバンド Rot のカバーが収録されている。前作と同じく SE などからホラーで不気味な雰囲気が漂っているが、よりグルーヴ感の増した作品になっており、ブラストなどのファストなパートを含みつつもテンポが下がった楽曲が多く収録されている。邪悪なピッチシフター・ヴォーカルも相まって Gut 等のオールドスクールなグルーヴィーゴアの影響が強く感じられる楽曲や、ひたすら重くビートダウンしたパートを含む楽曲などが特にその影響を強く表している。また全体的な楽曲の特徴を見ても、よりグラインドコアに寄った作品と言える。

Tu Carne

人

Culto a La Muerte スペイン
Bizarre Leprous Production 2007

2007年発の3rdアルバム。前作より5年ほど間が空いているがその間には多くのスプリットをリリースしており、また本作以降もリリースしたスプリットの数は非常に多い。レコーディングはハードコアパンクを始めとする様々なジャンルを手掛けるÓscar Martínez、Pieter Kloosが担当した。前作よりもファストでメタリックな楽曲が多いが、グルーヴィーなパートもしっかりと残されている。グラインドコアに寄った前作に1stで見られたデスメタル要素を加え、結果として両要素をバランス良く配合した楽曲が多く収録された作品となった。本作以降もオールマイティに楽曲を制作している。

Vaginal Kebab

機

GastroGoreGrind スペイン
Base Record Production 2014

2010年フミーリャにて結成。多くのゴアグラインドバンドに在籍するTonを中心としたバンド。音源リリースのみのプロジェクトとして結成されたが、2014年のベーシスト加入を期にライブ活動も開始している。本作は3rdアルバムでTonのソロ作品となっている。高低掛け合いヴォーカルというクラシックなスタイルで、ファストでグルーヴィーな耳に残りやすいゴアグラインドをプレイしている。前作と比べてプロダクションが改良されており、楽曲においてもキメフレーズからのグルーヴィーなパートに移る流れは特に鮮やかで、ソロではあるが圧倒的な重量と技量を持ち合わせた作品となっている。

Venereal Disease

人

Mondo Macabro スペイン
Genital Herpess Records / Basque Grind Fundation / Víctimas Del Progreso - Crímenes De Estado / Eguzki Banaketak / Hormigonera Prods. / Anarko Records 2003

2001年バスク州アモレビエタ=エチャノにて結成。ブルータルデスメタルバンドForensickの元メンバーなどが在籍していた。スプリット等に多く参加しており、本作は唯一の単独アルバムである。楽曲はデスメタル/グラインドコアのクロスオーヴァー的なサウンドだが、ピッチシフター・ヴォーカルが挟まれている点や、歌詞などにおいてもゴアグラインド要素が感じられる作品である。スラッシュ、ハードコア系バンドのカバーが収録されており、ギターのサウンドやリフもどちらかといえばスラッシュメタル由来のものになっている。また本作にてヴォーカルを務めたCoprophagusは2008年に亡くなっている。

Grunt

人

Scrotal Recall ポルトガル
Bizarre Leprous Production 2011

2010年ポルトにて結成。2004年から2010年まではFetal Incestという名前で活動していた。結成メンバーは現在Holocaust Canibalにも所属しているJosé、Diogoとヴォーカルの Alexandre。またメンバー全員がフェティッシュなボンデージファッションを身にまとっている。ポルノSEを多用したグルーヴィー・ポルノゴアを基準にメタリックなギターソロやグラインドコア系のフレーズ、さらにはエレクトロサウンドなど様々な要素が挿入される楽曲をプレイしている。ヴォーカルはRompeprop系のピッチシフター・ヴォーカルとシャウトヴォーカルの2パターンが使用されている。

Grunt

人

Codex Bizarre ポルトガル
Bizarre Leprous Production 2015

2015 年発売の 2nd アルバム。レコーディングを Holocaust Canibal の Max が担当した。ゲストヴォーカルやリミックス、アレンジなどに多くのミュージシャンを迎えており、日本のブラックメタルバンド Sigh の川嶋未来も参加している。楽曲はグルーヴィーゴアの一面を残しつつもデスメタルの要素が強くなり、またストリングスなどが導入され、よりアバンギャルドな作風へ変貌した。前作よりも様々な要素が交わることとなったがポルノゴア的なテーマや重く響くサウンドは変わらず、さらなる音楽的進化が感じ取れる作品となった。この後数回のメンバーチェンジを経るも、ライブを中心にアクティブに活動し続けている。

Holocausto Canibal

人

Opusgenitalia ポルトガル
Cudgel 2006

1997 年リオ・ティントにて結成。現在のメンバーは Grunt のメンバー（元メンバー）としても活動しており、また以前は Serrabulho のメンバーなどが在籍していた。本作は 3 枚目のアルバムでマスタリングは Mega Wimp Sound にて行われた。サウンドはデスメタルの影響が感じられるゴアメタル的楽曲。ファストで手数の多いドラムや多種多様なフレーズを掻き鳴らすギターに邪悪なグロウルが絡まっていくスタイル。2010 年以降になるとデスメタル要素が強まってくるが、本作はポルノ＆スプラッターがテーマの SE や世界観、また曲の構成等を見てもゴアグラインドの要素が強い作品。

Namek

人

Vaginator ポルトガル
EveryDayHate 2006

1998 年 Ultrapodre としてセトゥーバル県アルマダにて結成、2001 年に現在の名称となる。バンド名は漫画『ドラゴンボール』に登場する「ナメック星」から。現在のメンバーはデスメタルバンド Martelo Negro やグラインドコアバンド Grog など多くのバンドにて活動している。本作は 1st アルバムで、レコーディングを現地のパンク、メタルバンドで活動する Paulo Vieira が担当した。グラインドコア系統の楽曲にピッチシフター、下水道ヴォーカルとシャウトのツインヴォーカルが乗っかるスタイルの楽曲。またグルーヴィーなパートやドゥーム系統のとても遅いパートなども導入されている。

Pussyvibes

人

Pussy Gore Galore ポルトガル
Diablos Recs. / 666 Records 2009

2000 年オウレーンにて結成。デスメタルバンド Massive Carnage や Namek の元メンバーらによるバンド。本作は 1st アルバムで、ミックス、マスタリングを Paulo Vieira が担当した。メタル、グラインドコア双方を好い塩梅に混ぜ合わせ、グルーヴィーでわかりやすいリフやフレーズが耳に残るゴアグラインドをプレイしている。ヴォーカルは Haemorrhage 系の高低ツインヴォーカルが基礎を作りつつ、そこに下水道ヴォーカル、ピッグスクイールなどが入り込み楽曲に特徴を持たせている。ブラストも人力としてはとても速い分類に入る。

Serrabulho

人

Ass Troubles ポルトガル

Vomit Your Shirt / Rotten Roll Rex 2013

2011 年ヴィラ・レアルにて結成。Holocausto Canibal の元メンバーやデスメタルバンド ThanatoSchizo のメンバーらによるバンド。本作は 1st アルバムでレコーディングはベースの Guilhermino が運営する Blind & Lost Studios にて行われた。サウンドは明るくキャッチーなグルーヴィー・ゴアグラインド。ギター等のフレーズはメタル寄りで刻む系統のリフも多いが、重苦しさはほとんど感じられない。SE だけでなく曲中にもアコーディオンなどのナンセンスなおふざけ系パートが導入されており、ファニー要素のアプローチの仕方は Gronibard にも近い。

Serrabulho

人

Star Whores ポルトガル

Rotten Roll Rex 2015

2015 年発の 2nd アルバム。本作よりドラマーが元 Holocausto Canibal の Ivan となる。前作と同じく Blind & Lost Studios にてレコーディングを行い、またグラインドコアバンド Shoryuken の Sérgio がマンドリン奏者として参加し、ゲストヴォーカルとしてグラインドコアバンド Os Capial の Christiano らが参加している。前作と同じく、または前作以上にナンセンスでファニーな SE やパートを詰め込んだ楽曲を収録している。本作発売後の 2016 年に Obscene Extreme に出演しており、その際にもマンドリン奏者を従えたパフォーマンスが話題となった。

Serrabulho

人

Porntugal ポルトガル

Rotten Roll Rex 2018

2016 年に前作でマンドリンを担当した Sérgio が在籍する Shoryuken とスプリットをリリースし、本作はその後の 2018 年にリリースされた 3rd アルバム。本作はレコーディングを Blind & Lost Studios にて行い、ゲストヴォーカルだけでなく、バグパイプ等に始まる伝統楽器奏者をゲストに迎えている。依然としてファニー SE、フレーズを導入したゴアグラインドをプレイしているが、前述の民族楽器が上手くフィットするような楽曲を作り上げており、音楽的センスにも更なる進化が見られる。またメンバーのコスプレ等からもよりフォークメタル的な世界観が感じられる作品となっている。

2 Minuta Dreka

人

Let's Start a Porn in the Name of Gore イタリア

Half-Life Records 2006

2001 年ボローニャにて結成。バンド名はセルビア語で「2 Minutes of Shit」を意味する。創設メンバーの Jack Off 以外のメンバーはスタジオ、ライブサポート含め流動的である。日本のアニメ、漫画、エログロ、ヤクザをテーマにしたバンドで曲名や歌詞に日本語が使われることもある。また、SE は日本の V シネマや AV 等から引用されたものが多い。サウンドは Gut 系のグルーヴィー・ポルノゴアを主軸とし、ショートカットなノイズグラインド、スラッシュメタル等幅広く手掛けており、一つの音源に様々な作風の楽曲が混在することもある。本作もグラインド、ゴア、またそれらのバンドのカバーが入り混じったアルバムである。

2 Minuta Dreka

人

Porno Bizzarro イタリア
Bizarre Leprous Production 2015

2015 年発の 2nd アルバム。本作は SE と楽曲が交互に収録されているが、曲頭にももれなく SE が挿入されている（多くが日本由来）。前作よりドラム、ギターともに聴きやすくなり、またハードコアパンクの要素なども加えられ、前作以上に多様な音楽性の楽曲をプレイしている。Jack Off によるヴォーカルもピッチシフター / シャウト、グロウルの二種類のマイクを使い分けたスタイルへと変貌している。本作発売の 2015 年に Obscene Extreme Asia にて初来日し、その後も 2019 年に再来日を果たしている。その際 2019 年には日本のテレビメディアが彼らに密着取材した様子が話題となった。

Anonima Sequestri

機

Unsafe, Insane & Forced イタリア
Rotten Roll Rex 2007

2000 年ヴィアレッジョにて結成。多くのデスメタルバンドに所属するメンバーが在籍していたが、現在の活動状況は不明。バンド名はイタリアの犯罪者組織から取られている。本作は 1st アルバムにあたる。ミックスをヴォーカルの Luca が担当し、ジャケットは Ultimo Mondo Cannibale なども手掛ける Devilhate Art が担当した。Cock and Ball Torture のカバーが収録されており、同バンドからの影響が感じられる楽曲をプレイしている。軽いギターサウンドとチープな打ち込みドラムが目立つが、一辺倒ではなく、ちゃんと作り込まれた楽曲でバンドとしての特色がキチンと表現されている。

Bestial Devastation

人

Splatter Mania イタリア
Deadsun Records 2005

2002 年キエーティにて結成。Guineapig でも活動する Brutal、Torturer とブルータルデスメタルバンド Tools of Torture でも活動する Animal、Lord Destroyer によるバンド。2008 年まで活動した。本作は 1st アルバムである。ブルータルデスメタルの要素も感じられるゴアメタル的楽曲をプレイしている。メタル要素が強い中でブラストを始めとするファストなドラムやショートカットチューン、また SpermBloodShit でも聴くことのできる Torturer の力強いシャウトでグラインドコアのアプローチもしっかりとこなしている。

Bestial Devastation

人

Your Vagina Is Sick... イタリア
Meat 5000 Records 2007

2007 年発の 2nd アルバム。レコーディングは Spermbloodshit、Bowel Stew 等を手がける Alien Recording Studio にて行われた。また MV も収録されており、アートワーク含む制作に映像レーベルの Extreme Video が携わっている。前作同様メタル要素の強い楽曲が収録されており、本作においてはグルーヴ感もよりブルータルデスメタル寄りになっている。しかしながらグラインドコア的なアプローチも依然として多く含まれている。また以前はスプラッターなど純粋なゴアグラインド流の世界観であったが、本作では新たにポルノ要素も追加されることとなった。

Bowel Stew

人

Necrocannibal Rites イタリア

Disgorgement of Squash Bodies Records 2003

1996年ロンバルディア州コモにてMonolithという名義で結成、1999年に現在の名前となる。現在のメンバーは全員スラッシュメタルバンドCruentatorにも在籍しており、かつてヴォーカルを務めたMarcoは元Deathtopia、現Funeral Rapeのメンバーである。本作は1stアルバムで、2人編成でレコーディングされた作品である。ブルータルな要素も感じられるデスメタル影響下のオールドスクール・ゴアグラインドを基調に、グルーヴィーなパートも多く導入された楽曲をプレイしている。邪悪さと汚さを兼ね備えたゴロゴロした下水道ヴォーカルが特徴的である。

Cannibe

機

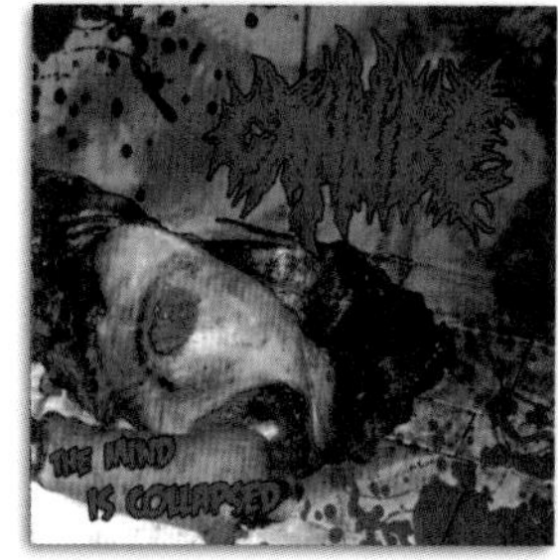

The Mind Is Collapsed イタリア

Goressimo Records 2012

2001年サルデーニャ州ゴンネーザにてKabhalという名前で結成、2004年に現在の名称となる。現在の編成はデスメタルバンドMincerにも在籍するオリジナルメンバーIvanと2017年に正式加入したNicolasによるデュオ編成。以前はグラインドコアバンドFleischwaldのAndreasなどが在籍していた。スプリットなど非常に多くの作品をリリースしており、本作は2ndアルバムにあたる。サウンドはデスメタル系のクラシックなフレーズが多く含まれるオールドスクール・ゴアグラインド。カバー曲も収録されているTumour等の打ち込みゴアグラインドの影響も感じられる。

Compost

人

Vegetable Goregrind (Discography 2008-2013) イタリア

Eyes of the Dead Productions 2016

2007年ローマにて結成。かつてCannibeやOlocaustoのメンバーらが在籍していた。堆肥を意味するバンド名を冠し、自らのジャンルを「ベジタブル・ゴアグラインド」と称している。本作は未発表の1stアルバムを含むスプリット音源や、デモ音源を全て含めたコレクションアルバム。高音スネアとベースが比較的目立つサウンドで、メタル調の聴かせるフレーズを盛り込んだゴアグラインドに裏声で叫ぶヴォーカルを使用したポルノゴアと、各ジャンルの特長を抽出したオールマイティな楽曲をプレイしている。収録されているカバー曲もGutにフィンランドのグラインドコアバンドXysmaと幅が広い。

Corporal Raid

人

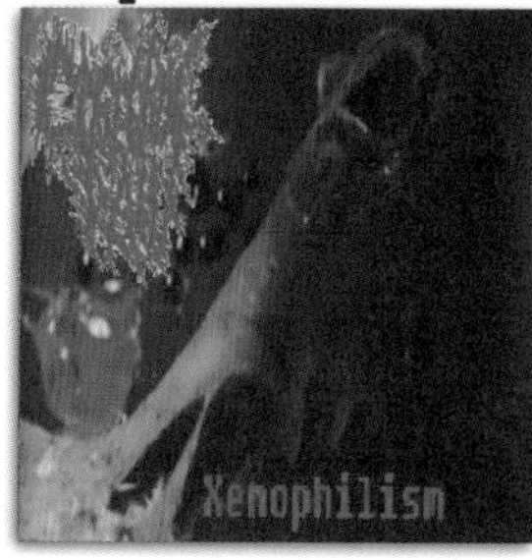

Xenophilism イタリア

Bizarre Leprous Production 2003

2001年ミラノにて結成。現在も在籍している唯一のオリジナルメンバーのGiovanniはグラインドコアバンドMindful of Pripyatとしても活動している。現在まで3枚のアルバムをリリースしており、本作は1枚目にあたる。終始突っ走り続けるドラムが特徴的で、多少もたつきながらも高純度で高速のブラストを奏でている。ほとんどがブラストで構成される作風は後に発売されるLast Days of Humanityの3rdアルバムなどにも受け継がれていると考えられる。ヴォーカルは下水道ヴォーカルとシャウトの掛け合いが主である。曲名はポルノ関連のものが多いが、ジャケット等ではSF映画をテーマにしている。

Funeral Rape

人

A Chainsaw in the Cunt イタリア
Redrum Records 2005

2003年ミラノにて結成。Bowel Stewやブルータルデスメタルバンド Brutal Murderに参加していたMarco Pirasが在籍している。本作は1stアルバムで、プロデューサーにMorticianのWillを迎えている。ポルノSEやホラー映画SEをふんだんに盛り込んだGut系統のクラシックなポルノゴア。ギターはズンズン響くヘヴィー系ではなく比較的軽めの音ではあるが、グルーヴィーさを感じさせるサウンドとしては申し分ない。またヴォーカルはピッチシフターを使っておらず、メタル風のリフもあることから、関係性の深いMorticianからの影響も感じられる。

Guineapig

人

Bacteria イタリア
Rotten Roll Rex 2014

2013年ローマにて結成。Bestial Devastation、SpermBloodShit、Ultimo Mondo Cannibaleのメンバー、元メンバーらによるバンド。本作は1stアルバムでミックス、マスタリングをギターのFraが担当し、ジャケットをデスメタル系を多く手掛けるHeadsplit Designが担当した。楽曲はCock and Ball Torture等の影響が感じられるグルーヴィー・ゴアグラインドをプレイしている。ノリやグルーヴ感をより一層感じさせる重厚なサウンドで曲を作り上げており、ヴォーカルは下水道ヴォーカルとシャウトの掛け合いスタイルにて繰り広げられる。

Guineapig

人

Parasite イタリア
Spikerot Records 2022

2022年発の2ndアルバム。本作では元Bestial DevastationのGiancarloが新たにドラムを担当している。レコーディングをデスメタルバンドHour of PenanceのMarco、またアートワークをメタル系を多く手がけるFabio Timpanaroが担当した。またエレクトロアーティストConfrontationalがSE制作やリミックスにおいて参加している。グルーヴィーなゴアグラインドに下水道ヴォーカルとシャウトが乗るスタイルは以前と変わっていないが、スローテンポのパートが増えたことにより、さらに重たく力強いスタイルになっている。

Malignant Defecation

人

Malignant Butchery Maniacs イタリア
End of Music 2014

2012年サルデーニャにて結成。ブラックメタルバンドCreation D.の元メンバーI-GoreとデスメタルバンドDeathcrushを始め多くのバンドに在籍したDr. Pigによるデュオ編成。バンド名はCarcassの曲名から。ライブではツインヴォーカルに音源を流すというスタイルで活動している。フレーズやリフがわかりやすいグルーヴィー・ポルノゴアの中でも特にキャッチーなサウンドが特徴的。メタル、パンク両方の要素を含み、さらにラップパートなども挿入された楽曲にピッグスクイール、グロウルのツインヴォーカルが絡む非常にキャッチーでポップな作品になっている。

Muculords

人

Carpe Diem イタリア
Akom Productions / Cool Blood Records 2005

1999年エミリア=ロマーニャ州リミニにて結成。2012年まで活動した。メンバーはブルータルデスメタルバンドEntityやデスメタルバンドKrydome等の多くのバンドに所属していた。本作は2ndアルバムにあたる。グラインドコアを基調にデスメタル、ゴアグラインドなどの様々な要素を加えた楽曲をプレイしており、ブラストを多用したファストなものからミドルテンポのグルーヴィーなもの、またロシア民謡のグラインドアレンジなども収録されている。特にゴアグラインドらしさが感じられる要素として、力強いピッチシフター・ヴォーカルやファニーなSE、また覆面やコスプレを着用したメンバーの装いなどが挙げられる。

Olocausto

人

Sadistic Violation of Human Rights イタリア
No Tomorrow / Aima Records / Avis Odia 2010

2007年プラトにて結成、2018年まで活動した。何人かのメンバーは現在ゴアノイズのプロジェクトに所属している。本作はキャリアにおいて唯一のアルバム作品であり、Regurgitateのカバーも収録されている。空き缶のようなスネアが特徴的なゴアグラインド。ブラストが続く曲もあり、ミドルテンポのフレーズを前面に出した曲もあるオールマイティな作品となっている。リフはわかりやすいがギターは非常にノイジーで、サウンド面のみで判断するとメキシコなどでよく見られるアヴァンギャルドなゴアグラインドと似た一面がある。ヴォーカルはシャウトとピッチシフター・ヴォーカルのクラシックな掛け合いが主である。

Orifice

機

These Are the Flowers That I Love to Smell イタリア
Deathforce Records 2007

2004年パヴィーア県ヴァッレ・ロメッリーナにて結成。デュオ編成にて結成されたが、後にソロプロジェクトとなり、ライブ時にはゲストミュージシャンを迎えるスタイルとなった。スプリットなど多くの作品を発表しており、本作は2007年にCDRとして発売され、2010年にCDとして再発された作品。グルーヴィーでファニーなポルノゴアグラインドをプレイしている。ファストなパートやマシンブラストがありつつも基本はミドルテンポでグルーヴィーに進んでいくが、途中ボンゴのような音が頻繁に挿入され、気の抜けたようなビートを奏でるのが特徴的。またヨーデルやフォークソングのようなファニーパートもしばしば登場する。

Orifice

機

...Better than Sex!!! イタリア
Redrum Records 2009

2009年発売のアルバム。この作品を最後にOrificeは解散することとなった。本作では録音を多くのグラインドコアを手掛けるAvatara Studioにて行い、プロデューサーにMorticianのWillを迎え、レコーディング、ミックスを現地ブラックメタルバンドなどを手掛けるStefano Dragoneが担当した。ポルノSEは挟まれるものの、前作ほどファニーでおふざけ的な展開は見られないのが本作の特徴である。曲中にスラムパートなどが挿入され、またドラムも手数の多いパターンが増えたことでどちらかと言うと、正統派な打ち込みゴアグラインドに近づくこととなった。

SpermBloodShit

人

Polar Torsion Syndrome イタリア
Coyote Records 2008

2007年ペスカーラにて結成。現在の編成はGuineapigにも在籍するオリジナルメンバーAlessioを中心とした3人編成で、以前はブラックメタルバンドObscura Nox Hibernisなどに在籍したMatteoがドラムを担当していた。本作は1stアルバムで強烈なジャケットはスラッシュメタル系を多く手掛けるJeff Gaitherが担当した。ノれるグルーヴィーパートとファストなグラインドパートを繰り返すスタイルで、ノイズグラインド的なショートチューンやパワーバイオレンスの要素も含まれた楽曲を生み出している。ヴォーカルはリズミカルなゴアヴォーカルとパンキッシュなシャウトのツインスタイル。

Ultimo Mondo Cannibale

人

Pornokult イタリア
Rotten Roll Rex 2008

2005年ラツィオ州にて結成。バンド名は1997年のホラー映画、及び同名のImpetigoのアルバムタイトルから取られた。メンバー全員プロレスの覆面を被り、活動している。オリジナルメンバーであるFrancescoは後にGuineapigに参加している。本作は1stアルバムで、Gut、Impetigoのカバーも収録されている。新旧ホラー / スプラッター映画のSEが使われたオールドスクールな世界観の作品で、聴かせるギターフレーズを多く含んだクラシックなゴアグラインドの中に、ダンサブルというよりかはノリを追求したルーヴィパートが入り込んだ楽曲をプレイしている。

Yakisoba

機

Gore Mutilation Death イタリア
Old Grindered Days Recs 2021

2017年ヴィアレッジョにて始動。デスメタルバンドCongenital DeformityやグラインドコアバンドFull Body Punishmentなどでも活動するMicheleによるソロプロジェクト。日本語をバンド名、曲名等に使用するバンドは数多くいるが、なぜ「焼きそば」という単語をチョイスしたのかは不明である。本作は2作目のEP作品にあたる。初期の作品がゴアノイズ寄りだったのに対し、本作では楽曲ごとの特徴が更に表面化していき、クラシックで正統派のゴアグラインドへの進化が感じられる。マシンドラムではあるが、重く激しいサウンドで圧倒的な勢いを感じるバンドである。

Autophagia

人

Postmortem Human Offal ギリシャ
Bizarre Leprous Production 2003

1997年テッサロニキにて始動、Psychopharmakaというハードコアパンクプロジェクトも運営しているAngelos Hatziandreouによるワンマンプロジェクト。2006年まで活動した。本作はキャリア唯一の単独アルバム作品。ギター、ドラム共に疾走感を感じさせるショートカットなゴアグラインドをプレイしている。もたつきながらもスピード感や力強さを前面に出したドラムや高速で掻き鳴らすギターにピッチシフター、シャウトなどを兼ね備えた様々なスタイルのヴォーカルが重なっていく楽曲を収録している。ギターリフはグラインドコア系統のストレートでわかりやすいものが多い。

Blasted Pancreas

機

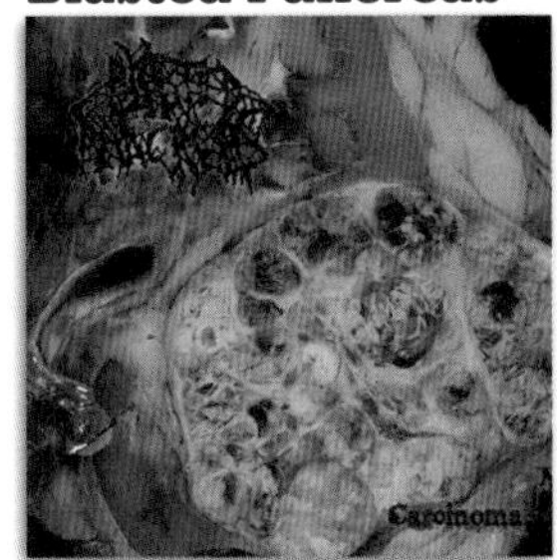

Carcinoma ギリシャ
No Label Records 2011

2008年テッサリアにて結成。ブルータルデスメタルバンドBlustery Caveatに在籍していたNickとブラックメタルバンドDark Messiahでも活動するTasosによって結成された。その後、新たなヴォーカリストにGeorgeが加入するも、2012年Tasosが交通事故で亡くなったことにより解散。2021年Georgeと新たなメンバーの2人体制にて再始動。本作は1stアルバムにあたる。Lymphatic Phlegmからの影響が感じられるパソロジカルな打ち込みゴアグラインドをプレイしているが、使用されているリフはよりブルータルなものが多い。また冒頭のSEには日本語の音声が使われている。

Dissected

人

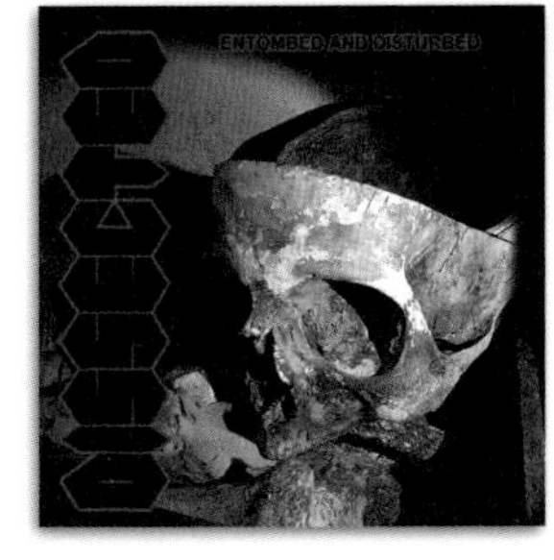

Entombed and Disturbed ギリシャ
Deathforce Records 2019

1999年アテネにて結成。現在まで多くのスプリットをリリースしており、本作は20周年記念盤としていくつかのスタジオ録音を集めたコレクションアルバムとしてリリースされた。なぜか洞窟の中のようなリバーブエフェクトがかかっていたり、ドラムの音で他の音がかき消されていたり、挙句演奏がズレていたりと音質、楽曲面ともに決して良いとは言えず、非常にクセの強い玄人向けの作品となっているが、ところどころCarcassっぽいフレーズも聴こえ、同バンドのロウなプロダクションから影響を受けているとも推測できる。上級者向けではあるが、プリミティヴな側面など評価されている点も多い。

Ptoma

機

Life ギリシャ
Inhuman Homicide Records / Testicular Records 2019

2015年東マケドニア・トラキアのアレクサンドルーポリにて結成。バンド名はギリシャ語で「死体」を意味する。デュオ編成で結成され、現在は3人編成となった。スプリット音源など多くの作品をリリースしており本作は2ndアルバムにあたる。SF風の世界観を持っており、ギター、ドラム共にクセのある難解なサウンドが特徴的。ギターはメタリックなソロやクリーンパートを多用し、ドラムは変則的で、ヴォーカルはピッチシフターを使用しているが、デスメタル風のグロウルといったスタイル。プロダクションも決して良いものではないが、ゴアグラインドにおいて唯一無二のスタイルを確立したバンドとも言える。

Streptococcus Pyogenes

機

Hospital of Human Degeneration ギリシャ
Stick Your Nose in a Garbage Bag Full of Medical Waste Records 2011

活動開始時期不明、アテネにて始動。いくつかのゴアグラインド、グラインドコア・プロジェクトを運営するNickによるソロプロジェクト。本作が初の単独作品にあたり、ジャケットを画家で音楽パフォーマーとしても活動するJoe Colemanが担当した。またゲストヴォーカルにDysmenorrheic HemorrhageのKyleが参加している。ノイジーな楽器陣と下水道ヴォーカルが特徴的なゴアノイズ的サウンドだが、楽曲はブラストとミドルテンポで緩急を付け、バランスよく使い分けたクラシックなゴアグラインドをプレイしている。またRegurgitateのカバーも収録されており、同バンドからの影響も感じられる。

おもしろくて、くだらないゴアグラインドMUSIC VIDEO

ゴアグラインドにはMVを制作しているバンドがいる。ここでは特におもしろい、くだらないビデオを紹介していきたい。インターネット普及以前は安っぽい自主制作の映像作品が醍醐味でもあったが、普及以降は高画質の映像や凝ったストーリー、また単純にスタイリッシュでカッコいい演奏風景なども多く使われており、ゴアグラインドのビデオだからといって侮れない時代になってきている。近年YouTubeにはそういった作品が定期的に投稿されるようになってきており、バンドの知名度に関わらず多くの再生回数を記録しているものも存在している。他にもYouTubeにはB級スプラッター映画、アニメを無断使用したものや、60～70年代頃のディスコ、ツイストなどのダンス映像にグルーヴィー・ゴアグラインドの楽曲を乗せたビデオなどが多くアップロードされている。

Defecal of Gerbe - La Quarte (I' m Your Boogie...)
泥酔した男性が拉致され犯されたり、男性二人組が別の男性を犯した後に兜をかぶった謎の男性に逆に犯されるなどのコミカルなシーンや、時折演奏シーンが映される。日本の動画サイトにもアップされたことから国内でも知名度がある作品。

Gutalax - Asshole Ghost Shitmaster
腹を下しトイレに入る男性が映され、その後、大腸内と思われる場所で排泄物を作り出していくメンバーが映される。入念な作業やチェックを経た後に排泄物が排出され、最後はトイレから出る男性が映されてビデオは終わる。

Haemorrhage - Furtive Dissection
アニメ映像に実写の演奏シーンが交わる作品。ジャケットでもおなじみのDr. Obnoxiousが真夜中の遺体安置所に侵入し、人間を惨殺し内臓や遺体を持ち出し最後は墓場にも侵入するが……。

Brutal Sphincter - Make Goregrind Great Again
カートゥーン調のアニメ作品。謎の液体を飲んだ男性が吐き出した吐瀉物が擬態化し、町をめちゃくちゃにしていくのを追いかける物語。コミカルな絵柄だが、残酷描写や女性の裸体なども多く映されている。

Choked by Own Vomits - Shit World
核戦争後と思われる廃墟のような場所で演奏するメンバーと、そこに侵入するガスマスクに防護服姿の兵隊たちが映される。最後にはエンドロールも挿入されている短編映画仕立ての作品。

Choked By Own Vomits - Dream Is Over
人体模型風の謎のキャラクターに追いかけられるというストーリー。キャラの見た目は安っぽいが、演奏シーンの見せ方など映像の作りはしっかりしている。また演奏シーンではそのキャラがヴォーカルを担当している。

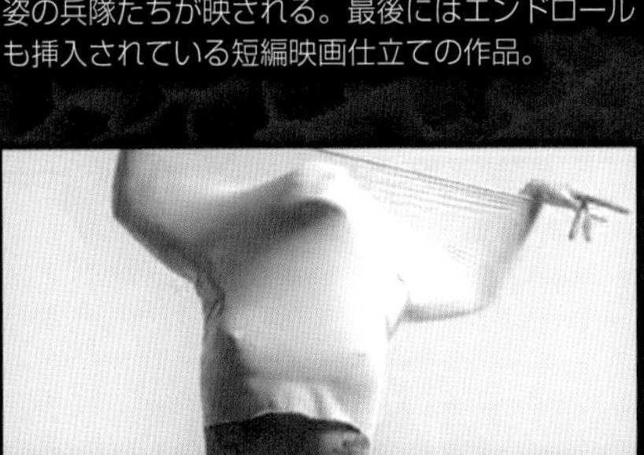

Guineapig - Mermaid in A Manhole
タトゥーが特徴的な女性が、Tシャツを頭にかぶりながら不気味な踊りを踊り続ける作品。ゴア表現などはあるものの、一般的なMVとして見ても差し支えない非常にアーティスティックな作品。

Gutalax - Koucourek Mourek Podráždil si Šourek
スタジオらしき場所に入ってくるメンバー。衣装に着替え、入念なセッティングを行う姿がゆっくりと映し出され、1分40秒を超えたあたりでようやく曲が始まるが……。

D.E.F.A.M.E. - Tupa Tupa Style
メンバーが川沿いの高架下で曲に合わせてひたすら踊る映像。メンバーの覆面や踊りも特徴的だが、無駄に高画質で無駄な編集やエフェクトが次々と入るなど、映像面も非常に特徴的である。

Bestial Devastation - Splatter Mania
演奏シーンを中心にキッチンでひたすら人間を解体しているシーンや、血塗れのボンデージ姿の女性なども映されているビデオ。大量の血糊を使い、死体に湧く蛆なども映しているB級スプラッターな作品。

エロ&グロな日本文化を導入した新世代ゴアグラインドの開拓者

Jig-Ai

- Destructive Explosion of Anal Garland / Negligent Collateral Collapse / Ahumado Granujo / Eardelete / Psychotic Despair
- 2005 ～現在
- チェコ　プラハ
- (Ba, Vo) Buraak / (Gt, Vo) Brain / (Dr) Jarda
  ex. (Dr) Štefy / (Dr) Kaspy

2005 年結成。グラインドコアバンド Negligent Collateral Collapse、及び同バンド改名後の Eardelete にも在籍していた Buraak こと Vít と Brain こと Mozek により結成。また Buraak は Ahumado Granujo の元メンバーで現在は Destructive Explosion of Anal Garland でも活動しており、Brain はグラインドコアバンド Psychotic Despair にも在籍していた。バンドの母体は 2004 年から存在しており、当時は Petrasek というドラマーを擁する無名のプロジェクトであった。しかし短期間で活動休止し、2005 年に Psychotic Despair の元メンバーでもある Štefy を迎えて活動再開した。同年には最初のデモ音源を発表し、2006 年には 1st アルバム『Jig-Ai』をリリース。その後すぐにヨーロッパツアーを経験し、翌年まで多くの国でライブ公演を行っていた。2008 年には 2nd アルバム『Katana Orgy』をリリース、その後、翌年にかけてアメリカ、メキシコツアーなどを挙行するも Štefy が脱退。2011 年には Štefy が参加した最後の音源であるグラインドコアバンド Ass to Mouth とのスプリットがリリースされる。また同年には後任ドラマーである Kaspy が加入している。2014 年には 3rd アルバム『Rising Sun Carnage』をリリース、また同年日本で開催された「Obscene Extreme Asia 2014」に出演するため来日した。2019 年には 5 年ぶりのアルバム『Entrails Tsunami』がリリースされるも Kaspy が脱退、同年グラインドコアバンド Alienation Mental や Mincing Fury... 等に在籍していた Jarda が加入する。

Jig-Ai

人

Jig-Ai チェコ
Bizarre Leprous Production 2006

2006 年発の 1st アルバム。録音およびミックスはギターヴォーカルを務める Brain が担当した。Brujeria のカバーや童謡のゴアグラインドアレンジなども収録されている。ブラストなどのファストなフレーズを中心に、ミドルテンポのグルーヴィーなパートや時折ブルータルデスメタル的なエッセンスなども挟まれたゴアグラインドをプレイしている。ヴォーカルは強烈なピッグスクイールが特に目立っているが、ピッチシフター、グロウル、シャウトなど幅広いスタイルが網羅されている。リフはキャッチーなものが多く、プロダクションも整っているので、聴きやすく、耳に残りやすい楽曲が収録された作品となっている。

Jig-Ai

人

Katana Orgy チェコ
Bizarre Leprous Production 2008

2008 年発の 2nd アルバム。レコーディングを Davos Records にて行い、ミックスは前作に引き続き Brain が担当した。またゲストヴォーカルにグラインドコアバンド Ingrowing の Vlakin とグラインドコアバンド Negligent Collateral Collapse の Paul が参加している。作風は前作とほとんど変わっていないが、ギターのリフは刻む系統のものが増え、楽曲はゆったりとしたテンポのものが増えるなど、より音の厚みや重たさが感じられる作品になっている。また SE は日本由来のものが増え、日本のアダルトビデオや映画『御法度』のワンシーンなどが使われている。

Jig-Ai

人

Rising Sun Carnage チェコ
Bizarre Leprous Production 2014

2014 年発の 3rd アルバム。ドラマーに Kaspy を迎えた最初の作品。前作と同じくレコーディングを Davos Records にて行い、ミックスを Brain が担当した。またゲストヴォーカルに Squash Bowels の Artur を迎えている。本作では楽曲面において過去 2 作品ほどのゴアグラインドらしさは感じられず、グラインドコア要素が強まったデスグラインド的な楽曲が主に収録されている。しかしブラストなどのファストなフレーズやギターのリフワーク、多彩なヴォーカルスタイルなどバンドの持ち味は引き継がれており、楽曲はスタイリッシュになりながらもブルータルさや汚らしさを失わない作品になっている。

Jig-Ai

人

Entrails Tsunami チェコ
Bizarre Leprous Production 2019

2019 年発の 4th アルバム。録音、ミックスを Davos Records にて行い、ジャケットは多くのデスメタル系作品を手掛ける Bvll Metal Art が担当した。作風は前作と同じくグラインドコア寄りの楽曲をプレイしているが、スネアが高音になるなど若干のゴアグラインドらしさが感じられるようになった作品になっている。楽曲面において一曲の間のテンポチェンジが過去作よりさらに顕著になり、一つの楽曲の中に様々なヴォーカルスタイルと共にデスメタル、グラインドなど多くの要素が代わる代わる表れるようになった。また本作では和楽器の「胡弓」が曲名および楽曲に使用されている。

Destructive Explosion of Anal Garland

人

Sealing off the Vagina by Sewer Lid チェコ

Bizarre Leprous Production 2006

2005 年プラハにて結成。Jig-Ai の Buraak がドラムを務めるバンド。1st アルバムである本作はヴォーカルにグラインドコアバンド Psychotic Despair の Koloušek を迎えて制作され、レコーディングを Jig-Ai の Brain、アートワークを Jig-Ai 作品を手がける Buco が担当した。またゲストヴォーカルに Brain、Mincing Fury... の Topi が参加している。高音スネアを使用し、高速ブラストとグルーヴィーなパートを混ぜ合わせたゴアグラインドをプレイしている。リフやヴォーカルスタイルなどいかにもチェコらしいサウンドと言え、Jig-Ai 等の同郷バンドに似通ったフレーズがとても多く存在している。

Destructive Explosion of Anal Garland

人

Cutterclit チェコ

Bizarre Leprous Production 2008

2008 年発売の 2nd アルバム。ドラム、ヴォーカルの布陣は前作と変わらず、新たにベースに Pisstolero の John、ギターに Choked by Own Vomits の Pavel を迎えて制作された。前作から引き続きアートワークを Buco、レコーディングを Brain と新たに Pigsty、Davos Records の Otyn が担当した。またゲストヴォーカルに Spasm の Radim とグラインドコアバンド Negligent Collateral Collapse の Paul が参加している。サウンドの大部分は前作と変化していないが、ファストなパートやファニーな要素がさらに前面に出た作品となっている。

Destructive Explosion of Anal Garland

人

Tour De Anal チェコ

Bizarre Leprous Production 2014

2014 年発売の 3rd アルバム。本作よりヴォーカルに元 Ahumado Granujo の Wokatej、ギターにデスコアバンド Diphteria の Daniel を迎えて制作された。録音は Davos Records にて行われ、ミックス、マスタリングを Otyn が担当した。今までのように高音スネアやグルーヴィーなパートは使用されなくなり、サウンドもファストなグラインドコア寄りの楽曲にピッチシフター・ヴォーカルが乗るクラシックなゴアグラインドへと変貌した。2017 年にはヴォーカリストを新たに迎えアルバムを発表したが、その際は作風が完全にグラインドコアに移行した作品となった。

Buraak (Jig-Ai, Destructive Explosion of Anal Garland)

（前ページ写真右） **インタビュー**

Q：エクストリーム音楽やゴアグラインドに出会ったのはいつでしたか？　またどのようにしてバンドを始めるに至りましたか？

A：僕は幼少期だった 90 年代初頭にはすでにエクストリーム音楽に出会っていたよ。僕の 10 歳上の兄が当時の多くの人と同じようにデスメタルにハマって、東欧革命の後にはチェコスロヴァキアに来たビッグバンドたちのコンサートを見に行ったよ。でも僕は 1999 年ぐらいまではそこまでちゃんと聴いていなかったんだ。その当時兄が MTV のエクストリームメタル番

組『MTV Headbangers Ball』の海賊版 VHS テープを貸してくれて、僕はそこで初めて Carcass、Brutal Truth、Napalm Death、Entombed、Dismember、Sepultura、Slayer などのいろいろなバンドを見た。そこですぐに僕は自分がやりたいことが見つかった。僕はできるだけ長く活動できるバンドがやりたい……。そして僕はベースを弾きたい！　僕がゴアグラインドに出会ったのはもう少し後で、というのも僕の情報源、つまり兄たちや友達のみんなはそこまでエクストリームな音楽は聴いていなくて Dead Infection、Regurgitate などのバンドすら知らなかったんだ。唯一 Carcass の 1st アルバムは彼らを古いメタル雑誌で見ていたから聴いていたんだけど、その雑誌の中にあの Pathologist のヴォーカリストでチェコシーンでもカルト的な人気を博している Cyklo が当時書いたエクストリーム音楽に関する特集記事が掲載されていたんだ。それに出会った少し後にも隣町に住むグラインドコアをやっていた友達に会って、徐々に重要な音源を手に入れたり、また彼のおかげで Obscene Extreme Festival を知ることもできたよ。

Q：あなたはベーシストですが、Destructive Explosion of Anal Garland ではとても速いドラミングを見せています。最初にやっていたのはどちらでしたか？

A：僕が最初にやっていたのは Cloud Burst the Digestive System というバンドでそこではベースとヴォーカルをやっていたよ。そのバンドが解散したのと同時期に Destructive Explosion of Anal Garland を始めたんだ。

Q：なぜ曲名、アルバム名などの世界観を日本由来のものにしたのですか？

A：僕がオリジナリティにあふれていて使い古されていない、なおかつゴアなテーマを探していたら、ギターの Brain が日本関連のテーマを思いついたんだ。彼は自殺の儀式に関する歴史の本を持っていて、その中で「自害（Jig-Ai）」を見つけてそこから始まったんだ。

Q：曲名に使う日本語や曲中の日本語 SE などの意味をどのようにして学んでいますか？

A：本だったりインターネットや映画から見つけているよ。それに僕たちには手助けしてくれる日本の友達（例えば Makiko（Flagitious Idiosyncrasy in the Dilapidation）など）もいるから、完全にナンセンスなタイトルにはならないんだ。

Q：チェコは最もゴアグラインド / グラインドコアが活発的な国の一つだと思っています。またあなたたちもより活力を与えているバンドの代表だと思います。チェコシーンについてどう思っていますか？

A：チェコの人たちは多くの事柄についていつも情熱を持って接しているんだ。そしてメタルもその中の一つだよ。共産主義の時代においても僕たちはバンドをやっていて全てのことに心を込めて全力で取り組んでいた。特にデスメタル / グラインドのバンドに関してはみんなオリジナリティが溢れていた。ドラマーはみんな違った奏法で、ギタリストはみんな彼らオリジナルのサウンドを持っていた。最近になってきてから主にスウェーデン出身の有名なバンドのサウンドを真似したり、ただコピーするようなバンドも出てきてしまったけど。とにかく僕はチェコの人たちがいつも心から全力で物事を成し遂げていることを知っているし、つまりこれがこんなに小さな国でも目立っている理由で、Obscene Extreme Festival に素晴らしいバンドが出続けている理由だと思うよ。

Q：Jig-Ai のアルバムに関して、1st、2nd アルバムと比べて 3rd、4th アルバムはグラインドコア寄りでより速い作品になり、逆にピッグスクイール、グルーヴィーなフレーズ、エログロ要素は少なくなりました。2nd アルバムの後に何か心変わりなどはありましたか？　またメンバーチェンジなど何かきっかけはありましたか？

日本関連のテーマを思いついたんだ

A：時が経つにつれて僕たちはキメ細かく、またヴォーカルをもっとオールドスクールに寄せた音楽をプレイしたくなった。元々僕は個人的にDead Infectionなどの速いバンドが好きで、彼らは僕にとって真の純粋なゴアグラインドで僕らがやるべきスタイルだと思ったんだ。あとはCarcassの1stアルバムもだね。ドラマーが変わってしまったことは恥ずべき事ではあるけど、それも年齢だったり仕事、家族、または別の趣味などに集中したいなどの人生における優先順位が変わったことが故なんだ。

Q：あなたのお気に入りのゴアグラインド／グラインドコアの作品を教えてください。

A：Carcass『Reek of Putrefaction』
Dead Infection『A Chapter of Accidents』
Regurgitate『Effortless Regurgitation of Bright Red Blood』
General Surgery『Left Hand Pathology』
Pathologist『Putreactive and Cadaverous Odes about Necroticism』
Squash Bowels『The Mass Rotting the Mass Sickening』
Brutal Truth『Extreme Condition Demand Extreme Reactions』
Phobia『Random Acts of Violence』
Insect Warfare『World Extermination』
Lock-up『Hate Breeds Suffering』
Terrorizer『World Downfall』
など、これらの作品が他と比べても特に好きだね。

Q：2014年の日本でのライブはいかがでしたか？　またときに印象に残った出来事はありますか？

A：日本でのライブは素晴らしかったよ。日本のファンからの熱意、興味やもちろん日本の文化、食文化なども良かったよ。もう一度日本を訪れたいと思っているし、今度はもう少し長く滞在してこの美しい国についてより詳しく知っていきたいね！

Q：改めて、日本に対する印象や好きな日本の音楽を教えてください。

A：僕が知っているバンドは少しだけだね。最近ではPharmacistに興味を持っているよ。

強烈なヴィジュアルでリスナーを魅了し続けるお下劣ポルノゴア

Spasm

◉ Psychopathia / Romantic Love / Carnal Diafragma / Murder Rape Amputate

◷ 2000 ～現在
⊕ チェコ　オロモウツ州プルジェロフ
◉ (Ba) Sam / (Vo) Radim
ex. (Dr) Lukáš / (Vo) Máňa / (Dr) Rudy / (Dr) Mordus

2000 年結成。グラインドコアバンド Psychopathia とブルータルデスメタルバンド Romantic Love のメンバーによるサイドプロジェクトとして始動するが、Psychopathia の活動休止を機に本格的に活動を開始する。ベースの Sam、ドラムの Lukáš、ヴォーカルの Mána にヘルプギターの Mira を加えた編成であったが、間もなく Mira を除いた 3 人編成となり、最初のデモ音源を発表する。ギタリストが存在せず、ギターの音をディストーションをかけたベースで補うという一風変わった手法にて制作されたが、この音源の反響は少なかった。バンドはよりこの手法をよりアピールするために、ライブ活動をより活発的に行っていくことを決心する。結果 2005 年には 1st アルバム『Lust for Feculent Orgasm』のリリースにこぎつけている。しかしリリース直後に Mána が脱退、1st アルバムのレーベルオーナーで、デスメタルバンド Fatality でも活動していた Radim が後任ヴォーカルに加入する。その後は Obscene Extreme を中心に多くのヨーロッパのフェスに出演し、2008 年には 2nd アルバム『Paraphilic Elegies』をリリース。以降も精力的なライブ活動と音源リリースを続けるが 3rd アルバム『Taboo Tales』発表後に Lukáš が脱退、脱退後は Carnal Diafragma や Murder Rape Amputate に参加している。その後もドラマーのメンバーチェンジは何度か行われている。ライブにおいて Radim が豚型のラバーマスクやディルドを模した仮面を被り、男性用ビキニを着用しながらパフォーマンスしている様子が話題となっている。Obscene Extreme 出演時の映像は特に人気が高く、同フェスの象徴的な存在にもなっている。

Spasm

人

Lust for Feculent Orgasm

チェコ

Copremesis Records　2005

2005 年発の 1st アルバム。初代ヴォーカリストの Máňa が参加している唯一の作品で、2000 年の 1st デモからの音源も収録されている。レコーディングはデスメタル、グラインドを多く手掛ける Šopa Studio にて行われた。Cock and Ball Torture 影響下のグルーヴィー・ゴアグラインドを主にプレイしているが、Regurgitate のカバーも収録されているように、オールドスクールゴアやデスメタル風のリフやフレーズなどもしばしば導入されている。ミドルテンポの軽快なフレーズを主軸に曲が構成されているが、ブラストやアップテンポなパートなど速い箇所はひたすら速く進む両者を上手く両立させた作品となっている。

Spasm

人

Paraphilic Elegies

チェコ

Rotten Roll Rex　2008

2008 年発の 2nd アルバム。現ヴォーカルの Radim が加入した初の音源。前作同様 Šopa Studio にて録音を行い、ミックス、マスタリング、ゲストヴォーカルとしてグラインドコアバンド Negligent Collateral Collapse の Paul が参加している。また Gut や t.A.T.u. のカバーなども収録されている。バンドの代名詞とも言えるピッグスクイール、豚声ヴォーカルが本作より導入され始め、また前作よりさらに幅広いグルーヴィーリフ、フレーズが使用されている作品。またプロダクション面においても、いわゆるチェコグラインドらしいサウンドに近づくこととなった。

Spasm

Taboo Tales

チェコ

Rotten Roll Rex　2011

2011 年発の 3rd アルバム。レコーディングは Davos Records にて行われた。曲名は全て様々なフェチズムに関するものになっており、アルバム名通りの一貫したテーマを持つ作品でもある。音がクリアになり、また楽器陣のバランスもより良くなった作品で、サウンド面ではブルータルデスメタルの影響が感じられるフレーズや、少々ファニーでキャッチーなパートなども追加されている。全体的に骨太でヘヴィなサウンドになっているが、ミドルテンポのパート、豚声ヴォーカル、シャウトなどゴアグラインドらしさや汚らしさは一切失われておらず、バンドの音楽性としてもより磨きがかかった作品といえる。

Spasm

人

Pussy De Luxe

チェコ

Rotten Roll Rex　2015

2015 年発の 4th アルバム。本作ではドラムに Rudy を迎えている。前作から引き続き Davos Records にてレコーディングを行い、エンジニアを Otyn が担当している。前作よりグラインドコア要素が増え、クラシックなグルーヴィー・ゴアグラインドへ回帰したような作品になっている。高音シャウトが挟まれる回数が増え、ピッグスクイールも高音のものに変化しており、従来のグロウル等を加え、クラシックな掛け合いに近いスタイルでヴォーカルが挿入されている。グルーヴィーパートは前作よりさらにゆったりとしたテンポのものが多く導入され、時にはダンサブルなものもあったりと、より強く表現されている。

Ahumado Granujo

人

Splatter-Tekk チェコ
Downfall Records 2002

1999年プラハにて結成。バンド名はスペイン語で「ニキビの燻製」の意味。現 Sick Synus Syndrome の Jiří、デスメタルバンド Alienation Mental の Milan らが所属しており、過去には Jig-Ai の Buraak もヴォーカルとして参加していた。Obscene Extreme に 2001 年から 2017 年まで計 4 回出演している。サウンドはクラシックなグルーヴィー寄りのゴアグラインドであるが、ほぼ全ての曲のイントロにエレクトロ音源を使用しているのが特徴的。このエレクトロ音源はドラマーの Petr が制作している。また本作収録の「Cold Turkey」は後に多くのバンドにカバーされている。

Ahumado Granujo

人

Chemical Holocaust チェコ
Khaaranus Productions 2004

2004年発売の 2nd アルバム。ベースが脱退しており、本作では前作でもゲストヴォーカルとして参加していたグラインドコアバンド Ingrowing の Vlakin がゲストベーシストという形で参加している。また本作には Cock and Ball Torture のカバーや、現地チェコのエレクトロ系アーティストによるリミックス音源なども収録されている。楽曲は前作よりもグラインド、パンク寄りになっており、エレクトロ音源も少し風変わりなサウンドになるなど多少の変化が見られる作品になっている。このアルバムの発売後 2005 年まで活動し、2011 ～ 2013、2016 ～ 2019 年と以降も断片的に活動している。

Bizarre Embalming

人

Necrosadistic Surgery チェコ
Bizarre Leprous Production 2002

1999年チェコにて結成。現在はすでに解散しており、在籍していたメンバーは後にグラインドコアバンド Isacaarum などに加入していった。本作はキャリアにおける唯一のアルバム作品で、プロデューサーにグラインドコアバンド Ingrowing の Vlakin を迎え、レコーディング、ミックス等を Ahumado Granujo なども手掛ける Jakub、Zdeněk が担当した。Exhumed などにも通ずるスラッシュメタル風のフレーズなどを多用したゴアメタル。しかし転調などの際にはグルーヴ感を十分に出しており、その結果グラインドコア要素も兼ね備えたような多彩な楽曲が完成されている。

Bloody Diarrhoea

機

Tenesmus チェコ
Bizarre Leprous Production 2010

2001年ジェチーンにて結成。メンバーの Frante はグラインドコアバンド Smashing Dumplings にも在籍しており、Halbi はデスメタルバンド Necrosorth の元メンバーで、また Grind2Scum としてアートワークにも携わっている。数作のデモやスプリットを経ての本作が 1st アルバムとして発売された。エレクトロ風のマシンドラムを使用したグルーヴィー・ゴアグラインドをプレイしている。イントロや曲中に出所不明の SE が流れるほか、時折エレクトロ音源が挿入されたりギターにおいてもハードロック調のリフがあったりと、様々なエッセンスが見受けられる作品。

Capsaicin Stitch Rupture

機

Post CPS Ingestion Disastrous Processes in Digestive Tract チェコ
Bizarre Leprous Production 2021

2021 年ジェチーンにて結成。Pothead の B.B. Gayhammer と Deep Throat の Habosh によるプロジェクト。本作がデビュー作にあたり、ゲストヴォーカルとして S.M.E.S. の Erwin が参加している。唐辛子をテーマにしたゴアグラインドで、バンド名には唐辛子の成分「カプサイシン」が使われており、また自らのジャンルを唐辛子の品種「Moruga」から「Morugore」と名乗っている。Last Days of Humanity 等からの影響を強く感じるマシンブラストと、ピッチシフター・ヴォーカルがひたすら奏でられる楽曲をプレイしており、同バンドのカバーも収録されている。

Carnal Diafragma

人

Space Symphony Around Us チェコ
Lecter Music Agency 2006

1997 年オストラヴァにて結成。Ahumado Granujo、Cerebral Turbulency、Spasm などチェコのグラインドシーンに関連する人物が多く在籍していた。本作は 2nd アルバムで、レコーディングをメタル系を多く手掛ける Stanislav Valášek が担当した。ミドルテンポのパートを基調にグラインドコア、デスメタル風へと多面的に進んでいく楽曲をプレイしている。安定感抜群のドラムが特徴的で、そこに精巧でバランスの取れた弦楽器隊や様々な手法のヴォーカル乗っかっていくスタイルで曲を構成している。またヴォーカルや SE 等に時折ファニーなアプローチも表れている。

Choked by Own Vomits

人

Shit Autopsy チェコ
Nice to Eat You Records 2009

2004 年中央ボヘミア地方ラコブニークにて結成。以前はグラインドコアバンド BowelFuck の元メンバーが在籍しており、また現在のドラマーは Mincing Fury... の元メンバーである。本作は 1st アルバムでジャケットをグラインドコアバンド Deaf and Dumb の Jan が担当し、ゲストギタリストとしてデスメタルバンド Avenger の Honza が参加している。ダンサブルなグルーヴィーゴアをプレイしており、楽曲やヴォーカルのスタイルは後の Gutalax 等に影響を与えていること、また 1 曲のうちに展開されるフレーズの幅も広く、作りこまれた楽曲だということがわかる。

Deep Throat

人

Until It Stops... チェコ
Nice to Eat You Records 2012

活動開始時期不明、チェイコヴィツェにて結成。Mincing Fury... の元メンバーらが在籍している。本作はデビュー作にあたる。レコーディング及びマスタリングはデスメタル、グラインド系を多く手掛ける Studio Shaark にて行われた。また Regurgitate などのカバーも収録されている。強烈なピッチシフター・ヴォーカルが特徴的なグルーヴィー・ゴアグラインドをプレイしているが、楽曲の端々からはオールドスクールなグラインドコアからの影響も感じられ、ファストで疾走感が特に感じられる出来栄えとなっている。また直球のバンド名やポルノ SE の使用からもわかる通り、ポルノゴアバンドでもある。

Demented Retarded
人

Perverse Spiele Fotzendose チェコ
Coyote Records 2011

1996年オロモウツにて結成。かつてブラックメタルバンドLingamの元メンバーが在籍していた。ライブではカツラや手術着を着用してパフォーマンスしている。本作は3枚目のアルバムでレコーディングをDavos Recordsにて行い、ジャケットをBloody DiarrhoeaのHalbiが担当した。楽曲はグラインドコア寄りのグルーヴィー・ゴアグラインドをプレイしている。パワフルでありながらブルータルさも感じる音作りで、楽曲を更に強靭に仕立て上げている。ヴォーカルはピッチシフター、グロウルとハイテンションなシャウトなど、様々な手法が入り乱れながら登場する。

Gutalax
人

Shit Beast チェコ
Bizarre Leprous Production 2011

2009年クジェムジェにて結成。何人かのメンバーはNBFというハードコアパンク系のサイドプロジェクトでも活動している。本作は1stアルバムでレコーディングはDavos Recordsにて行われた。またゲストヴォーカルにMincing Fury... のTopiやグラインドコアバンドIngrowingのVlakinらが参加している。ジャケやSEからもわかる通りスカトロゴアグラインドだが、ポルノ要素はなくひたすらお下劣な世界観である。楽曲は明るくダンサブルなグルーヴィーサウンドに特徴的なガテラルやピッグスクイールを始めとする、様々なヴォーカルがリズミカルに乗っかるスタイル。

Mincing Fury and Guttural Clamour of Queer Decay
人

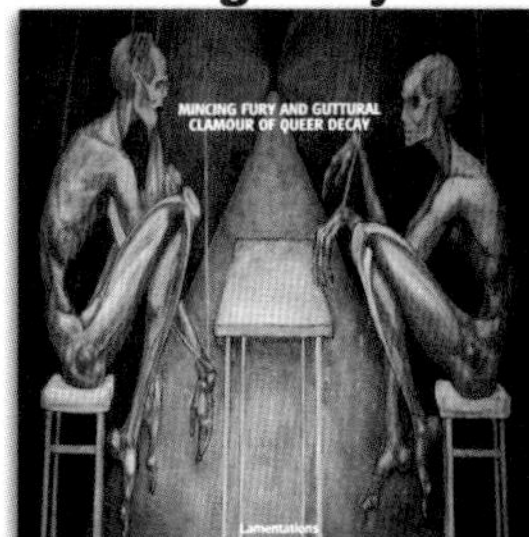

Lamentations チェコ
Bizarre Leprous Production 2002

1996年ブルノにて結成、2000年より活動を始める。Spineless FuckersやKandar、Pigstyなど現地のグラインドコアバンドの関係者がメンバー、元メンバーとして在籍している。グラインドコアを基礎にゴアグラインド、ブルータルデスメタルの要素を組み込み、多くのリスナーの需要に応えられるような楽曲をプレイしている。後年デスメタル/グラインドに作風が寄っていくが1stアルバムである本作は、多様なヴォーカルによる掛け合い、高音スネア、ミドルテンポのパート、またリフ等においてもゴアグラインドを感じられるものが多い。速さや音の重たさなども含めて非常に満足度の高い作品である。

Murder Rape Amputate
人

Cadaverous Lullabies チェコ
Bizarre Leprous Production 2019

2019年オストラヴァにて結成。グラインドコアバンドRubufaso MukufoのDan、ハードコアバンドThe Bone CollectorのJakub、Carnal DiafragmaのKino、同じくCarnal Diafragma、元SpasmのLukášらによるバンド。本作は1stアルバムにあたる。スラミングでグルーヴィーなひたすら遅いゴアグラインドが展開されるが、ポルノゴアというわけではなくホラー、スプラッターといったクラシックな世界観を持ち合わせている。またとりわけ低音が強調されたピッチシフター・ヴォーカルが曲にさらなる重量感を持たせている。

Pathologist

人

Re-Regurgitation over Fuckin' Pathological Splatter チェコ
Leviathan Records 2001

1990年オストラヴァにて結成。グラインドコアバンド Dobytčí Mor やノイズコアバンド Onany Boys にも在籍するメンバーらによるバンド。結成初期はショートカットなノイズコアをプレイしていた。本作は 1992、1993年発売の 1st、2nd アルバムとデモ 1 作を収録したコレクションアルバム。サウンドは Carcass などの初期ゴアグラインド、デスメタルの影響下で、メロディックなリフを多く用いた楽曲をプレイしている。ヴォーカルには下水道ヴォーカルを導入している。いわゆるパソロジカルな世界観でのゴアグラインドをプレイした最初期のバンドで、後続のバンドにも大きな影響を与えている。

Pisstolero

人

Pissturbed チェコ
Bizarre Leprous Production 2009

2007年南ボヘミア州チェスケー・ブジェヨビツェにて結成。現在はグラインドコアバンド BowelFuck のメンバーを含む 3 人編成で、以前は元 Gutalax の Kohy が在籍していた。本作は 1st アルバムにあたり、ボーナストラックとして 2008 年にリリースされたスプリットアルバムの音源が収録されている。ブラストビートは少なく、Cock and Ball Torture 影響下のミドルテンポによるグルーヴィーなフレーズと、ゆったりとしたスラミング系フレーズを繰り返す耳馴染みの良いゴアグラインドをプレイしている。またスラッシュメタル、ロック風のリフも時折挿入されており、ノリの良さが深く追求された作品になっている。

Pothead

人

Jointification チェコ
Nice to Eat You Records 2015

活動開始時期不明、プラハにて結成。ブラックメタル、プログレッシヴメタルバンドやソロプロジェクトにて活動し、スタジオも運営する B.B. Gayhammer を中心としたバンド。2009 年より音源をリリースしており、本作は 1st アルバムにあたる。メンバー全員が覆面を被り、またマリファナをテーマにしているギャングスタバンド（ゲーム『Grand Theft Auto』をモチーフにしている）でラップ風のエフェクトやエレクトロ音源などが使われている。しかし楽曲は汚さがほとんど見られないスタイリッシュで小ぎれいな、グルーヴィー・ゴアグラインドをプレイしている。

Praselizer

人

Faecal Addiction チェコ
Bizarre Leprous Production 2019

2006年オルロヴァにて結成。グラインドコアバンド Kandar のメンバーや Purulent Spermcanal の元メンバーによるバンド。1st デモ発表から約 10 年ほどの月日が経ち、1st アルバムである本作のリリースに至っている。Jig-Ai からの影響が余すことなく滲み出ているスピーディなドラムとピッグスクイール、ピッチシフター・ヴォーカルの掛け合いが特徴的。グルーヴィーなパートもあるが、あくまで速さを追求したグラインドコア的アプローチが感じられる。またライブでは排泄物で汚れたような格好でパフォーマンスをしているようだが、本作の SE においていわゆるスカトロゴア的な描写は見られていない。

Purulent Spermcanal

人

Legalize for Cannibalism チェコ

Leviathan Records 1998

1995年オストラヴァにて結成。グラインドコアバンドMalignant Tumourにも在籍したMarek MaruničやMarek Petroušらを中心としたバンド。本作は1998年発のスプリットEPの音源も収録された2ndアルバムでレコーディングは様々なジャンルを取り扱うStudio Barbarellaにて行われた。またゲストヴォーカルにグラインドコアバンドPTAOのRomanが参加している。出所不明のSEを多く使用し、デスメタル、グルーヴィーゴア、ショートカットゴアと様々なスタイルを取り入れた楽曲をプレイしている。また曲名や曲中におふざけ要素などファニーな側面も表れている。

Purulent Spermcanal

人

Remains of Human Body チェコ

Bizarre Leprous Production 2019

2019年発のアルバム。前作より10年以上時間が空いてリリースされた単独作品で、その間Carnal Diafragmaに所属したMilanなどが在籍していたが、メンバーチェンジを経て本作はオリジナルメンバーのMarunič、Kokešに新ベーシストJakubを加えた3人編成で制作された。本作ではデスメタル要素などは減少しひたすらグルーヴィーに、またパンキッシュに進む楽曲が収録されている。音質や各パートのバランスなども改善され、ヴォーカルのスタイルもさらに幅広いものとなった。また本作発売後の2019年や2000年にはObscene Extremeに出演している。

Reek of Shits

人

Bloody Obstetric Technology チェコ

Bizarre Leprous Production 2003

1998年南ボヘミア州インドルジフーフ・フラデツにて4人編成のバンドとして結成。本作は2001年から2005年までに発売されたアルバム3作品のうち、特にゴアグラインド要素が感じられる2ndアルバム。レコーディングはMincing Fury...等を手掛けるStudio Poličnáにて行われた。デスメタル影響下の聴かせるギターリフとグラインドコア的な勢いよく突っ走るブラストが上手くクロスオーヴァーしたゴアグラインド。基本はオールドスクールな作風であるが、ノれるミドルテンポのフレーズもあり、多面的でありながらもオリジナリティをしっかり発揮した作品である。

Sick Sinus Syndrome

人

Rotten to the Core チェコ

Bizarre Leprous Production 2021

2021年オストラヴァにて結成。Ahumado GranujoのJurgen、PathologistのDaniel、そしてグラインドコアバンドMalignant TumourのMartinによる3人編成のバンド。本作は1stアルバムで、ミックス、マスタリングはグラインド系を多く手掛けるStudio Mrošにて行われた。CarcassやRegurgitateのカバーを含む極めて純度の高いオールドスクール・ゴアグラインドをプレイしている。しかしプロダクション面は全てのパートがよく聴こえるほど綺麗にまとまっており、全体を通して非常に聴きやすい作品となっている。

Slup

人

Dramatorgie チェコ
Bizarre Leprous Production 2012

2010年ブルノにて結成。Mincing Fury... の元メンバーであるMiraを中心としたバンド。自主制作の1stアルバムを経ての本作が2ndアルバムにあたる。マスタリングはグラインドコアバンドPigstyのOtynが運営するDavos Recordsにて行われた。またゲストヴォーカルにMincing Fury... のTopiを迎えている。サウンドはグルーヴィーなゴアグラインドをプレイしている。粗削りなプロダクションであった1stアルバムと比べて音質は改善され、またサウンドはよりグラインドコア、デスメタルに近づいた。本作にはグルーヴ感を重視しつつもよりメタリックで洗練されたパートが導入されている。

Spineless Fuckers

人

Piggy Puppies チェコ
Bizarre Leprous Production 2008

2007年ブルノにてMincing Fury... のメンバーや元メンバーを中心に結成。何度かのメンバーチェンジを経て現在はデスメタルバンドDerangedのThomasが加わっている。本作は1stアルバムで、グラインドコアバンドPigstyのメンバーがゲストとして参加している。グルーヴィーなフレーズにリズミカルなヴォーカルが乗っかるゴアグラインドだが、ブルータルな作風やクセのある変態チックなパターンも織り込まれている。要所要所に挟まるテクニカルなフレーズはもちろんのことヴォーカルのスタイルも幅広く、全体を通してバンドとしての技量の高さが窺える作品である。

United Sperm Donors

人

Cuntilenes チェコ
Bizarre Leprous Production 2020

Jig-AiのBuraakとBrainが所属していたグラインドコアバンドNegligent Collateral CollapseのギタリストRobocopことJiříによるプロジェクト。2019年にデジタルでEPを発表し、2020年に1stアルバムである本作がリリースされた。オールドスクール・ゴアリバイバルの波が訪れる中、このバンドはGutやCock and Ball Tortureなどに端を発するオールドスクールポルノゴアをプレイするために結成されている。ポルノSEやダンサブルなフレーズを基調にしながらも、キメるところはカッコよくキメるという、活動意義に恥じない非常にエリートなグルーヴィーゴアをプレイしている。

Vaginal Diarrhoea

機

Well Fuck Me Dead チェコ
Coyote Records 2009

2005年カルロヴィ・ヴァリ州ヘプにて始動。パワーメタルバンドLammothとしても活動したJiří Černýによるワンマンプロジェクト。ライブでは手術着などを着て演奏している姿が見受けられる。2枚のアルバムと1枚のスプリットをリリースし、2019年まで活動した。本作は1stアルバムにあたる。マシンブラストに合わせて下水道ヴォーカルが轟き続けるショートゴアチューンが収録されている。Last Days of Humanityのカバーが収録されており、影響も強く感じられる。また2ndアルバムでは本作のスタイルを残しつつも作り込まれた楽曲が増え、一般的なゴアグラインドに近づくこととなった。

コラム　ゴアグラインド最大規模 Obscene Extreme Festival

Obscene Extreme Festivalはチェコで開催されている大型野外フェスティバルである。デスメタル、グラインドコア、スラッシュメタルやゴアグラインド等多くのエクストリーム系バンドが出演しており、ゴアグラインドが大々的にフィーチャーされているイベントとしてはまさしく最大規模のフェスである。主催者はレーベルObscene Productionsを運営するČurbyで彼の誕生日パーティーイベントとして1999年に第1回が開催され、以降年々規模を広げながら現在までほぼ毎年開催されている。

近年では前夜祭、本編、後夜祭含めての5日間開催されることが多く、前夜祭はパンク、ドゥーム等主に一つのジャンルに焦点を絞ったイベントを同会場で開催し、夜には人体改造、サスペンションをテーマにしたフェティッシュな催し物が開催される。後夜祭は数多く出演バンドがいる中でも主にアメリカ、南米、日本など特に遠方から出演したバンドが出演し、本編のアンコールのような形でパフォーマンスを行っている。

出演バンドはNapalm Death、Suffocation、Municipal Waste、Dismemberなどのベテランバンドをヘッドライナーに迎え、その他世界各国のエクストリーム系バンドが毎年80組ほど出演している。

開催地はチェコの首都プラハから約150km離れたトルトノフのNa Bojišti（Battlefield）と呼ばれる屋外スペースで、出演者、観客共に車、バス、電車などを利用し会場に赴いている。会場内にはメインのステージのほかに広大なキャンプスペース、飲食物を販売する屋台、ビールテント、キッズスペース、駐車場などが含まれている。また公式グッズや出演バンドのグッズ販売が会場内の屋内スペースで行われるほか、チェコ国内に限らず世界各国のエクストリーム系レーベルが露店という形でグッズ販売に参加している。また主催者Čurbyの要望から会場内で売られているフードが全てヴィーガンフードになっているのも特徴的である。

2013～2015年にはワールドツアーと称してアメリカ、インドネシア、オーストラリア、日本等でフェスが開催された。日本公演は2014年、2015年に2回開催されており、Jig-Ai、2 Minuta Dreka、Rompeprop、Rectal Smegmaらが来日した。

Obscene Extreme Festivalの大きな魅力の一つは最低限のルールのみ設定された上でフェスが開催されていることで、ステージ上に上がることやマスクやコスチュームを着て参加することも認められている。特にゴアグラインドバンドのステージでは様々なコスチュームを身に着けた観客が浮き輪やビーチボールなども持ち込みながらステージ上で踊り続ける光景がフェスの代名詞の一つとなっている。特にGutalaxやSpasmなどのグルーヴィーゴア系のバンドのパフォーマンス中に顕著に表れており、同様のバンドが「パーティゴア」と呼ばれているのはObscene Extreme Festivalのステージの様子からの影響が大きい。

またフェスのステートメントに「FREAK FRIENDLY EXTREME MUSICK OPEN AIR FESTIVAL」とあるように出演者、スタッフ、観客全員が助け合いの精神や他者へのリスペクトを忘れていない、「フレンドリー」に重きを置いているフェスであり、国内の一般的なフェスにおいてもここまで人との絆を感じられるものは珍しいだろう。日本からフェス会場までは片道24時間ほどかかるが、間違いなくその苦労以上の価値のある体験ができる場所である。

Čurby (Miloslav Urbanec) (Obscene Extreme Festival / Obscene Production) インタビュー

各国からバンドを呼ぶことに幸せを感じているよ。

Q：Obscene Extreme Festival はゴアグラインドバンドが出演するイベントとしては世界最大級だと思いますが、なぜゴアグラインドバンドを招聘するようになったのですか？

A：1999 年に開催された初回のフェスの時点からゴアグラインドバンドを呼んでいたんだけど、当時のゴアグラインドは今とは全く違かったよ。実は当時 Dead Infection も呼んでいたんだけど、残念ながら彼らは出演することができなかったね。その時出演した Malignant Tumour は Carcass の影響を受けたオールドスクールなゴアグラインドをやっていて、最高のステージだったね。2001 年にはあの Regurgitate も出演したんだ。彼らも最高だったよ！　当時のリアルなゴアグラインドは速くてブルータルな感じだったけど、最近はミドルテンポで踊れるスタイルが多くなったね。でも僕はそれに関して一切の偏見を持ってないよ。僕はエクストリーム音楽が好きで、自分たちのシーンをさらに細かいものに分離したくなかった。

Q：呼びたいバンドを決めて、オファーして、当日フェスが開催されるまでどれくらいの時間がかかりますか？

A：大体 1 年半前後くらいかな……。信じ

られないかもしれないけど、今現在（2022年10月頃）僕はObscene Extreme Festival 2024のヘッドライナーとすでに話をしているんだ！　狂ってるね（笑）！　たくさんのバンドがObscene Extreme Festivalに出たがっていて、その中からベストなバンドを選ぶのはとても大変な作業だよ。スポンサーや**補助を一切受けてない**がゆえに音楽面だけじゃなくて経済面も考えないといけない。だからとても短い期間で決めることもあるよ。

Q：バンドがObscene Extreme Festivalに出演する上での必要事項はなんですか？

A：そこまで多くは望んでいないよ。情熱を持ってエクストリーム音楽をプレイしていて、何かしらシーンのために貢献している。イベントやフェスを企画したことのあるバンドは呼ぶかどうかの審査に大きく影響してくるね。若いバンドや新しいバンドにも積極的にチャンスを与えていきたいよ！

Q：昔と比べると世界各国からバンドを呼んでフェスを開催することは容易になったと思いますが、逆にここ最近フェスを開催する上での苦労する点などはありますか？

A：確かにそうだね。最近だとヨーロッパツアーを企画する上での資金がより多く必要になったことかな。Obscene Extreme Festivalを始まりに、または終わりに各国を回るツアーをやる上でだね。でも正直言うと毎回のフェスでも僕らは予期せぬ事件と戦ってきたから、長くやってるとそういう時に何をするべきかわかってくるよ。

Q：Obscene Extreme Festivalにはコスタリカや中国といったシーンの中でも少し珍しい国出身のバンドやまだ名の売れていない全く新しいバンドなども出演していますが、彼らをどのようにして発掘しましたか？

A：そうさ、それもまた狂ってるよね！　Obscene Extreme Festivalは本当に国際的なフェスなんだ。2018年の時に来場者の出身国を数えてみたら、なんと73か国からファンが来てくれたことが分かったんだ！　そしてまさしく、世界各国からバンドを呼ぶことに幸せを感じているよ。大抵彼らの方から僕に連絡をくれるんだけど、それはつまり全世界のたくさんのファンやバンドのみんながYouTubeでObscene Extreme Festivalの動画を見てくれて、そういった国のバンドも本気でObscene Extreme Festivalに出たいって思ってくれてるってことだから素晴らしいよね。今年（2022年）はボリビアからVisceral Vomitが出てくれて、彼らもこの機会に深く感謝していたね。あとはペルーのSxFxCxも。みんなObscene Extreme Festivalの期間中はとても幸せそうだったよ！　来年にはなんとバーレーンから来てくれるバンドもいるんだ！

Q：Obscene Extreme Festivalはチェコのエクストリームシーンをより豊かに、またより活動的に仕立て上げていると思いますが、チェコのシーンについてどうお考えですか？

A：チェコのシーンはいつだって素晴らしいよ！　僕はこのシーンにまだ子供だった87～89年の時から参加していて、当時からフェスやライブに行き始めたり存在しうる限りの現地のメタルバンドのファンクラブに入ったりしていたよ。そして僕は『Morbid

Reality』というファンジンを刊行し始めて、その後に『The Suffering』という雑誌もやり始めて、さらにはレーベルである『Obscene Productions』も始めた。だからシーンがどのように進化していったかをよく知っているよ。

Q：次はあなた個人に関する質問ですが、エクストリーム音楽に出会ったのはいつですか？　またレーベルを始めたきっかけは何でしたか？

A：僕はいつだって人と違う存在でいたかった。平均になんてなりたくなかったし、だからこそ絶対にトレンディなつまらない音楽なんて聴きたくなかった。僕が最初に好きになったのは初期 Sodom や初期 Kreator、初期 Destruction、Deathrow、Living Death といったドイツのスラッシュメタルバンドだったはずだ。そして僕が初めて聴いたチェコのメタルバンドは Citron、Kryptor、Arakain、Root、Morrior や Torr など。これらは僕のお気に入りでライブにも行ったことのあるバンドだけど、その後 Napalm Death の『Scum』がリリースされた直後に僕は彼らに魂を売ってしまったんだ！　あのアルバムは僕の人生を完璧に変えてしまったね。先ほども言ったように僕は最初に『Morbid

Reality』というファンジンを始めて、その後『The Suffering』を経て非常に自然な流れでレーベルを始めたよ。フェスに関して言うと、僕はずっとこのシーンの力になりたいと思ってイベントを企画し始めた。チェコのバンドをいろいろな場所に連れて行くツアーも企画したりして（Fleshlessの2003年の南アメリカツアーでコロンビアやエクアドル、ペルーに行ったり、Ingrowingの2005年のアジアツアーでタイ、シンガポール、マレーシア、インドネシアに行ったり……）、1999年にObscene Extreme Festivalを開催したんだ。

Q：Obscene Extreme Festivalは2014年と2015年に2度日本でも開催されましたが、当時のライブや経験は如何でしたか？

A：最高！　とにかく最高だったよ！　日本でのObscene Extreme Festivalは毎秒楽しかったね。まさかGore Beyond NecropsyがObscene Extreme Festival Asiaのためだけに再結成するなんてね！　ライブももちろん素晴らしかったよ！　楽しみすぎて言葉では説明できないほどだったね。Naru（僕と一緒にフェスを運営してくれた）は最高の相棒だし、音楽に対してとても誠実で情熱的だったね。

Q：好きな日本の音楽を教えてください。

A：Melt-Banana、S.O.B、Unholy Grave、C.S.S.O.、Butcher ABC、Systematic Death、Fuck On The Beach、G.I.S.M.、Corrupted、Framtid、Vomit Remnants、Palm、Self Deconstruction、Coffins、Contrast Attitude、Final Exit、Gore Beyond Necropsy、Flagitious Idiosyncrasy in The Dilapidation、Senseless Apocalypse、Sete Star Septなどなど！　僕がどれだけ日本のバンドを愛しているかもうわかったね？　彼らは5人の前だろうが500人の前だろうが関係なく最大レベルの演奏をするんだ。

Q：最後に日本のゴアグラインドファンへ一言どうぞ。

A：みんないつもサポートありがとう。そして人生で一度はチェコのObscene Extreme Festivalに遊びに来てくれ！　Grind on!!!

（本コラム・インタビュー写真は全て筆者撮影）

ストーリー仕立ての歌詞でゴアグラインド界のモンティ・パイソン

Dead Infection

- Meat Spreader / Coffee Grinders / Incarnated / Vader
- 1990 ～ 1999、2002 ～ 2020
- ポーランド　ポドラシェ県ビャウィストク
- (Dr) Cyjan / (Gt, Vo) Pierścień / (Gt) Bielem
  ex. (Ba, Gt) Tocha / (Vo) Jaro / (Ba, Vo) Hal / (Gt) Mały / (Gt, Vo) Domin

1990 年結成。1988 年に結成されたグラインドコアバンド Front Terror に在籍していた Cyjan を中心に結成された。デスメタルバンド Terminator に Cyjan と共に在籍していた Mały、Kelner 兄弟や Gołąb を迎え、1991 年にデモ音源『World Full of Remains』を発表。翌年ギタリストとして Tocha が加入。その後、数回のメンバーチェンジを経て 1993 年に 1st アルバム『Surgical Disembowelment』をリリース。1994 年にはヴォーカリスト Jaro が加入、また Tocha がベーシストに転向し、翌年に 2nd アルバム『A Chapter of Accidents』をリリースする。その後は Haemorrhage や日本のグラインドコアバンド C.S.S.O. との大規模なヨーロッパツアー等を経験するが、1999 年に Cyjan が解散を発表。その後は Cyjan はソロプロジェクトである Spineless、他のメンバーは Coffee Grinders 等で活動していたが、2002 年には再結成が発表される。2004 年には Cyjan、Jaro、Tocha の 3 人で制作された 3rd アルバム『Brain Corrosion』がリリースされた。2005 年には Squash Bowels に在籍していた Pierścień がギタリストとして加入し、2006 年に Jaro が脱退した後はヴォーカルも担当している。また Tocha も 2006 年に脱退するが、デスメタルバンド Vader に在籍していた Hal を迎えるなどメンバーチェンジを幾度か繰り返し、2009 年には Regurgitate、Haemorrhage とのスプリットアルバムをリリースしている。リリースは 2014 年以降途絶えるもライブ活動を精力的に行ってきたが、2020 年に Cyjan が死去し解散が発表された。

Dead Infection

人

Surgical Disembowelment

ポーランド

Morbid Records 1993

1993年発の1stアルバム。初期メンバーのKelnerが参加している唯一の単独アルバム。レコーディングは幅広いジャンルを手掛けるPRO Studioにて行われた。本作は初期Carcassからの影響が強く表れた作品で、掻き鳴らすようなギターソロが挿入されるなどゴアグラインドよりもデスメタルの要素が多く含まれた作品となっている。プロダクションもオールドスクール系の少々粗めのものになってはいる。基礎となるギターリフは終始キャッチーで、ドラムもブラストなどのファストなフレーズを基調とする中、時折ミドルテンポのパートが挟まれるなど、楽曲はとても聴きやすいものになっている。

Dead Infection

人

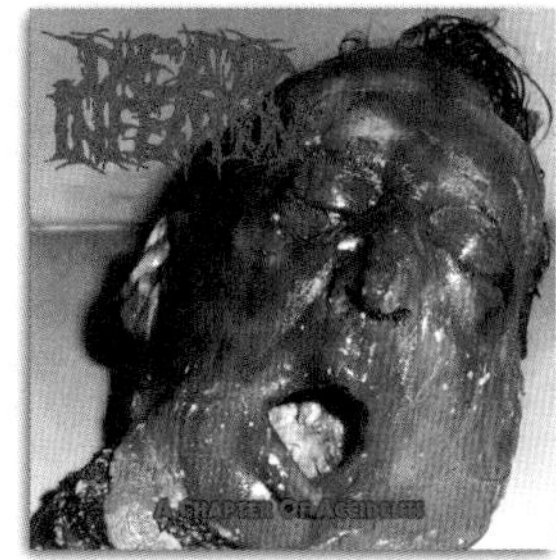

A Chapter of Accidents

ポーランド

Morbid Records 1995

1995年発の2ndアルバム。ヴォーカルにJaroを迎えた初の単独アルバムで、前作でギターを担当したTochaがベースも担当している作品。レコーディングは幅広いジャンルを手掛けるIzabelin Studioにて行われた。前作よりも主にドラムにおいてスピード感が増した楽曲が増え、ヴォーカルもピッチシフターが導入されるなど、よりゴアグラインドらしさが表現された作品となった。音質も前作に比べクリアになり、またファストなパートとミドルテンポのパートの緩急がつけられた楽曲が多く収録されていることで、聴きやすさにもさらに磨きがかかっている。また歌詞はほとんどがストーリー仕立てのものになっている。

Dead Infection

人

Brain Corrosion

ポーランド

Obliteration Records 2004

2004年発の3rdアルバム。レコーディングはデスメタル系を多く手掛けるHertz Studioにて行われた。前作と比べると楽曲はグラインドコア寄りのものになっており、ピッチシフター等も使われなくなったが、邪悪なグロウルや重厚なギターサウンドなどゴアグラインドらしさは完全に消えたわけではない。また速いパートと遅いパートの緩急をつけたスタイルなどバンドならではの特徴は本作にもしっかりと表れている。本作のグラインドコア寄りの楽曲のスタイルは後年Jaroが結成するMeat Spreaderにも引き継がれている。また楽曲によっては裏声ヴォーカルなどの若干ファニーな要素も組み込まれている。

Meat Spreader

人

A Swarm of Green Flies over the Rusty Pot

ポーランド

Obliteration Records 2018

2016年ビャウィストクにて結成。元Dead InfectionのJaro、TochaにSquash BowelsのArtur、デスグラインドバンドNeuropathiaのRadekによるバンド。デビューEPを経て1stアルバムである本作がリリースされた。録音をSquash Bowels等も手掛けるStudio Dobra 12にて行った。また本作発売後には来日ライブを行っている。Dead Infectionを正当に引き継いだスタンダードなゴアグラインドに、力強いヴォーカルなどに始まるグラインドコア的サウンドが混ざり合い、ボリューム感もありながら疾走感も感じるような楽曲をプレイしている。

Jaro (Meat Spreader ex. Dead Infection) インタビュー

Q：エクストリーム音楽やゴアグラインドに出会ったのはいつでしたか？　またどのようにしてバンドを始めるに至りましたか？

A：僕とメインストリームから離れた音楽との出会いはOne Way Systemというパンクバンドの『All System Go』という作品と出会ったことから始まったよ。当時（80年代初期）僕はまだまだキッズだったけど、あの音源には完璧にやられてしまったね。そこから他の人とは全く違う人生が始まった……。パンクに恋をしてしまったのさ！　その次はSlayerの『Reign in Blood』だったね。これも僕にとっては非常に大きい存在だよ。僕はこのアルバムを心の底から愛しているんだ。その後は何と言ってもNapalm Deathの『The Peel Sessions』とCarcassの初期作品だね。これで僕の脳は完全に壊れてしまったよ。

Q：Dead Infectionは他のバンドとは違い、ドラマーのCyjanが全ての歌詞を書いていますが、ヴォーカリストとして彼の歌詞にはどんな思いがありましたか？　またMeat Spreaderではご自身で歌詞を書いていますが、どのようなものから影響を受けていますか？

A：彼はおそらくCarcassのような医学用語を用いた、いかにも典型的なゴアな歌詞を書きたくなかったんだと思うよ。その代わりに彼はブラックユーモアだったり不条理な要素を使って歌詞を書くことを選んだ。ゴア要素を含んだモンティ・パイソンのような感じでね。僕はMeat Spreaderにおいても彼と同じ道に進むことを選んだよ。ちょっと注意深く見てみればDead Infectionの『A Chapter of Accidents』とMeat Spreaderの歌詞に似ている点があることがすぐわかると思うんだ。僕とCyjanはユーモアのセンスがとても近かったからね。

Q：近年ではDead Infectionは伝説的なゴアグラインドバンドの一つとなっており、たくさんのバンドに影響を与えています。あなたが活動していた当時はこのような状況になることを想像していましたか？　またこのような状況についてどうお考えですか？

A：何でみんながDead Infectionを素晴らしいバンドかのように扱っているかわからないよ。僕らはただ気晴らしに騒音を掻き鳴らしていただけの酒飲み集団でしかなかったからね。

Q：Coffee Grindersはどのように始まりましたか？　またそこでの経験はどのようなものでしたか？

A：Coffee GrindersはただのDead Infectionの残り物集団で組んだバンドだよ。ただのサイドプロジェクトさ。だから特に話すようなこともないかな。

Q：Dead Infectionから脱退して数年経った後にMeat Spreaderを結成した経緯はどういったものでしたか？　また再びゴアグラインドをやろうと思った理由は何ですか？

A：ある日僕の携帯に電話が来た。相手は悪魔で「お前はまたゴアグラインドをやらなければいけないんだ……」って言うんだ。僕はそれに「イヤだ」とは言えなかったよ（笑）！　ゴアグラインドをやることは僕の趣味の一つで、何より大事なことは今のバンドメンバーを愛しているということ。彼らと過ごす時間はとても楽しいし、僕の人生で一番輝かしい瞬間の一つでもある。僕のDNAの一部でもあると言えるよ！

Q：あなたはバンドとして2回来日を経験していますが（2003年にDead Infection、2018年にMeat Spreaderとして）、その時のライブはいかがでしたか？　また当時特に印象に残ったものは何でしたか？

A：実は僕自身はその2回よりも多く日本を訪れているよ。どの機会も最高だったよ！ライブ？　もちろん素晴らしかったよ！　サウンド、場所、人、全てがワールドクラスさ！

間違いなく世界中の全てのバンドが日本に来てライブをやりたいと思っているはずだよ。

Q：あなたはポーランドにおけるエクストリーム音楽シーンを作り上げた重要人物の一人だと思うのですが、ポーランドのグラインドコア / ゴアグラインドシーンについてどう思っていますか？

A：ポーランドのグラインドコア / ゴアグラインドシーンは最近どんどん衰えてきている気がするよ。デスメタルやブラックメタルのシーンの方が断然強くなっていると思うね。正直なところ、今日ポーランドで活動しているグラインドコア / ゴアグラインドバンドを5組挙げることすら僕には難しいね。今すぐ思い浮かぶのは Squash Bowels と Meat Spreader だけかな（笑）。

Q：最近のバンド（ゴアグラインドに限らず）を聴いていますか？

A：確かに僕はあらゆるジャンルの音楽を聴いてはいるけど、ここ最近に関しては僕の心にエクストリームなものが入るようなスペースはもう残っていないんだ。たまに Napalm Death や Carcass、Regurgitate、Righteous Pigs、Terrorizer、Slayer、Autopsy なんかを聴き返したりはするけど、最近は Kate Bush、Blondie、Buzzcocks、The White Stripes、The Jam、Amyl and the Sniffers とかの方がよく聴くかな。最近のバンドやシーンについてか……。僕は今でもグラインドコアやゴアグラインドに関する新しい情報を取り入れているけど、そこまで深堀りはしていないんだよね。でも新しい良いバンドを見つけられたり、そういう良いバンドがここ最近でもまだ存在しているっていう情報が見つかったりすると、やっぱり幸せな気持ちになるよ。

Q：日本に対する印象と好きな日本の音楽を教えてください。

A：先ほども言った通り僕は日本を愛しているよ。文化、歴史、自然、食べ物、音楽、

価値観の違い……まだまだたくさん挙げられるよ。もちろんバンドに関しても、素晴らしいバンドやミュージシャンがいるよね。C.S.S.O. に始まり、Gore Beyond Necropsy、Necrophile、Butcher ABC、DxIxE、Anatomia、Flagitious Idiosyncrasy in the Dilapidation、Self Deconstruction、Boris、都はるみ、梶芽衣子、サディスティック・ミカ・バンドなど……まだまだたくさん！

Q：都はるみや梶芽衣子を聴いているとは意外でした……。あなたにとってこういった音楽（演歌などの日本の古い音楽）の魅力は何ですか？

A：僕が演歌や古い音楽が好きなのは単純に聴いていたいと思えるからだね。最近の音楽は本当に理解ができないんだ。でも勘違いしてほしくないのは、自主制作で音楽を作っている人たちは今でも上手いことやってると思うし良いバンドもたくさんいる。でも最近のいわゆるポップと呼ばれる音楽は間違いなくクソだね。僕からすれば良いポップなんてものは90年代かそれよりも前にすでに死んでいるんだよ。

Q：最後に日本のゴアグラインドファンへ一言どうぞ。

A：みんな、お互いに優しく、そして人生を楽しんでね。戦争なんかじゃなく楽しめるものを作っていこう。Arigato、そしてまたいつか会おう！

テンポチェンジ緩急駆使、疾走感溢れアヴァンギャルドさも

Squash Bowels

◎ Meat Spreader / Parricide / Neuropathia / Nuclear Vomit / F.A.M. / Batushka
◷ 1994 ～ 2016 2017 ～現在　　⊕ ポーランド　ポドラシェ県ビャウィストク
Ⓐ (Ba, Vo) Artur Grassmann / (Dr) Dariusz Plaszewski / (Gt, Vo) Daniel Wojtowocz
ex. (Gt) Andrzej Pakos / (Dr, Vo) Marek Oleksicki / (Dr) Mariusz Miernik / (Dr) Radosław Pierściński / (Gt) Robert Pierściński / (Gt, Vo) Zbych

1994 年結成。現在 Meat Spreader にも在籍し、ブラックメタルバンド Batushka でも活動する Artur を中心とした４人編成にて結成された。結成後間もなくデモ音源を発表し、その後も Dead Infection や Catasexual Urge Motivation 等とのスプリットをリリースする。1996 年には初の単独音源が Obliteration Records よりリリースされ、その直後にメンバーチェンジを経るもヨーロッパ各国にて精力的にライブを行う。1999 年には Artur、Mark、Zbych の３人編成にて制作された 1st アルバム『Tnyribal』がリリースされる。直後に再びメンバーチェンジを行い、2000 年の Obscene Extreme への出演やツアーなどを経験する。その後は Neuropathia、Meat Spreader、Dead Infection 等に在籍した Radosław、Robert 兄弟が加入し、2nd アルバム『The Mass Rotting - The Mass Sickening』をリリースする。以降もメンバーチェンジを繰り返しながら Neuropathia、Flesh Grinder 等とのスプリットのリリースや数多くのライブ、ツアーなどを行う。2005 年発売の 4th アルバム『Love Songs』以降の作品は比較的グラインドコアに寄った音楽性となるが、アルバムを含む多くの音源を発表し、多くのライブをこなしていくスタイルは現在でも変わらず続いている。2016 年に一時的に活動休止状態になるが翌年には活動を再開させており、現在は Artur にグラインドコアバンド F.A.M. でも活動する Dariusz と同じく F.A.M. や Nuclear Vomit でも活動する Daniel を加えた３人編成で活動している。

Squash Bowels

人

Tnyribal ポーランド

Obscene Productions 1999

1999年発の1stアルバム。アルバム名は迷路を表す「Labirynt」の逆読み。ギターのZbych、ドラムのMarkが参加している唯一の単独アルバム。レコーディングはメタル系を多く手掛けるHertz Studioにて行われた。疾走感あふれるドラムが非常に特徴的なグラインドコアのエッセンスが強く感じられる楽曲をプレイしている。ヴォーカルはシャウトを中心に、グロウルとの掛け合いが挟まれるスタイルで展開されていく。また本作は一つのトラックに複数の楽曲を収録した組曲のような作風で制作されており、途中にはインストの楽曲やリミックス等も多く挿入されている少々アヴァンギャルドな作品である。

Squash Bowels

人

The Mass Rotting - The Mass Sickening ポーランド

Obscene Productions 2002

2002年発の2ndアルバム。前作から引き続きHertz Studioにてレコーディングを行っている。スタイリッシュなグラインドコアで一風変わった作風だった前作に対し、本作ではピッチシフターを導入したストレートなオールドスクール・ゴアグラインドをプレイしている。ドラムは前作ほどの勢いは失いつつもブラストなどファストなフレーズを安定して叩き上げ、ヴォーカルはピッチシフター中心だがグロウルとの掛け合いも挿入されるスタイルになった。また楽曲全体を見るとデスメタル系統のフレーズやグルーヴ感が組み込まれており、テンポチェンジなど緩急がよく付けられたものが多く収録されている。

Squash Bowels

人

No Mercy ポーランド

Obscene Productions 2004

2004年発の3rdアルバム。前作と同じ布陣にて、また引き続きHertz Studioにてレコーディングを行った作品。前作と大まかにスタイルは変わっていないが、プロダクション面において弦楽器が若干ノイジーでデスメタルっぽさを感じさせるものになっていたり、楽曲面では前作よりグルーヴ感のあるパートやシャウトが使われる割合が増えているなどの特徴が挙げられる。楽曲全体としては前作でも若干表れていたDead Infectionからの影響がさらに色濃くなったものが多く、1stアルバムのようなグラインドコアの勢いの良さを感じさせる楽曲も再び収録されることとなった。

Squash Bowels

人

Love Songs ポーランド

Lifestage Productions 2005

2005年発の4thアルバム。本作よりギターにAndyを迎え、また引き続きHertz Studioにてレコーディングを行い、制作された作品。またGutのカバーも収録されている。前作にて再び表れたグラインドコアのエッセンスをさらに発展させたファストでアグレッシブな楽曲を主に収録しており、ピッチシフターなどが使われる回数は減ったものの、ゴアグラインドらしい骨太でグルーヴ感のあるサウンドを基調にした作品になっている。また弦楽器は引き続き若干ノイジーなスタイルだが、前作と比べると輪郭がはっきりとしたサウンドになっている。本作以降はさらにグラインドコアサウンドを追求した作品をリリースしている。

Coffee Grinders

機

The Grindcore Brothers 2000 ポーランド
Independent 2000

1999年結成、Dead InfectionのJaroとTochaによるサイドプロジェクト。2002年頃まで活動しており、その間にPurulent Spermcanalとのスプリット作品と唯一の単独作である本作をリリースした。Tochaがベース、ギター、打ち込みドラム、Jaroがヴォーカルを務めており、楽曲はDead Infection系統であるが打ち込みドラムにより少々ファストな印象が感じられる作風になっている。マシンブラストもしっかり導入しつつグラインドコア流のキメも忘れていない、まさにベテランこそが成せる技を遺憾なく発揮した作品となっている。

Haemorrhagic Diarrhea

人

Disallowed Sensations ポーランド
Bizarre Leprous Production 2015

2012年ヴロツワフにて結成。ヴォーカル＆ギター、ベースの2名を中心としたバンドで、レコーディングにはドラマーを迎えている。本作がデビュー作にあたり、録音はスラッシュ、ハードコア系のバンドを手掛けるSonic Loft Studioにて行われた。Gut系統のオールドスクールなグルーヴィー・ゴアグラインドをプレイしており、また同バンドのカバーも収録されている。わかりやすいリフや高低ヴォーカル掛け合いなどといった、いわゆる王道の展開を繰り広げながらも、低音をしっかりと響かせる楽器陣の音作りから、圧倒的な力強さや重みに加えて確かな存在感が打ち出されている作品となっている。

Nuclear Vomit

人

Obora ポーランド
Mad Lion Records 2008

2005年シレジアにて結成。現在はSquash BowelsのメンバーやPatologicumが所属していたグラインドコアバンドEpitomeの元メンバーを擁する5人編成。本作は1stアルバムにあたる。グルーヴィーなゴアグラインドを主軸としながらブルータルなビートダウンなどが入り込む、ひたすら重く響くサウンドが特徴的。またジャケットやロゴに豚が使われており、強烈な豚声ヴォーカルをアピールポイントとしている。ツインヴォーカル編成であり、豚声ヴォーカルにデスメタル風シャウトヴォーカルが加わり、グルーヴィーゴアでありながらデスメタルに重きを置いた楽曲が完成している。

Patologicum

人

Hecatomb of Aberration ポーランド
Crude Entertainment / Sound of Decay Records 2003

2000年ポーランドにて結成。2008年まで活動し、その後2013年に復活するも以降の活動状況は不明。メンバーはデスメタルバンドAbyssやグラインドコアバンドEpitomeなどにも在籍していた。キャリアにおいて本作が唯一の単独アルバム作品となっている。ホラー/SF映画のSEを使ったデスメタル風のドロドロしたサウンドだが、そこにノーエフェクトではあるが、汁気たっぷりのヴォーカルが乗っかりゴアグラインドらしさを際立てて表現している。オールドスクール系の作風の中にミドルテンポのパートやビートダウンが入り込むことによって、楽曲の展開が非常にわかりやすくなっている。

Porky Vagina

機

Żryj! ポーランド
Independent 2010

2009年、ブラックメタルバンドIschlに所属していたBukkake John、Pig Fuckerのデュオとしてポーランドはオポーレ県にて結成。主にデジタルフォーマットで現在まで作品をリリースし続けている。フェティッシュなジャケットが目を引く本作は、2010年にリリースされたEPである。全体としてはピッグスクイールを基調としたグルーヴィーなポルノゴアとして進んでいくが、打ち込みならではのマシンブラストやスラミングフレーズが度々入り込む。さらにはロック調の曲やワルツ調の曲でファニーなアプローチも欠かさない、まさにノリとバカっぽさを最大限に追求したサウンドである。

コラム 女性ゴアグラインダー紹介

ゴアグラインドにおいては女性の活躍も目覚ましい。歴が長い人物からガールズ・ゴアグラインドバンド、また今をときめく女性ゴアグラインダーなど、特に重要な人物を紹介していきたい。

Ana
（Haemorrhage）
ギター
1994年より参加。女性ゴアグラインダーとしては特に歴史の長い人物。後にメンバーのLuismaと婚約。

Anne
（Last Days of Humanity）
ギター
1996～98年の間に参加。1stアルバム、及び初期のスプリット作品でギターを担当している。

Cancino
（Paracocci...）
ベース
2018年より参加。加入以前よりカメラマン等でバンドと携わってきた。

Maria
（Necrocannibalistic Vomitorium）
ベース
オリジナルメンバー。主にベースのみを担当しているが、ヴォーカルを担当した音源も存在する。

Ela（Clitgore）
ベース
オリジナルメンバー。元々はゴアグラインドのガールズバンドを組みたいと思っていたが、女性のメンバーが見つからず現在の編成に至る。

Olga
（Cystoblastosis etc.）
ヴォーカル（ベース、ドラム）
オリジナルメンバー。数々のプロジェクトに参加し、また自身のレーベルも運営する非常に活動的な人物。

Melanie
（5 Stabbed 4 Corpses, L.D.O.H.） ベース
L.D.O.H.のObscene Extreme 2011出演時に参加していたことでも有名。また、別バンドにて来日を経験している。

Rafaela
（Commando FxUxCxKx）
ドラム
オリジナルメンバー。メンバーのThelesと共に多くのゴアグラインド・プロジェクトを結成している。

Olivia
（Cakewet）
ヴォーカル
2004年より参加。ニュースクールハードコアバンドにも参加しており、そちらでもヴォーカルを担当している。

Mortuary Hacking Session
数少ない歴代メンバーが全員女性のバンド。また歌詞の中にはフェミニズムについて書かれていたものも多くあった。

Enema Shower

人

She Asked for It スロヴァキア

Bizarre Leprous Production 2015

2008年コラロヴォにて結成。女性ベーシストAvyを擁する4人編成のバンド。ライブではメンバーがボンデージ衣装を着用しており、2015年にはObscene Extremeに出演している。デモ音源を経ての本作が1stアルバムにあたる。似た編成のHaemorrhageの影響を感じさせるクラシックなグラインドフレーズを織り交ぜつつも、基本となる要素はCock and Ball Torture影響下のグルーヴィー・ポルノゴアである。ヴォーカルはOxidised Razorの影響が感じられる豚声ヴォーカルと、先述のHaemorrhage系の高音シャウトによるツインスタイルで繰り広げられる。

Sperm of Mankind

人

Godzilla スロヴァキア

Bizarre Leprous Production 2013

2005年ブラチスラヴァにて結成。グラインド、ノイズの分野で幅広く活動するErik Ochránekのワンマンプロジェクトとして始動し、後にゴアグラインドバンドOrosのPotkanやPeťoらが加入した。本作は1stアルバムで、レコーディングはグラインド系を多く手掛けるVomitor Sound Studioにて行われた。サウンドはCock and Ball Torture系のグルーヴィーで遅い楽曲に、ブラストやパンキッシュなオールドスクールゴアの要素が導入されたゴアグラインドをプレイしている。ダンサブルで、またファニーな印象も見受けられるが、楽曲の展開やフレーズなどはとても洗練されている。

Paediatrician

人

Deformed Premature ハンガリー

Severed Records / Terranis Productions 2011

2006年ブダペストにて結成。以前はSupplicationという名前で活動していた。ClitgoreのドラマーBalázsが在籍している。ヴォーカリストが非常に流動的であるが、1stアルバムである本作はデスメタルバンドEffronteryのZsoltが担当している。また本作にはRompepropのカバーも収録されている。ブルータルデスメタルにも通ずるこざっぱりした重たい楽器陣にピッグスクイール、豚声ヴォーカル、ピッチシフター・ヴォーカルが次から次へ絡まっていく楽曲をプレイしている。ブラストも非常に速く、こちらもブルータルデスメタル的な疾走感を表現している。

Vile Disgust

人

Love All the Pigs ハンガリー

Bizarre Leprous Production 2014

2008年ブダペストにて結成。デスメタルバンドArt of Massacre、Kill Your Faithの元メンバーらが在籍している。またヴォーカルのSándorはかつてPaediatricianにも在籍していた。デモ音源発表後にデビューアルバムである本作がリリースされた。ポルノSEを用いた明るく愉快な、グルーヴィー・ポルノゴアでとことん突き進んでいくスタイルで作品を作り上げている。下水道ヴォーカルとピッグスクイールが代わる代わるリズミカルに絡み合っていき、時折ブラストやファストなパートが入るも、基本はゆったりとしたテンポで低音をズンズン響かせる楽曲をプレイしている。

40Gradi

人

Hi-tech Re-search クロアチア
Soulflesh Collector 2009

2009年結成、クロアチアの首都ザグレブの4人編成バンド。本作はデモ音源を除いた唯一の単独作でミックス、マスタリングをJig-AiのBrain、デザインをグラインドコアバンドAlienation MentalのJardaとブルータルデスメタルバンドKatalepsyのMirusが担当している。豚声、ピッグスクイールと高音スネアが目立つゴアグラインドを基調にし、そこにブルータルデスメタルなどの要素が組み込まれていくサウンド。しかし途中にテクニカルなフレーズもあり、性急な転調や目まぐるしく展開が変わっていく様からはマスロック、カオティックハードコアのエッセンスも感じられる。

Vulvathrone

人

Bukkake スロヴェニア
On Parole Productions 2007

2003年ムルスカ・ソボタにて結成。多くのメンバーチェンジを経ており、現在はかつてVxPxOxAxAxWxAxMxCでライブサポートを務めたHermannoやフォークメタルバンドMelecheshでライブサポートを務めているメンバーらが在籍している。本作は1stアルバムで、ミックスを同郷のメタルバンドを多く手掛けるTilen Sapačが担当した。ブルータルデスメタルのエッセンスが感じられるメタリックなギターリフを中心に、軽快なミドルテンポやブラストなどゴアグラインド的要素を手広くカバーした楽曲をプレイしている。曲中にテンポが目まぐるしく変わる曲も多く、少々カオティックな展開も見受けられる。

Clitgore

人

The Final Cuntdown ルーマニア
Gore House Productions 2014

2007年クルジュ・ナポカにて結成。現在のメンバーはデスメタルバンドPestilenceの元メンバーでブルータルデスメタルバンドAnalepsyにも在籍するCalin、PaediatricianのPőcz、そして女性ベーシストElaの3人編成。2019年にはObscene Extremeに出演した。本作は1stアルバムにあたる。ブルータルデスメタルの要素なども加えられたグルーヴィーゴアをプレイしている。特にドラムにおいてはブラストも速く、手数も多いブルータルな手法を魅せている。ヴォーカルはノリの良いリズミカルなスタイルで、曲によってはファニーな表現も組み込まれている。

Pornthegore

人

The Impaling Rites of Count Dickula ルーマニア
Rotten Roll Rex 2018

2008年ルーマニアにて結成。スプリットへの参加やデモ音源等を経て1stアルバムである本作がリリースされた。GutalaxやSpasmの影響を強く感じる明るいギターフレーズや、ノれる刻みパートを多く含んだファニー寄りのグルーヴィー・ゴアグラインドをプレイしている。ヴォーカリストを3人擁しており、豚声ヴォーカル、Gut風高音ヴォーカル、ピッチシフター・ヴォーカル、ピッグスクイールなどが多彩に絡み合い、こちらを決して飽きさせない楽曲を作り上げている。またライブではメンバー全員がコスプレをしており、犬型ラバーマスクやドワーフのような被り物がとても印象に残る。

Cocklush

人

Who Are You ブルガリア
Independent 2010

2009年プレヴェンにて結成。後にFecal Body Incorporatedを結成するDanny、Chris、Peterが在籍していたバンド。またライブサポートとして同バンドヴォーカルのMengeleも参加していた。2012年にはObscene Extremeに出演し、2014年まで活動していた。本作は唯一の単独作で、Enthrallmentを始めとするメンバーと関係の深いバンドメンバーがゲストやレコーディングに携わっている。サウンドはFecal Body Incorporatedと同じくグルーヴィーなゴアグラインドであるが、ヴォーカルやギターリフなどはデスメタル、デスグラインド寄りの作風になっている。

Fecal Body Incorporated

人

Pathogenesis ブルガリア
Mediaplan Records 2010

2009年プレヴェンにてデスメタルバンドCorpse、Dark Incognitoに在籍しているDanny、同じくCorpseに在籍しデスメタルバンドEnthrallmentの元メンバーでもあるChris、そして以降唯一のオリジナルメンバーとして活動するMengeleによって結成。通称「F.B.I.」。数本のデモの後、本作が1stアルバムとしてリリースされた。ほとんど速さを見出さないひたすら遅めのグルーヴィーなゴアグラインドをプレイしている。音質が若干古めということもあり、ダンサブルとまではいかないがノリは良く、ヴォーカルもノーエフェクトではあるがきっちり汚くリズミカルに楽曲に乗っかっている。

Fecal Body Incorporated

人

Brown Love ブルガリア
Bizarre Leprous Production 2013

2013年発の2ndアルバム。一見お洒落なジャケットであるがよく見るとスカトロをテーマにしていることがわかる。本作はChris、Mengeleと前作でベースを担当したAgrogrinderことPeterがギター、ベースを担当した3人編成で制作された。また、レコーディングをEnthrallmentのメンバーであるIvoが担当し、ボーナストラックとして2010年発のデモ音源も収録されている。前作よりサウンドはクリアになっているがデスメタル的フレーズが増え、よりクラシックな作品となった。その後メンバーチェンジを経て2016年に3rdアルバムを発売し、2018年に一度解散、2021年に再結成。

Menstrual Cocktail

人

Prolapse Party ブルガリア
Fak Yer Records 2012

2009年ブルガリアの首都ソフィアにて結成。メンバーは全員覆面、時には女装、コスプレといったいかにもポルノゴアな個性的な装いで活動している。本作は1stアルバムにあたり、以降多くのスプリットに参加することとなる。自らを「Happy Goregrind」と称しているのにも納得がいくキャッチーでダンサブルなポルノゴアをプレイしている。気の抜けたギターリフや裏声おふざけヴォーカルが特徴的だが、転調やドラムのソロパートなど言わばプログレッシヴな要素もあり、他のグルーヴィーゴアとの差別化を図っていることが感じ取れる。また豚声ヴォーカル、ピッグスクイールのレベルも高い。

Anal Grind

機

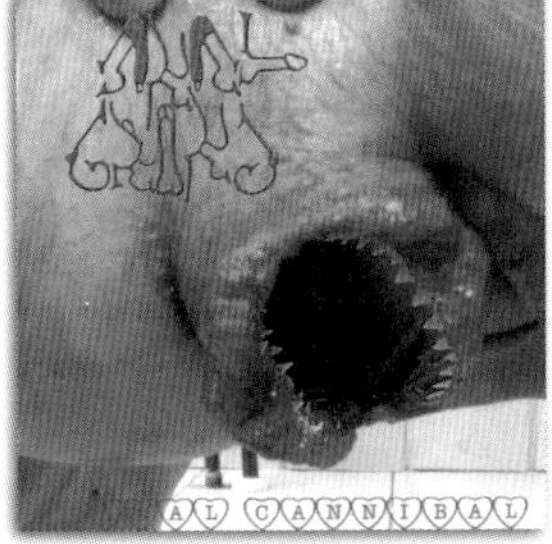

Anal Cannibal ベラルーシ

Coyote Records 2009

2003年ナヴァポラツクにて結成、現在はモスクワにて活動している。オリジナルメンバーであるCuntfan以外のメンバーは流動的で、2015～2016年にはPurulent Jacuzziのメンバーも参加していた。本作は2ndアルバムにあたり、のちにドラマーが加入しているが打ち込みドラムの楽曲が収録されている。ポルノSEを盛り込み多様なヴォーカルが絡み合う中、グルーヴィーに、また時にスラミングに繰り広げられるポルノゴアグラインド。上記のようなポルノゴアの様式美を守りつつも、ノるばかりでなく、素早く走り抜けるパートも織り込まれた非常に多面的なアルバムである。

Bowel Leakage

機

Harvest of Nauseating Remnants ベラルーシ

Independent 2014

ブルータルデスメタルバンドEntrenched Ingurgitationなどに在籍していたピンスク出身のAlexによるソロプロジェクト。2011年にCockspankとして始動し、2013年に現在の名義になった。本作にはゲストヴォーカルとしてS.M.E.S.のErwin、Active StenosisのIoannisが参加している。有名ホラー/スプラッター映画のSEから始まり、その後はブラストがひたすら鳴りっぱなしという非常に潔いクラシックゴアグラインド。カバーも収録されているLast Days of Humanityの影響が色濃く表れており、音作りの面での再現率も高い。

Bradi Cerebri Ectomia

人

Supreme Heterozis ベラルーシ

Bizarre Leprous Production 2013

2008年ホメリにて結成。何度かのメンバーチェンジを経ており、デスメタルバンドThelemaのメンバーが在籍していたこともあった。またGrindzillaというゴアグラインドバンドで活動しているメンバーもいる。2019年にはObscene Extremeに出演。本作は1stアルバムにあたる。本作にはブルータルデスメタルバンドDying Fetusのカバーが収録されている。ブルータルデスメタルのエッセンスを多く含んだゴアグラインドをプレイしている。ミドルテンポのパートも多く、わかりやすい展開の曲がほとんどだが、主にドラムなどにおいて少しひねりの効いたフレーズが挟まることもある。

Stickoxydal

人

The Perverted Position of Interiors ベラルーシ

Bizarre Leprous Production 2005

2003年ミンスク地方マラジェチナにて結成。ブルータルデスメタルバンドRelics of Humanityのメンバー等を擁する4人編成のバンドで、2011年まで活動した。本作は1stアルバムで、この時点では3人編成であった。サウンドはCock and Ball Torture等を想起させるグルーヴィーなパートを多く含んだゴアグラインドを中心にプレイしているが、ブラストなどのファストなパートやシャウトなどグラインドコアからの影響が特に感じられるものになっている。ドラムは人力だがインダストリアルなミックスが施されており、Catasexual Urge Motivation等の影響も窺える。

Ebanath

人

That Now Is Necessary for You ウクライナ

DAC Productions 2006

2004 年ベルジャンシクにて結成。バンド名はロシア語で「のろま」を意味する。1st アルバムである本作はブルータルデスメタルバンド Pus Lactation に在籍していたメンバーを擁する 4 人編成で制作された。また Gut やグラインドコアバンド Brutal Truth、Napalm Death のカバーも収録されている。サウンドはポルノゴアではあるがデスメタルっぽさもあり、クラシックな要素が前面に出ている。他のバンドと比べると特出して目立つ部分はあまり見られないが、耳に残るギターリフやファニーなヴォーカルもあり全体を通して聴きやすく、親しみやすい作風となっている。

Epicrise

人

Twin's Contraception ウクライナ

Ukragh Productions 2008

1995 年ルハンシク州リシチャンシクにて結成。ブルータルデスメタルバンド Mental Demise のメンバー、元メンバーらがかつて在籍していた。本作は 1st アルバムで、レコーディングを Ebanath 等も手掛ける Oleg が担当した。また Gut のカバーなども収録されている。グラインドコアを基調にした楽曲をプレイしているが、高音スネアを使用した軽快なドラムや低音が響くギター、グロウルとシャウトの掛け合いヴォーカルなどゴアグラインドらしさが感じられる要素も非常に多く含まれている。グラインドコアらしい勢いとテンションの高さが感じられ、時折ファニーな一面も垣間見える作品になっている。

Fecality

人

It's Only Smellz... ウクライナ

Eclectic Productions 2019

2011 年チェルニヒウにて結成。ベースの Dmytro はデスメタルバンド Subconscious Void でも活動している。本作は 1st アルバムにあたる。スラミングなパートやおふざけパートもあるダンサブルなポルノゴアをプレイしているが、デスメタルやスラッシュメタル風のリフやヴォーカルパートもあり、どちらかと言えばメタル寄りなグルーヴ感が感じられる。同じくスカトロゴアの Gutalax の影響が特に強く表れており、グルーヴィーなパートはとにかく明るく、落とすパートはとにかく重く、そして音はクリアにという、言わば様式美のようなものが表現されている。

Necrocannibalistic Vomitorium

人

True Bondage ウクライナ

Horns & Hoofs Records 2010

2003 年ザポリージャにて結成。ドラムヴォーカル担当の Alexey とノイズコアバンド Noise Nihilist にも在籍する女性ベーシスト Maria によるデュオ編成。以前はヴォーカリスト、ギタリストも在籍していた。Alexey が運営する Horns & Hoofs Records より幅広いジャンルのバンドと非常に多くのスプリット音源をリリースしている。ノイズグラインド、グラインドコア、ゴアグラインドと作品ごとに音楽性が変わっていくが本作はグルーヴ感溢れるドラムやロック風なリフ、豚声ヴォーカルなどが導入されたゴアグラインド的スタイルにて制作された作品。

Necrocannibalistic Vomitorium

人

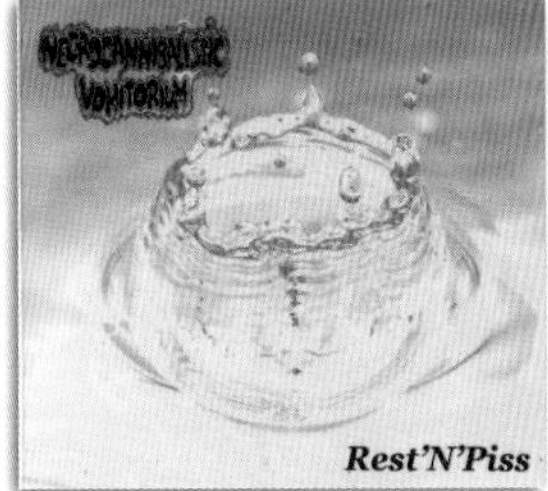

2010 年発売のアルバム。ヴォーカリストの Roman を迎えてレコーディングされた作品で、彼は 2003 年から 2013 年の間に断片的ではあるが数本の作品に参加しておりヴォーカル、また時にはギターを担当していた。本作もゴアグラインド色の強い作品の一つである。遅めのブラストやミドルテンポのパートを取り入れたドラムと、耳に残りやすいキャッチーなリフを掻き鳴らすベースを中心に曲が制作されている。ヴォーカルは豚声ヴォーカルとシャウトの掛け合いが多く、ゴアグラインドらしさをより強調させている点の一つである。またジャケや曲名はポルノテーマのものが多く、ポルノ SE が挿入される作品も多いが、本作では一切使われていない。

Painful Defloration

人

2006 年ドネツィク州マリウポリにて結成。グラインドコアバンド Braingrinder として活動していた Alex を中心としたバンドで、以前はデスメタルバンド Zoebeast のメンバーなども在籍していた。本作は 2nd アルバムにあたる。ファストで勢いのあるグラインドコアを主軸にクラシックなゴアグラインドやブルータルデスメタル等の影響が表れた楽曲をプレイしている。メタリックなリフ、グルーヴィーなパート、ビートダウンなど全体を通して様々な要素が表れる作品である。ヴォーカルは高低シャウトの掛け合いを中心に時折水気多めのピッチシフター・ヴォーカルが挿入されるスタイルで構成されている。

Vulvulator

人

2006 年ウジホロドにて結成、2009 年まで活動した。現在ヴォーカルの Phooey はデスメタルバンド Soulrest にも在籍しており、また何人かのメンバーは 2021 年に Hulla という新たなゴアグラインドバンドを結成している。少数制作のデモ音源やスプリット音源を経ての本作が 1st アルバムにあたる。ジャケットからもわかるようにダンサブルなポルノゴアをプレイしているが、ブルータルなビートダウンや高速ギターリフも入り込んでおり、メタルの要素の割合が高い作品になっている。空き缶スネアが特に前面に出ており、楽曲にさらにノリの良さやファニーな側面をもたらしている。

:Tremor

人

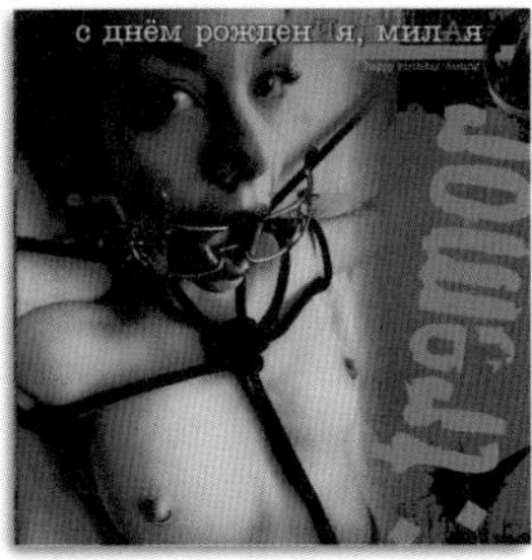

2004 年ベルゴロドにて結成。Purulent Jacuzzi やブルータルデスメタルバンド Coprobaptized Cunthunter のメンバーも在籍していた。自らのスタイルを「フォークグラインド」「シャンソングラインド」と称しており、1st アルバムである本作においてもオーケストラ調の SE やチープなオルガンやアコーディオンのメロディ、シャンソンを思わせる語りのパートなど他ジャンルの要素が多く含まれている。ギターのフレーズは他のバンドと比べても比較的重くどっしりとしたものになっており、全体的におふざけの雰囲気が漂う中、それらと上手い具合に重なり楽曲をしっかりとしたものに仕上げている。

Acetonizer

機

Don't Be a Menace to 6th Hood / Пластилин ロシア

Coyote Records 2008

2002年サラトフにて結成。2010年まで活動した。ブルータルデスメタルバンド Fetal Decay のメンバーらがかつて在籍していた。本作は2003、2005年に発売されたEP、アルバムを収録したコレクションアルバム。インダストリアルなマシンドラムを使用したゴアグラインドをプレイしている。爆速マシンブラストを多用した曲もあればミドルテンポの曲もあり、デスメタル、グラインドの両要素を上手く組み合わせた楽曲を多く収録している。ヴォーカルはピッチシフターとシャウトの掛け合いなどクラシックなフレーズが多く、Catasexual Urge Motivation 等の影響も感じられる。

Active Stenosis

機

Final Histopathology Report ロシア

TaDa Records / Sleazy Existence Productions / Soaked in Red Records 2013

2009年ギリシャのテッサロニキにてワンマンプロジェクトとして始動し、現在はロシアのモスクワにて活動している。オリジナルメンバーである Ioannis や現メンバーの Ivan は Hydropsy というゴアグラインドバンドに在籍していた。本作はワンマン時代の作品である。このアルバムを作る上で多大な影響を受けたとされ、クレジットにも記載されている Dysmenorrheic Hemorrhage 流の突っ走るマシンブラストと溺死ヴォーカルがとても耳に残る。一方で、Dead Infection らの影響も感じるグルーヴィーにキメるパートや、メロディックなハーモニクスなども挿入されており、独自のスタイルを築き上げている。

Anal Kudasai

機

Yorokonde! Extra Sugoi Megalomasturbatorium Desu!! ロシア

Independent 2017

2013年始動。サンクトペテルブルク出身、現地にて数多くのブラックメタル、デスメタルバンドに所属する Alin にヴォーカルの Testosteronegenerator を加えた編成にて結成。本作は Alin 個人名義の Bandcamp にてダウンロード可能なアルバム作品。ジャケットからも判る通りアニメゴア的世界観であるが、SE 等はほとんど使われていない。サウンドはピッチシフター・ヴォーカルを導入したグルーヴィーゴアを基調にしながら、ブラックメタル風のトレモロリフを始めとするメタリックなギターサウンドや、ロック調の明るいフレーズも入り込む非常にわかりやすい楽曲をプレイしている。

Anal Nosorog

人

Condom of Hate ロシア

Coyote Records 2007

2003年モスクワにてワンマンプロジェクトとして始動。デスメタルバンド Formaline にも参加していた Amar が在籍している。本作は 2nd アルバムにあたる。グラインドコアを中心にブルータルデスメタルやニュースクールハードコアなど様々な要素が表れた楽曲をプレイしている。シンガロングパートを含んだ楽曲や The Exploited のカバーなどからパンクの影響が特に強く表れているが、グルーヴィーなパートなどゴアグラインドの要素も組み込まれている。ヴォーカルはブルータルデスメタルでよく耳にするピッグスクイール、グロウルを中心としたスタイルで、また曲中にはエレクトロパートなども挿入されている。

Butcher M.D.

機

Traces of Blood ロシア
Bizarre Leprous Production 2015

2014年リャザンにてJaga-Jaga MassacreのKirillによるソロプロジェクトとして始動。後にヴォーカルにS.M.E.S.のErwinが加入し、現在の編成となった。数作のスプリットを経て、1stアルバムである本作がリリースされた。RegurgitateやLast Days of Humanityに影響を受けたプロジェクトとしてスタートし、正統派でクラシックなゴアグラインドをプレイしている。マシンブラストやグルーヴィーなフレーズを含んだ比較的わかりやすいサウンドにErwinの邪悪な下水道、ピッチシフター・ヴォーカルが乗っており、洗練された楽曲が収録された作品となっている。

Cystoblastosis

人

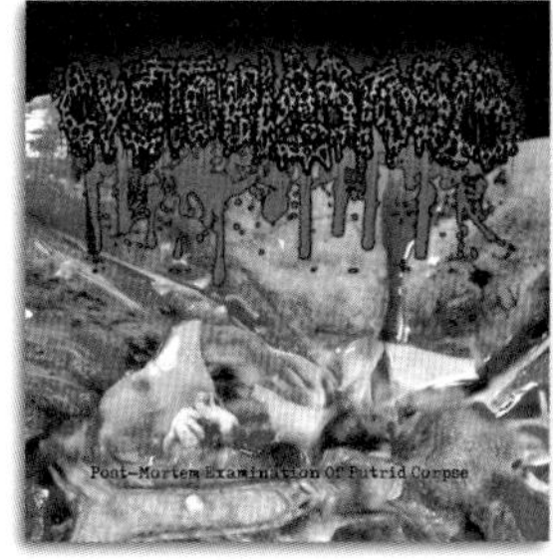

Post-Mortem Examination of Putrid Corpse ロシア
Cemitério Records / Goregrindnoise Distro / Old Grindered Days Recs 2017

2015年ロシアのサンクトペテルブルクにて結成。多くのプロジェクトで活動し、レーベル等も運営する女性メンバーOlgaを中心とした3人編成のバンド。結成当時から数多くのスプリットをリリースし、本作が1stアルバムとなる。ミックスは同郷のグラインドコアバンドCamphora MonobromataのDanが担当した。ドラム缶のようなスネア音で人力ながらスピード感のあるドラムが特徴的である。比較的ノイジーなサウンドではあるが、ギターのリフは聴き取りやすくヴォーカルは時折グルーヴィー。ゴアノイズ的志向ながら一曲一曲が全てちゃんとした曲として成り立っており、正統派といえるアルバムである。

D.E.F.A.M.E.

人

Жители И Гости Прямой Кишки ロシア
More Hate Productions 2015

2007年カルーガにて結成。結成後にメンバーチェンジを経て、2013年以降はブルータルデスメタルバンドОпустошённый Разумのメンバーも在籍している。本作は限定発売だったCDR盤1stアルバムを経ての2ndアルバムにあたる。アルバム名を英語に訳すと「Residents and Guests of the Rectum」となる。またAnal Cunt、Cock and Ball Tortureのカバーも収録されている。最初から最後までとにかくグルーヴィーに、ダンサブルに進むポルノゴアグラインド。ブラストは少ないが、Cock and Ball Torture系統の遅いグルーヴィーフレーズがとても心地よく響き続ける。

Duodildo Vibrator

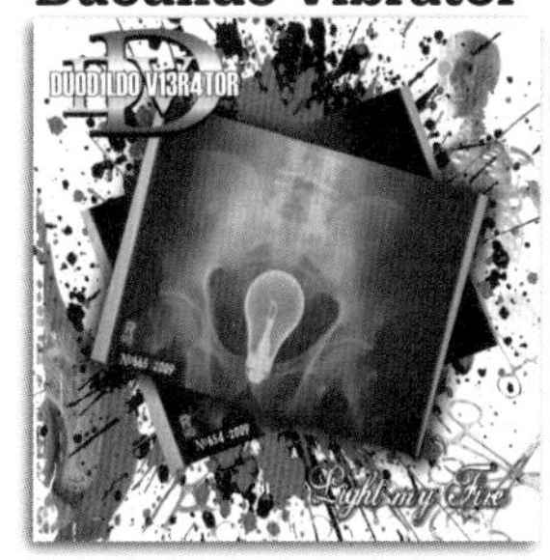

Light My Fire ロシア
Soulflesh Collector 2009

2005年トヴェリにて結成。3人編成で活動しており、ドラマーのメンバーチェンジを数回行っている。本作は2作目の単独作で、ミックスをギターヴォーカルのOlegが自ら担当している。サウンドはポルノSEなどを始めとしてCock and Ball TortureやGut等の影響が感じられるグルーヴィーなポルノゴアで、ミドルテンポだけでなく様々なフレーズを取り込みながらも終始ノリを追求し続けた楽曲をプレイしている。ギターは刻むフレーズやメタリックなリフ、ロック調のキャッチーなフレーズなど様々な手法が曲中に表れている。ヴォーカルは主にグロウルや水気の多い下水道ヴォーカルなどを使い分けている。

Endotoxaemia

人

Foretaste of Swarming in Corporal Garbage ロシア
Old Grindered Days Recs 2018

活動開始時期不明、Sordid Clot のドラマー Vitaly のソロプロジェクトとしてブリャンスクにて始動。2016 年よりスプリットなど多くの音源をリリースし始め、本作はデモ音源を除いた初の単独作にあたる。ノイジーなプロダクションではあるがゴアノイズというわけでもなく、ギターのリフ等も聴き取りやすく楽曲ごとの特徴が前面に出ている。また、ドラマーということもありソロプロジェクトではあるが、生ドラムを導入している。ほとんどがショートチューンであっという間に終わる作品ではあるがギター、ドラム、下水道ヴォーカル全て存在感が強く、勢いや重圧は抜群の出来と言える。

Feraliminal Lycanthropizer

人

The Ideal Model of Deviance ロシア
Coyote Records 2018

2009 年ヤロスラヴリにて結成。バンド名は 1990 年にアメリカ人作家 David Woodard が発明した心理科学における架空の機械の名前から。メンバーは現地ロシアの様々なジャンルのバンドに在籍している。デモ音源やスプリットアルバムを経ての本作が 1st アルバムとなる。2018 年の作品ではあるが、サウンドは比較的初期寄りのグルーヴィー・ゴアグラインド。リズミカルなグロウルとダーティーなシャウトに心地よいスネアや刻みまくるギターの音が乗る。決して一辺倒ではなく、何度もリズムやフレーズを変えて様々なグルーヴを生み出しており、全体を見ても緩急がしっかりとした楽曲を揃えた作品となっている。

Goreanus

人

Sikul of Derbanity ロシア
Independent 2011

2005 年サンクトペテルブルクにて結成。主にヴォーカル、ギター、ベース、ドラムの 4 人編成で活動しているが、ヴォーカルが 2 人以上いるライブ映像（また片方はスカートを穿いてパフォーマンスしている）なども確認できる。デジタルフォーマットにて多くの作品を発表しており、本作は 1st アルバムにあたる。高音スネアが特徴的なグルーヴィー・ゴアグラインドをプレイしているが、スラミングなビートダウンパートなどブルータルデスメタルからの影響も窺える。そのためサウンドは重ためで、軽快さよりもどちらかと言えば重量感が目立つような楽曲が収録されている。ヴォーカルはピッチシフターを中心に裏声シャウトなども挿入される。

Inopexia

人

Myocardical Biopsy Had a Lethal Outcome ロシア
Coyote Records 2012

2009 年モスクワにて結成。Purulent Jacuzzi に在籍した Alexander を中心としたバンドで、Active Stenosis の Ivan 等が在籍していた。本作は 1st アルバムでミックス、マスタリングを Active Stenosis の Ioannis が担当し、ジャケットはロシア出身バンドを多く手掛ける Dima Dima が担当した。Last Days of Humanity の影響が色濃く表れた高音スネアのブラストで埋め尽くされたゴアグラインドをプレイしている。Purulent Jacuzzi と比べてもパワフルで容赦ないハイスピードな楽曲で、ゴアノイズ的な一面も感じられる作品になっている。

Jaga-Jaga Massacre

機

Purulent Tits and Bacterial Dicks ロシア
Satanath Records 2012

2011年リャザンにて結成。ギター、ドラム打ち込みのKirillとヴォーカルのAlexanderによるデュオ編成。本作は2作のEP音源をリリースしたのちの1stアルバムで、ジャケットはDima Dimaが担当した。日本のアダルトビデオなども含まれるナンセンスなSEを使用し、ノリの良いグルーヴィーなサウンドに汁気たっぷりの下水道ヴォーカルが合わさる楽曲をプレイしている。低音が特に押し出されており、比較的最近のグルーヴィー・ポルノゴアによくある明るい雰囲気はあまり感じられず、Cock and Ball Torture系統の重苦しい音に少しダークな世界観を掛け合わせた独自のスタイルを確立させている。

Purulent Jacuzzi

Stench of the Drowned Carrion ロシア
Soulflesh Collector 2008

2005年モスクワにて結成。後にInopexiaを結成するAlexanderや元:TremorのDmitryがドラマーとして在籍していた。本作のジャケットは日本人アーティストのKahori Takedaが担当した。高音スネアブラストを申し分ないほどに詰め込んだ楽曲が特徴的。スラミングパートもありブルータルデスメタルに近いサウンドだが、ひたすらに刻みまくるギターがゴアグラインド流のグルーヴを生み出している。また、謎のクリーンギターが入ったりとファニーな側面も併せ持っている。2018年にメンバーチェンジを経て女性ヴォーカリストが加入し、現在はグラインドコア/ブラックメタル系統の楽曲をプレイしている。

S.C.A.T.

Apopatophobia ロシア
Coyote Records 2011

2006年ブリャンスクにて結成された4人組バンド。2012年にはObscene Extremeに出演しており、メンバー全員が赤いストッキングを頭に被ってパフォーマンスする様子が話題となった。ひたすらグルーヴィー、ダンサブルで時折メタリックなポルノゴアグラインドをプレイしている。ゴアヴォーカル、ピッグスクイール、高音スネアが目立つ反面弦楽器の音は軽め。しかし曲ごとに違ったフレーズやアプローチを組み込んでいるので、最初から最後まで飽きさせない作品になっている。本作の後にメンバーチェンジを行っており、現在のメンバーはグラインドコアバンドMadestとしても活動している。

Septicopyemia

Vomiting Swamp ロシア
Sound Age Productions 2006

1995年イヴァノヴォにてThromboembolyとして結成、1996年に現在の名称となる。デスメタルバンドMurk Exorbitanceに在籍していた元メンバーがいる。本作は1stアルバムで、レコーディングは多くのメタルバンドを手掛けるNavahohut Sound Studiosにて行われた。またジャケットはヴィジュアルアーティストとしても活動するヴォーカルのArthurが担当した。デスメタルの影響を受けたゴアメタル風の楽曲をプレイしている。心地よい高音スネアや邪悪なピッチシフター・ヴォーカルが特徴的で、ファストだがグルーヴ感も感じさせる作品となっている。

Sixpounder Teratoma

人

Love Grind for Dirty Dolls ロシア
Coyote Records 2013

2006年イヴァノヴォにて結成。2009年までSixpounderとして活動し、以降現在の名前となった。現在まで唯一のアルバムである本作と、Rectal Smegmaらとのスプリットの2作品のみリリースしている。本作のジャケットはArthur Ryabovが担当している。ブルータルな要素も感じられるグルーヴィーゴアをプレイしているが、ハードロック、王道ロック風のフレーズやキンキン響く超高音ピッグスクイールが挿入されるのが特徴的。ロック系リフのおかげで同ジャンルの中でも特に耳馴染みの良い作風ではあるが、展開は多くテクニカルなイメージを感じさせる楽曲も多い。

Sordid Clot

人

Tuber ロシア
Soulflesh Collector 2008

1999年ブリャンスクにて結成。メンバーチェンジを何度か経ているが2007年以降はギターを除きほとんど固定メンバーとなる。本作は2ndアルバムにあたり、エンジニアやゲストヴォーカル、キーボードを現地メタル系バンドを多く手掛けるRuslan Sysoevが担当した。ジャケットはヴォーカリストのEvgenyが担当している。全編通してノれるグルーヴィー・ゴアグラインドをプレイしており、軽快でファストなドラムが特徴的だが、ビートダウンパートではしっかり落とし、サウンドに厚みや力強さを持たせている。途中ファンキーなギターやエレクトロなどファニーではあるが、やはりノれる展開も挿入されている。

Sukkuba

人

Pornoslavie ロシア
Nice to Eat You Records 2013

2008年サマラにて結成。ヴォーカルのAshことAlexanderはブラックメタルバンドElderwindにも在籍している。本作は2ndアルバムにあたり、ジャケットをデスメタル系を数多く手掛けるAlexander Tartsusが担当した。サウンドはブルータルデスメタルのエッセンスが強く、ミドルテンポを導入したスラミング・ブルータルデスメタルといった形に近い。しかしブラストは素早く、グルーヴィーパートはしっかりリズミカルにキメている。また前作の1stアルバムと比べてスネアの音が高音でよく響く音に変わっており、ゴアグラインドらしさがより感じられる作品になっている。

Triple Dewormint

機

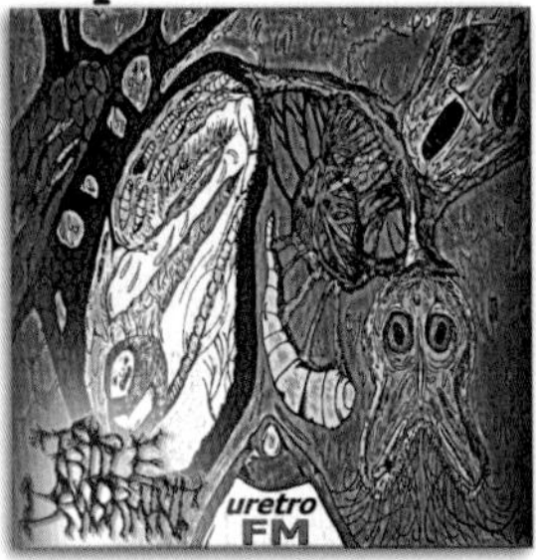

Uretro FM ロシア
TaDa Records 2015

2006年モスクワにて始動。ノイズグラインドバンドPissdeadsやActive StenosisのIoannisの別プロジェクトHydropsyにも在籍したTubusによるプロジェクト。単独作としては初めてCD化された4thアルバム。高音スネアとゲロゲロヴォーカルにガバキックが絡むサイバーゴアグラインド。Last Days of Humanityのカバーに加え、2 Unlimitedや3 Steps Aheadなどのダンス/エレクトロ系アーティストのカバーも収録されている。ブラスト以外のフレーズやパターンもエレクトロ寄りであり、ゴアグラインドとエレクトロの正統なクロスオーヴァー作品といえる。

コラム B級ホラー映画や日本産AVなどを多用するSE

ホラー映画の音声をSEに活用

ゴアグラインドにおける特徴の一つにSEの使用が挙げられる。イントロ、曲中、アウトロとどのタイミングにも挿入されるが、やはりイントロに挿入されることが多い。そもそもイントロにSEを挿入する表現はグラインドコアやそれ以前のクラストコア、ハードコアの時代からすでに使われており、例えば戦争関連のインタビューの音声や演説等を使用し、楽曲により一層ポリティカルなメッセージを持たせるという表現において使われていた。

しかし、ゴアグラインドにおけるSE使用の起源はここからというよりも、それ以降のデスメタルでのSE使用から来ていると考えるのが一番自然である。おそらく直接の起源と考えられるのは1990年代前半から台頭したImpetigo、Mortician等のホラー映画の音声をSEとして使用したバンドの存在である。特にこの二組はホラー映画を題材とした楽曲を作り、曲中にホラー映画の音声を挿入した第一人者的存在であり、当時多くのバンドに影響を与えている。

1980年公開、ルッジェロ・デオダート監督『食人族』

ゴアグラインドの元祖的存在であるCarcassの音源においては効果音的なイントロが挟まれるのみだったが、その後発表されたDead Infectionのデモ音源やHaemorrhage、Regurgitateの1stアルバムにはすでにホラー映画からと思われるSEが使われている。これらのバンドの影響から、後に生まれた多くのゴアグラインドバンドがホラー映画SEを使用している。使用したホラー映画のタイトルをご丁寧にライナーノーツに記載しているバンドもいるが、たいていは特に記載等無く、またほとんどがB級ホラー映画ということもあり、その音声を聞いてわかる人だけがニヤリとするというパターンが多い。また使用されているホラー映画を特定するファンも多く、現在公開、解明されている情報を見た限りでは『食人族』『悪魔のいけにえ』『ブレインデッド』『死霊のはらわた』等の音声を多くのバンドが使用しており、監督では『サンゲリア』等を制作したルチオ・フルチの作品が特に多く使われている。

1992年公開、ピーター・ジャクソン監督『ブレインデッド』

1979年公開、ルチオ・フルチ監督『サンゲリア』

このようなB級ホラー、スプラッター映画の悲鳴や人体を切り裂く生々しい効果音を使うことで楽曲の残虐性や危険度、また出所不明の音声を使うことにより謎で不気味な雰囲気がさらに増幅し、ジャンル独特の世界観をより表現することができる。余談だが実際に人を殺している音声を使用しているのではないかという都市伝説が浮上したバンドもいる。

ポルノ映画の音声をSEに

ゴアグラインドにおけるSEはこのホラー映画からさらに多様化の一途を辿っていく。1987年結成のMeat Shitsはポルノを題材に、またポルノ映画やビデオの音声をSEに使用したバンドの第一人者として「ポルノグラインド」というジャンルを築き上げた。彼らから直接の影響を受けたわけではないが、1991年結成のGutは同様にポルノをテーマにしSEにも使用したゴアグラインドをプレイし、「ポルノゴア」というジャンルを築き上げている。

この「ポルノゴア」は多くのフォロワーを生み、後年ポルノSEを使用するバンドが増えた。使用される音声は一般的なポルノ映画、ビデオのものからSMなどのマニアックなものまで幅広く存在している。前述のホラー映画のように有名な作品といったものはほとんどないため使用されている作品の特定は難しいが、ポルノSEに関してはなぜか日本語のものも多く、日本人であればどのような作品か何となくわかるという現象も起こりうる。例えばCock and Ball Tortureの楽曲には日本語のポルノ音声（聞く限りではSM系と思われる）を3分近く使用したものも存在する。またポルノゴアはそのスタイルが持つ陽気さやおちゃらけた雰囲気からポルノSEばかりが使用されるわけではなく、例えば謎の男性が歌っているSEや、言語こそ聞き取れないものの気の抜けた会話をしているコメディ映画から取られたと思われるSEなどファニーなものが使われることも多く、これらのSEも楽曲の世界観をより強く表現するために必要な手段といえる。

この後も日本のアニメの音声を使うアニメゴアやポルノゴア派生で主に放屁音や排泄音を使用したスカトロゴア、また最近では医療系の世界観の下に作品を作り上げるパソロジカルゴアのバンドで病理報告書を読み上げた音声や手術などを説明したナレーションを使用するバンドなども台頭してきている。

出身国の音声をSEに

また各バンド自身の出身国を表したSEを使用することも多く、SEは自国の文化を表す手段の一つとも言える。楽曲やテーマ含む世界観を重視するゴアグラインドにおいてSEは重要な要素の一つでもあり、バンドがそれぞれの特徴を表す上でも必要不可欠な手段でもある。

今現在においても多くのジャンルのSEが存在しているが、今後新たな側面からのSEが採用され、新たなサブジャンルが生まれることもあるかもしれない。

Chapter 2

Americas

アメリカは80年代からImpetigo、Morticianなど後年のゴアグラインドに多くの影響を与えるデスメタルバンドを生み出しており、ゴアグラインドにおいても90年代から2010年以降まで衰えることなく、勢いを保ち続けている土地である。Relapse Records等巨大なレーベルが存在していることもあり、2000年代までは同レーベルが多くのバンドを輩出していた。特に重要なバンドとしてExhumedが挙げられ、「ゴアメタル」というサブジャンルを築き上げたほか多くのフォロワーを生み、またゴアグラインド、デスメタル両方に多大なる影響を与えた。2010年以降は特にオールドスクールなデスメタルやグラインドコアから影響を受けたバンドが多く台頭しており、またゴアノイズの元祖的存在であるAnal Birthの出身地でもあることからゴアノイズ系統のバンドも非常に多い。カナダには主に同国出身のグラインドコアバンドのメンバーによるサイドプロジェクト的なバンドが多く、バンド数は少ないながらも活発なシーンを築き上げている。メキシコではDisgorgeやOxidised Razorを中心に「メヒコゴア」と呼ばれる独自のスタイルを作り上げており、サウンド面やジャケット等のヴィジュアル面においても特にブルータルな要素が前面に出ているのが特徴的である。また2000年中盤以降からはグルーヴィーなポルノゴアバンドも多く誕生している。ブラジルにはFlesh Grinderを始めとするCarcass影響下のバンドが多数存在している。90年代からすでに多くのCarcassフォロワーのバンドによるシーンが形成されており、現在も多くのオールドスクール影響下のバンドが誕生しているという非常に独特な歴史を持っている。特にLymphatic PhlegmやVômito等は同国においてもカリスマ的存在であり、また活動的なレーベルが多数存在していることから、ゴアグラインド全体で見ても非常に重要な土地と言える。

速弾き、ギターソロなどメタルを活かしたゴアメタル唱導者

Exhumed

- Impaled / Ghoul / Gruesome / Cretin / The County Medical Examiners / Phobia / Repulsion
- 1990 ～ 2005 2010 ～現在　　アメリカ　カリフォルニア州サンノゼ
- (Gt, Vo) Matt Harvey / (Ba, Vo) Ross Sewage / (Dr) Mike Hamilton / (Gt) Sebastian Phillips
  ex. (Vo, Gt, Ba) Joe Walker / (Dr) Col Jones / (Gt) Derrel Houdashelt / (Gt, Ba) Leon Michael Sandow / (Gt, Vo) Mike Beams / (Vo, Gt, Ba) Bud Burke

1990 年結成。中心メンバーであり、現在唯一のオリジナルメンバーである Matt Harvey は当時 15 歳であった。数多くのデモ音源や Haemorrhage、Hemdale らとのスプリット音源を経て、1998 年に 1st アルバム『Gore Metal』をリリース。アルバム名の「ゴアメタル」はデス、スラッシュなどのメタルのエッセンスを大いに含んだゴアグラインドをプレイするバンドの特徴を表す用語となった。4 人編成で活動していたが、後に Ghoul、Impaled に参加する Ross Sewage が 1999 年に脱退。2000 年に 2nd アルバム『Slaughtercult』を 3 人編成にて制作し、リリースする。その後、後任ベーシスト Bud Burke が加入し、2003 年に 3rd アルバム『Anatomy Is Destiny』をリリースするも、すぐにベーシストの座を Impaled の Leon del Muerte に譲ることとなる。また同年にオリジナルメンバーであるドラマーの Col Jones が科学者の道を進むという理由で脱退。その後、来日公演やメンバーチェンジを経るも、2005 年カバーアルバムのリリース後に活動休止を表明。Matt は当時 Col の脱退がバンドにとっても自身にとっても大きなダメージを残していたことを述べていた。しかしバンド最後の作品がカバーアルバムということに後悔があったようで、2010 年に活動再開、及びアルバム発売を発表した。また 2012 年から 2018 年には一時的に Bud が復帰し、2016 年には Ross が復帰し、現在まで活動を続けている。メンバーチェンジを複数回経験し、ライブサポートを含めると非常に多くのメンバーが関わっており、特に Gruesome、Cretin などのベテランデスメタル、グラインドコアバンドにも関わっていたメンバーが多い。

Exhumed

人

Gore Metal　アメリカ
Relapse Records　1998

1998 年発の 1st アルバム。ミックス、マスタリングはデスメタル系を多く手掛ける Sound Temple Studio、Sonorous Mastering, Inc. にて行われた。アルバム名の「ゴアメタル」がそのままジャンル名として確立したきっかけとなった作品で、Carcass 影響下のゴアグラインドにスラッシュメタル系統のリフやメロディックに掻き鳴らすギターソロなど、メタルのエッセンスを多く加えた楽曲をプレイしている。疾走感あふれるサウンドに、ノンエフェクトだが邪悪さ満点の低音グロウルや高音シャウトが乗っかり、最初から最後まで猛烈な勢いで突っ走る作品となっている。

Exhumed

人

Slaughtercult　アメリカ
Relapse Records　2000

2000 年発の 2nd アルバム。前作でベースを担当した Ross が脱退し、前作でギターを担当した Mike がベーシストになり、3 人編成にて制作された作品。録音をメタル系を多く手掛ける Trident Studios にて行い、ミックス、マスタリングをグラインドコアバンド Nasum の Mieszko が担当した。またゲストヴォーカルにグラインドコアバンド Agents of Satan や Impaled のメンバーらが参加している。前作よりスラッシュ、デスメタル的な要素が増え、よりメロディックでテクニカルなリフが挿入されるようになったが、ゴアグラインド的な勢いの良さは依然として発揮されている。

Exhumed

人

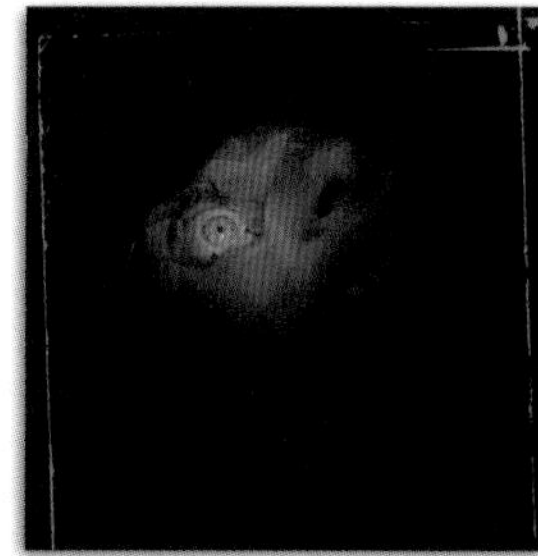

Anatomy Is Destiny　アメリカ
Relapse Records　2003

2003 年発の 3rd アルバム。本作よりベースに Bud が加入した。プロデューサーに数多くのメタルバンドを手掛けた Neil Kernon を迎え、マスタリングをグラインドコアバンド Agoraphobic Nosebleed の Scott Hull が担当した。本作以降は作風がデスメタルへとシフトした作品をリリースするようになり、サウンドも後期 Carcass のようなデスメタル影響下のものが大半を占めるようになった。ただ疾走感や勢い、邪悪な低音グロウルなど初期の作品から変わらず引き継がれている要素も多くあり、バンドらしさはそのままに多くのリスナーに受け入れられるような作品を制作し続けている。

Exhumed

人

Platters of Splatter: A Cyclopedic Symposium of Execrable Errata And Abhorrent Apocraphya 1992-2002　アメリカ
Relapse Records　2004

2004 年発、1992 年から 2002 年までのスプリット、コンピレーション音源を主に収録した CD2 枚組のコレクションアルバム。日本盤のボーナストラックとして発表された楽曲や、Impetigo、Carcass のカバーなども収録されている。また、1992 年から 1994 年の間に発表されたデモ音源も収録されているのが大きな特徴である。特に 1992 ～ 1993 年の作品はゴアメタル確立以前の Carcass 直系ゴアグラインドをプレイしていた時代の非常に貴重な音源である。1994 年ごろから現在の作風へと近づいており、バンドの歴史や音楽性の変遷も体感することができる 1 枚になっている。

30XX

機

Decaying Future アメリカ
Independent 2013

活動開始時期不明、Heinous のベースヴォーカル Andrew Ferris が Goreman X として立ち上げた自称東京在住ワンマンゴアプロジェクト。2012 年以降主に自身の Bandcamp にて作品をリリースし続けているが、2017 年以降の活動状況は不明である。本作は 2013 年リリースの作品。アニメ、漫画の画像をジャケットに使用しているが他のアニメゴア系バンドとは違い、ディストピア、90 ～ 00 年代の作品をテーマにしたプロジェクトである。サウンドはノイジーなインダストリアル風ドラムに下水道ヴォーカル、シャウトが乗るショートカット・ゴアグラインドで、エレクトロ風の楽曲も収録されている。

Amoebic Dysentery

機

Mongoloid Metal アメリカ
Embrace My Funeral Records / Deus Mortuus Productions 2002

2000 年アトランタのデスメタルバンド Avulsion のメンバーである Alex と Will により結成。Will はブラックノイズバンド Enbilulugugal やサイバーグラインドバンド Smothered Brothers にも在籍していた。また両名は Dwarfophile という名前でも活動し、そこでもゴアグラインドをプレイしていた。本作は自主制作アルバムの後にリリースされた 2nd アルバム。Purulent Excretor 系の爆速マシンブラストにメタリックなギターとゲロゲロヴォーカルが乗る楽曲が矢継ぎ早に続く。またカウベルやタンバリン、レゲエ風ギターなどを使った軽快でファニーなパートも時折挿入されている。

Amoebic Dysentery

機

Hospice Orgy アメリカ
Deathgasm Records 2006

2006 年発売の 3rd アルバム。2011 年以降表立った活動はしておらず、実質最後のアルバムとなっている。本作ではベースにデスメタルバンド Malformity の Dan を迎えている。マシンブラストが鳴り続ける作風は変わっていないが、前作よりファニーな要素が増えた印象がある。出所不明の SE や、吐き捨てるようなクリーンヴォーカルにポップパンク風のフレーズなどおふざけ感が色濃く表れており、結果としてよりわかりやすい作風となった。また本作発売前の 2005 年の Obscene Extreme に出演した際に防護服を着用し、ライブを行った映像が「養鶏場メタル」として日本の動画サイトでも話題となった。

Anal Birth

機

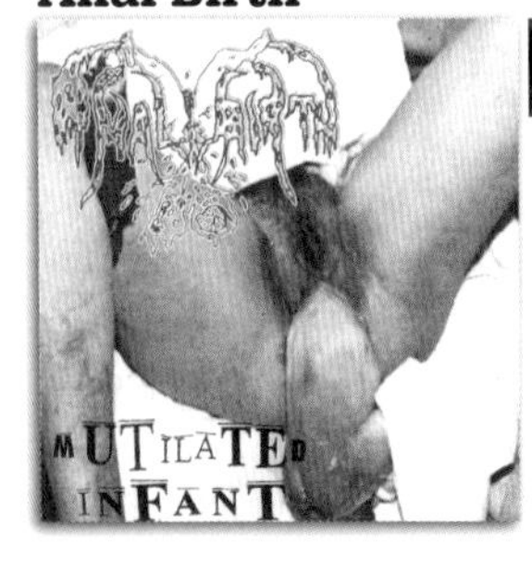

Mutilated Infant アメリカ
Klysma Records 2008

1996 年始動、ニューヨーク州ハンティントン出身 Adam Rotella によるワンマンプロジェクト。数多くのスプリットをリリースしており、本作は 1st アルバムにあたる。ジャケットは Marc Palmen が担当した。本作は爆速マシンドラムとハーシュなノイズギターに、ひたすら絶叫し続けるピッチシフター・ヴォーカルが乗った楽曲で占められている。また Anal Birth は自称「世界初のゴアノイズ・プロジェクト」であり、Last Days of Humanity の 3rd アルバムに収録されている楽曲のスタイルを新たなジャンルとして確立させた第一人者としてシーンに大きな影響を与え、後続のゴアノイズバンドを多く生み出している。

Basic Torture Procedure

人

Domination Through Torture アメリカ
Independent 2020

2020年結成、Couple SkateのKyle、MetrorrhagiaのZach、テキサス州のゴアグラインドバンドMorgue TarのTravisによる3人編成のバンド。本作がデビュー作にあたり、アートワークはNecrotic Liquefactionに在籍しているCavanが担当した。自らのスタイルをオールドスクールDビート・ゴアグラインドと称しており、ブラストは少なめではあるがDead Infection系統のパンキッシュで芯が強い楽曲をプレイしている。また音質をオールドスクール風に程よく悪くしているところにもこだわりが感じられる。

Brujeria

人

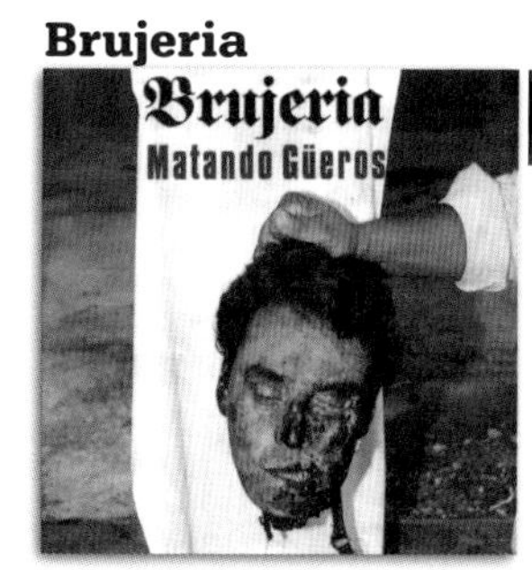

Matando Güeros アメリカ
Roadrunner Records 1993

1989年カリフォルニアにて結成。Napalm Death、Carcass、Arch Enemy、Fear Factoryのメンバーらが現在、過去に在籍しているバンド。メキシコの麻薬ディーラーという設定の下活動しており、メンバー全員が覆面等で顔を隠している。日本にはLoud Park 17にて来日している。デスメタル、グラインドコア寄りの楽曲をプレイしているが、インパクト抜群の死体ジャケ、覆面を被って活動するというスタイルなど後続のゴアグラインドバンドに与えた影響は非常に大きい。またエクストリームでありながら、グルーヴ感のある楽曲はゴアグラインドのみならず多くのバンドに影響を与えている。

Cemetery Rapist

機

The Smut Circus アメリカ
Rotten Roll Rex 2011

2004年イリノイ州シャンペーンにて始動。多くのプロジェクトに参加し、Sikfukのライブサポートなどもしていた Clay Lamanskeによるソロプロジェクト。一時的な休止等を挟みつつも現在まで活動を続けている。本作は単独アルバムとしては4枚目の作品にあたる。ジャケットはLou Rusconiが担当した。サウンドはスラミングパート満載のブルータルデスメタルを基調にしているが、ポルノSEやファストなパートなどゴアグラインドを感じさせる箇所も多い。またヴォーカルはコオロギ系ヴォーカルと言われており、ノンエフェクトでありながら非常に特徴的なスタイルである。

Chainsaw Dissection

機

River of Blood and Viscera アメリカ
Macabre Mastermind Records 2006

2004年始動、多くのゴアグラインド、デスメタル、ノイズコアプロジェクトを運営するペンシルバニア州出身Bob Macabreによるプロジェクト。自身が運営するMacabre Mastermind Recordsよりデジタル、CDRにて作品を発表しており、このプロジェクトに関しても現在まで10以上のアルバムを発表している。楽曲はデスメタルに近く、ドラムの音作りからはMorticianからの影響も感じられ、時折ブルータルなアプローチも挿入される。しかしブラストはヴォーカルのスタイルと相まってグラインドコア流のパワフルなもので、ゴアグラインドの成分が特に感じられるものになっている。

Chainsaw Harakiri

機

Chainsaw Harakiri アメリカ

Dethbridge Records / Saf Crew 2014

2013 年始動。現在はブルータルデス / ゴアグラインドバンド Gokkun としても活動するデンバー出身の Josh によるソロプロジェクトとして活動を開始し、後に 3 人編成のバンドとなった。2015 年まで活動し、2017 年に復活するも 2019 年に解散した。デジタルを中心に多くの作品を発表しているが本作は初の音源であり、ゲストヴォーカルとして Metrorrhagia の Zach らが参加している。サウンドはノイジーだが、スラミングなどのブルータルデスメタルの要素もある打ち込みゴアグラインド。アニメをモチーフにしたジャケットもいくつかあるが、SE には使用されていない。

Cheerleader Concubine

Bukkake Birthday Party アメリカ

Independent 2014

2007 年ノースカロライナ州出身トランスジェンダー女性 Diana のソロプロジェクトとして始動、2009 年まで活動する。2014 年 Diana はヴォーカルへ転向し、ブラックメタルバンド Valley of Hinnom の Rich が全ての楽器を担当するデュオ編成となって再始動する。本作は再始動後初の音源である。音としてはブルータルデスメタル寄りでスラムパートを多く含み、またブラックメタルを思わせるフレーズも聴こえてくるが、ゴアグラインド風のファストなブラストを取り入れ、そこに邪悪なヴォーカルが絡み、多様な音楽性を表現している。またジャケット、曲名等からアニメゴアに分類されるがアニメ SE はあまり使われていない。

Couple Skate

Tales From the Corpse アメリカ

Opaqus Records / Misanthropic Ignorance Records / Splattergod Records / Appalachian Noise Records / Barf Bag Records / Grindfather Productions / Feel Good Grind Tapes / Nailjar Records 2015

2013 年オハイオ州ライマにて結成。グラインドコアバンド Fumigated でも活動している Ryan、多くのグラインドコアバンドに在籍する Trashy、ノイズ / アンビエントの分野でも活動する Kyle による 3 人編成バンド。本作は 7 インチレコード、デジタルで発表された EP 作品。マスタリングを多くのデスメタル / グラインドコア作品を手掛ける Geoff Montgomery が担当した。パンキッシュでグルーヴィーなゴアグラインドをオールドスクールサウンドでプレイしている。ノイジーなプロダクションに力強いサウンドが乗っかっているが、リフなどは覚えやすく様々な需要に応えた作品といえる。

Dysmenorrheic Hemorrhage

A Tapeology of Grievous Traumas アメリカ

Goatgrind Records 2009

1999 年フィラデルフィアにて始動、2004 年まで活動した。ノイズ、パワーエレクトロニクス・ミュージシャンとしても活動する Kyle Prescott によるソロプロジェクト。本作は数本のスプリットを集めたコレクションアルバム。Napalm Death、Nyctophobic などグラインドコアのカバーも収録されている。サウンドは Regurgitate、Dead Infection 等の影響が感じられるオールドスクール・ゴアグラインド。チープなドラムとプロダクションだが、力強く芯の通った楽曲をプレイするスタイルは後年多くのワンマン・ゴアグラインドに影響を与えた。

Embryonic Cryptopathia

人

Total Fucking Garbage Discography アメリカ

Cadaveric Dissolution Records 2018

2003年ボストンにてデスメタルバンドDecember Wolvesの元メンバーや、現在デスメタルバンドHirudineaでも活動するメンバーを中心に結成されたバンド。本作はEP、スプリット、ライブ音源等を集めたコレクションアルバム。全編通してデスメタリックなオールドスクール・ゴアグラインドをプレイしている。同様のバンドと比べてもファストな印象が感じられ、ブラストの速度や曲調も特に素早いものになっている。またノイズグラインド的なショートカット曲も収録されている。ライブ音源においてもドラムの速さは一切だれることもなく健在で、能力の高さが窺えるバンドである。

Feculence

人

Shitfaced アメリカ

Human Cesspool 2001

1994年ペンシルバニア州スクラントンにて結成。すでに解散しており、現在メンバーはドゥームメタルバンドStone BaphometやThe Hill You Die On等で活動している。本作は1stアルバムで、ヴォーカルで参加しているChickmastahことEdはゴアグラインドバンドObeseとしても活動していた。サウンドはブルータルなエッセンスも含まれたデスメタルを基調とし、そこにピッチシフター・ヴォーカルやシャウト等が混ぜ合わさる楽曲をプレイしている。ノイズを含んだギターや軽いドラムが特徴的で、またドゥームパートも組み込まれるなど多くの要素を取り込んだ作品でもある。

First Days of Humanity

機

Pixel Death アメリカ

Independent 2020

アリゾナ州出身。Bouquet、Oozing Pusなどのワンマン・ゴアグラインドで活動してきたTapoによるプロジェクト。2019年から主にデジタルフォーマットにてコンスタントに音源を発表し、2020年にはピアノによるアンビエント風の作品もリリースされた。バンド名からパロディプロジェクトと思われがちであるが、重厚なギター、特徴的なマシンドラム、ノイジーな下水道ヴォーカルなどいい加減な要素が一切ない強靭なゴアグラインドをプレイしている。またバンド名からジャケットには人骨の化石などの画像を使うことも多いが、今作は8ビットをテーマにしており、ファミコン風のSEも使われている。

Fluids

機

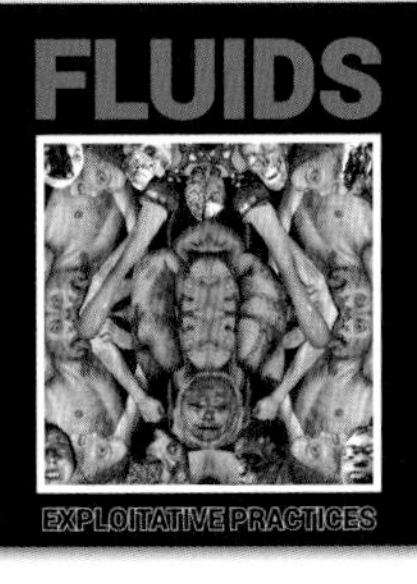

Exploitative Practices アメリカ

Maggot Stomp / Severed Records 2019

2018年アリゾナ州フェニックスにて結成。ヴォーカル、弦楽器担当、ドラム打ち込み＆シンセ担当の3人編成。本作は1stアルバムにあたり、またゲストヴォーカルにブルータルデスメタルバンドPathologyやAbominable Putridityなどに在籍するMattiが参加している。デスメタルを中心にゴアグラインド、ブルータルデスメタルなど様々な要素を取り入れた楽曲をプレイしており、楽曲の幅もマシンブラストが炸裂する曲、ミドルテンポの曲、スラミングなビートダウンを取り入れた曲などとても広い。また打ち込みドラムとノイジーなベースが相まって、インダストリアルな印象も感じられるところも大きな特徴と言える。

Gangrene Discharge

機

A Collection of Trauma アメリカ

Eyes of the Dead Productions 2015

2014年始動、膨大な音源をリリースするゴアノイズレーベル Regurgitated Stoma Stew Productions を運営し、自身も数多くのプロジェクトで活動するアーカンソー州ラッセルヴィル出身 Bobby Maggard のプロジェクト。本作は始動直後の2014年の音源やリハーサル音源を集めたコレクションアルバム。後年はゴアノイズの作品が多いが、本作では比較的わかりやすいゴアグラインドの楽曲が収録されている。楽曲の系統としては Patisserie や Dysmenorrheic Hemorrhage に近く、デスメタリックなフレーズや王道ともいえるクラシックなフレーズを多く含んでいる。

Ghoul

人

We Came for the Dead アメリカ

Razorback Records 2002

2001年オークランドにて結成。Impaled のメンバーによる覆面バンドとして始まり、また以前はドゥームメタルバンド Noothgrush の Dino 等も在籍していた。本作は1st アルバムでジャケットを Jake Karns が担当し、また Megadeth のカバーも収録されている。サウンドは Impaled と共通したゴアメタルをプレイしているが、よりグルーヴ感やスラッシュメタル要素が強いのがこのバンドにおける特徴といえる。本作ではピッチシフター・ヴォーカルやグラインドコア的なパートも導入されているが、以降の作品では完全にスラッシュメタルへと移行した楽曲を中心にプレイしている。

Golem of Gore

人

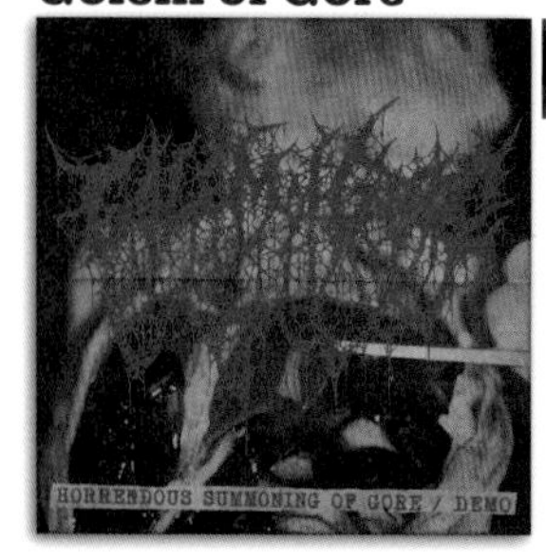

Horrendous Summoning of Gore アメリカ

Scimmia Bastarda 2018

2017年結成、グラインドコアバンド Grumo に在籍する Riki と Spermbloodshit の現ドラマー Davide を中心としたバンドで、音源によってはギタリストが参加することもある。結成から数年ですでに多くのスプリット、コンピレーションに参加しており、本作は初の単独作でデモ音源として位置づけされている。ノイジーなベースと素早いドラムがひたすら鳴り続けるゴアノイズ的サウンドを軸に楽曲を制作している。ほとんど休みなしで突っ走り続けるが一辺倒ではなく、時折グルーヴィーなフレーズやキメのフレーズが入り込むことで、ノイジーな中にも緩急が出来上がり、楽曲の完成度をさらに高めている。

Gorged Afterbirth

機

Gorged Afterbirth アメリカ

Soulflesh Collector 2009

2007年ペンシルバニア州にて結成。いくつかのゴアノイズ・プロジェクトやデスメタルバンド Extinction Protocol 等でも活動するメンバーが在籍している。本作は1st アルバムにあたる。スラムパートを多く導入している点からブルータルデスメタルからの影響が強く感じられるが、強烈なピッチシフター、下水道ヴォーカルやファニーな SE などゴアグラインドの要素も非常に多く詰め込まれている。ギターリフはデスメタル系統の掻き鳴らすようなスタイルのものが多く、時折速弾きのようなフレーズも導入されている。また1曲の中でテンポチェンジなどで雰囲気がガラッと変わる曲も存在する。

Haggus

人

Gore Gore...And More Gore アメリカ

Regurgitated Semen Records 2018

2014 年カリフォルニアにて結成。幾度かのメンバーチェンジを経ており、現在は 2 人体制で活動している。結成時から数多くの音源をリリースしており、本作は 1st アルバムで LP やデジタルフォーマットにて発売された。本作におけるバンド編成は 3 人で、ジャケットは Gruesome Graphx が担当した。高音スネアとピッチシフター・ヴォーカルが前面に出たクラシックなゴアグラインドをプレイしている。スタイルはグラインドコア寄りで他の音源では素早さを感じさせるものも多いが、この作品においてはミドルテンポを中心とした楽曲がほとんどで、ひたすらゆったりとグルーヴィーに進行している。

Heinous

人

The Basement アメリカ

Cianeto Discos 2018

2016 年アリゾナ州フェニックスにて数多くのデスメタルバンドに参加する Andrew Ferris らによって結成。スプリットなど多くの作品をリリースし、2018 年には来日も果たしている。本作は 1st アルバムにあたり、マスタリングをスラッシュメタルバンド Power Trip などを手掛ける Zachary Rippy が担当した。ファストなドラムに重厚なギターリフが絡むデスグラインド系の楽曲に、邪悪な下水道ヴォーカルが乗るゴアグラインドをプレイしている。Regurgitate 等に影響を受けた楽曲で音作りもオールドスクール風ではあるが、演奏はかっちりしており各パートのバランスも良い。

Hemdale

人

Rad Jackson アメリカ

Relapse Records 2002

1993 年クリーブランドにて結成。1997 年まで活動し、2013 年に活動再開するも現在は活動休止中。ドゥームメタルバンド Fistula やグラインドコアバンド Nak'ay でも活動するメンバーが在籍していた。本作はスプリット音源とデモ音源をまとめたコレクションアルバム。デスグラインドを基調としたサウンドに、ゴアグラインド的な重たさやグルーヴ感を加えた楽曲をプレイしている。楽曲ごとにデスメタル、グラインド要素の比率は変わっている。楽曲全体を通して非常に低音が響く弦楽器陣やシャウトを中心に、グロウルとの掛け合いが挟まれるヴォーカルが特に前面で表現されている。

Houkago Grind Time

人

Bakyunsified (Moe to the Gore) アメリカ

Outrageous Weeb Power Productions / Grindfather Productions / Psychocontrol Records 2020

デスメタルバンド Ripped to Shreds などでも活動する台湾系アメリカ人 Andrew によるソロプロジェクト。バンド名はアニメ『けいおん！』の「放課後ティータイム」からきており、曲名や SE にもアニメネタをふんだんに盛り込まれている。本作は 1st アルバムで、ジャケットはデスメタルバンド Morbid Angel の Azagthoth が『セーラームーン』のポスターとともに映っている写真を Andrew 自身が真似たもの。楽曲はゲストによるギターソロなどを組み込んだデスメタル風ゴアグラインドであり、Regurgitate などからの影響が窺える。またドラムは Andrew が演奏している。

Impaled

人

The Dead Shall Dead Remain アメリカ

Deathvomit Records 2000

1995年オークランドにて結成。バンド名は「Immoral Medical Practitioners and Licentious Evil-Doers」の頭字語。Exhumed等にも在籍していたSeanを中心にブルータルデスメタルバンドDeeds of Fleshにも在籍したJaredらが加入し、活動を開始する。本作は1stアルバムにあたる。Exhumed、Haemorrhageなどのゴアメタルサウンドにさらにメタル要素を加えた楽曲をプレイしている。グラインド風の速いパートやピッチシフター·ヴォーカルなどを導入しているが、プロダクションもクリアで曲もわかりやすく、非常にとっつきやすい作品である。

Impaled

人

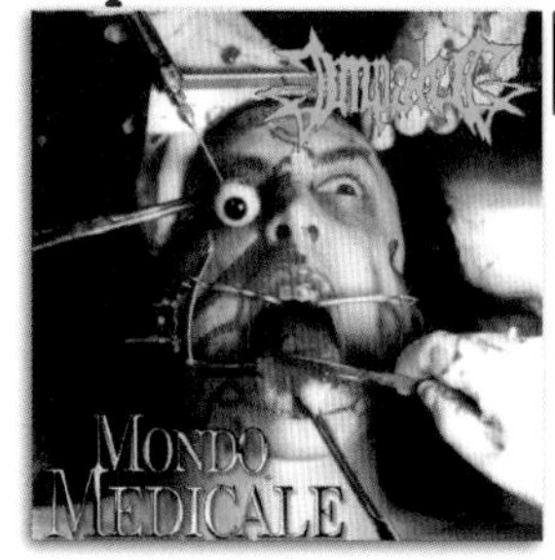

Mondo Medicale アメリカ

Deathvomit Records 2002

2002年発の2ndアルバム。前作でギターヴォーカルを担当したLeon（グラインドコアバンドPhobia、Nauseaに在籍していた）は一時脱退し、2013年に再加入している。本作ではブラックメタルバンドAltar the Skyでも活動するAndrewがギターヴォーカルを務めた。またマスタリングは多くのデスメタルバンドを手掛けるImperial Masteringにて行われた。サウンドは前作と同じくスラッシュ、デスメタルの要素を取り入れながらもリフなどはより邪悪なものになっており、ゴアグラインドらしさが増した作品となっている。また本作発売後の2006年には来日公演も行っている。

Impetigo

人

Ultimo Mondo Cannibale アメリカ

Wild Rags Records 1990

1987年イリノイ州ブルーミントンにて結成。Slow Deathという名前で結成され、その後現名義となり、1993年まで活動。2007年に20周年記念ライブを行うため再結成した。メンバー編成は結成時から再結成に至るまで一度も変わっていない。本作は1stアルバムにあたる。ホラー映画SEというものを使い出した最初期のバンドと言われており、ゴアグラインドを始めとする多くの後続バンドにこの文化が使われることとなった。サウンドはハードコアパンクテイストが漂うグラインドコアや、オールドスクールなデスメタルを基調とした楽曲をプレイしている。また少しおふざけっぽさも感じられる自由で幅広いスタイルのヴォーカルも特徴的である。

Impetigo

人

Horror of the Zombies アメリカ

Wild Rags Records 1992

1992年発の2ndアルバム。ライブ盤を除く正式な単独アルバムは本作以降発表されていない。本作も前作から引き続き幅広いジャンルを手掛けるPogo Studioにてレコーディングされた。今作はほとんどの楽曲の冒頭にSEが使われており、前作同様ホラー映画からのものや殺人犯へのインタビューなど、使われるSEの種類も増えている。前作のような自由なヴォーカルは入っておらず、サウンド面においても正統派なグラインド、デスメタルへと進化した楽曲が収録されている。また本作にはピッチシフター・ヴォーカルが使われており、後続のゴアグラインドバンドへの楽曲的な影響は本作の方が大きいと言える。

Intestinal Disgorge

人

Drowned in Rectal Sludge アメリカ

Lofty Storm Records 2000

1996 年サンアントニオにて結成。Liquid Viscera 等でも活動する Ryan を中心としたバンドで、現在はグラインドコアバンド Vaginal Bear Trap の Shane 等を加えた 3 人編成で活動している。本作は 1st アルバムにあたる。「発狂系」とも呼ばれる超高音シャウトが自由に暴れ回るスタイルが大きな特徴である。即興系のリフが多く、ノイズグラインドに分類されることもある。作品ごとでスタイルが変わっているが本作を含む初期の作品はスプラッター、ポルノ、スカトロな世界観で下水道ヴォーカルやミドルテンポなどを導入したゴアグラインドを基調とした楽曲を多く収録している。

Lipoma

機

Excision of Monstrous Lipofibroma アメリカ

Independent 2021

2021 年ニューヨーク市にて始動。いくつかのゴアグラインド、ブラックメタル・プロジェクトで活動している Max によるソロプロジェクト。本作はデビュー作にあたり、以降も短いスパンで EP、スプリットなど多くの作品をリリースしている。パソロジカルな世界観やマシンブラスト、汁気の多いピッチシフター・ヴォーカル等を導入したゴアノイズ的作風の楽曲を収録している。ギターリフがメタル、グラインドロックなど様々な要素を感じさせる、他にあまり類を見ない非常にキャッチーなフレーズになっているのが特徴的。またドラムのフレーズも幅広く、さらに打ち込みっぽさを感じさせないプロダクションにもなっている。

Liquid Viscera

人

Dead Body Obsession アメリカ

Bizarre Leprous Production 2019

2018 年テキサス州にて結成。Intestinal Disgorge の Ryan と Shane によるサイドプロジェクト。デモ音源を発表した後に本作が 1st アルバムとしてリリースされた。楽曲の根本は邪悪な雰囲気を醸し出しているデスメタルであるが、流れるようなブラストやグラインド流の転調やキメが映えるクロスオーヴァー的ゴアグラインド。展開やフレーズなどはグラインドロック調で、Butcher ABC などに近いものが感じられる。バンド名が表す通り、汁っぽさやドロドロした雰囲気も出しつつも、無駄のないこざっぱりした楽曲を収録したベテランならではの正統派な作品となった。

Lord Gore

人

The Resickened Orgy アメリカ

Horror Pain Gore Death Productions 2019

1998 年ポートランドにて結成。2006 年まで活動し、2017 年に活動再開した。現在の編成はデスメタルバンド Skeletal Remains の Pierce やブラックメタルバンド Blasphemy のライブサポートを務める Kevin らを擁する 4 人編成。本作は 2002 年、2004 年に発売されたアルバムを 1 枚に収録した作品。両作品ともジャケットには氏賀 Y 太の作品を使用している。ヘヴィでキャッチーなリフを多用したデスメタルを基調に、ホラー /SF 映画 SE やファストなブラスト、邪悪で血生臭いグロウルなど、ゴアグラインドらしさを組み込んだゴアメタル的楽曲をプレイしている。

コラム

超カルトレーベル Fecal-Matter Discorporated

Fecal-Matter Discorporatedはかつて存在したテキサス州ダラスに拠点を置いていたレーベル。ノイズを中心にグラインドコア、ゴアグラインドなど多種多様なジャンルの作品をリリースしていた。ごく少数のオブスキュアなリリースが特徴的で当時からカルト的な人気を博しており、現在ではもはや伝説的な存在となっているレーベルである。

CDRとカセットでのリリース

リリースは1991年から開始しており、グラインドコアやノイズ、ノイズグラインドのカセットの作品が大半であった。また『Bored-Core』と名付けられたコンピレーションも発売されており、展開や特徴のないまさしく「Bored（退屈）」なノイズやノイズグラインドのリリースを特に積極的に行っていた。またこの時期にはノイズグラインドの大御所であるTraci Lords Loves NoiseやSockeyeらが参加したスプリットもリリースしていた。1994年から2001年まではリリースが止まっており、また再開して以降はカセットが主流だったのに対しCDRでのリリースが大半を占めるようになる。リリース再開の1作品目はノイズを取り入れたサイバーゴアグラインドをプレイし、また曲名に日本語のエログロフレーズを使用していたBasket of Deathの1stアルバムであった。またこれ以降ゴアグラインドの作品が多くリリースされることとなり、翌年にはDecayのコレクションアルバムなどがリリースされている。

2002年発、Basket of DeathとPrincess Army Wedding Combatのスプリット。

日本アニメ活用、日本バンド多数参加

2004年には日本のアニメネタをふんだんに盛り込んだショートカットノイズプロジェクト Princess Army Wedding Combatのスプリット音源がリリースされた。Princess Army Wedding Combatは現在では言わばレーベルにおける看板的な存在になっており、その後もBasket of Deathや日本のノイズプロジェクトGroyxoとのスプリットなどが発売されている。以降はゴアグラインド、ノイズを中心に100作に近い音源がリリースされた。ゴアグラインドにおいてはExhumedのメンバー等が在籍していたグラインドコアバンドFuck the FactsとS.M.E.S.のスプリットや、Decayの音源をすべて集めたボックスセット、Libido AirbagやLymphatic Phlegm等が参加したサイバーゴアに焦点を当てたコンピレーション、Necro Tampon、Red Hot Piggys Pussys、Tumour、Amoebic Dysentery、Oxidised Razor等が参加した作品などがリリースされている。

日本のアーティストが参加している作品も多く、上述のGoroyxoやButcher ABC、デジタルグラインドバンドAbsurdgod、ノイズグラインドバンドNapalm Death Is Dead、また本書編集を担当している濱崎氏が参加しているNoismなどがFecal-Matter Discorporatedのリリースに携わっている。また作品が日本でも少数流通していたことから日本でもある程度の知名度はあ

2004年発、Abosranie Bogom、Amoebic Dysentery等が参加した『6-Way Scatalogical Splat』

り、ネット掲示板や個人のブログ等でリリースについて言及されたり、動画サイトに音源の動画がアップロードされたりしている。また当時は秋葉原の家電量販店で音源が販売されていたとの情報もある。

毎年非常に多くの作品をリリースしていたが、2008年を最後にレーベルの活動は停止している。日本においてFecal-Matter Discorporated作品を流通していた張本人の一人でもあるObliteration RecordsのNarutoshiが2021年発のエクストリーム音楽雑誌『GUT ZiNE vol.1』にて語っていたところによると、レーベルオーナーは2000年からAlarming Echo Beatsというノイズやアンビエントに特化したレーベルを両立し始めており、そちらに集中するためにFecal-Matter Discorporatedは停止したとのこと。その後2011年にはFecal-Matter Discorporated作品におけるPrincess Army Wedding Combatの音源を集めたコレクションアルバムがObliteration Recordsからリリースされている。

CDRの経年劣化、ネット視聴も不可

2000年代前半というゴアグラインドが進化の一途を辿っていた時代に、謎の多いバンドのリリースや一転豪華バンドが参加した作品をリリースするなど、Fecal-Matter Discorporatedは当時からまさしく掟破りなレーベルであったと感じられる。また現在では人気ジャンルの一つとなっているアニメゴアの元祖的な存在のバンドなど時代を先取った作品も多く、当時の日本においてはゴアグラインドの知名度を更に深めた重要な存在と言えるだろう。しかしながらごく少数でCDRという経年劣化により聴けなくなる可能性があるフォーマットでのリリースにより、音源は海外日本共にオークションにごくたまに現れる程度である。仮に現在手に入れられたとしても、20年近く前の作品が故に経年劣化で音源を聴くことができないという事態が発生している。多くの過去音源がネット上にアップされている現在においても、Fecal-Matter Discorporated作品はほとんどアップされておらず試聴することすらできなかったり、そもそもFecal-Matter Discorporated作品に一度だけ参加したが後の状況は不明というバンドが多い。レーベルや音源全てにおいて刹那的な存在になってしまったのは、非常に惜しいことである。当時から現在まで音楽性やフォーマットなどにおいて、反商業的だったことがわかるレーベルである。現在では深堀することはほぼほぼ不可能なものの、このようなレーベルがかつて存在していたことは忘れてはならない。

2005年発、40組近いサイバー、エレクトロ系バンドが参加している『The Cyber Killers Compilation』

Maggot Vomit Afterbirth

Encased in Festering Flesh
アメリカ

Jaded into Obscurity Productions / Subliminal Facial Productions / Horrendous Manifestation 2020

2020年テキサス州にて結成。Metrorrhagia の Zach を中心に結成された 3 人編成バンド。本作がデビュー作でミックス、マスタリングを Sebum Excess Production の Glésio が担当した。高音スネアのブラストが前面に出た Inopexia 系統のサウンドで、同時期に結成された Basic Torture Procedure などと比べると少々ゴアノイズ寄りと言える作品である。しかし、ヴォーカルの掛け合いやテンポチェンジ、またデスメタルのフレーズが度々入り込むことで曲の緩急がしっかりつけられており、アルバム単位ではなく曲単位としても楽しむことができる。

Meat Shits

Violence Against Feminist Cunts
アメリカ

Moribund Records 2002

1987年カリフォルニアにて結成。グラインドコアにポルノテーマを取り入れたジャンル、ポルノグラインドの元祖的存在でノイズグラインドバンドとして活動を始めたが、音楽性はデスメタル等のエッセンスを含んだスタイルへと変貌を遂げている。本作はバンドの創設者 Robert がヴォーカルを担当し、デスメタルバンド Infester をバックバンドとして迎えた作品である。サウンドは勢いのあるドラムにメタリックなギターが絡んだデスグラインドに近いスタイルだが、要所要所にゴアグラインド的な雰囲気も感じられる作品となっている。またほぼ全ての楽曲にポルノ SE が挿入されている。

Meat Shits

Fuck Frenzy
アメリカ

Moribund Records 2002

2002年発のアルバム作品。1992年にカセットでリリースされた作品にボーナストラックを加え CD として再発したものであり、パワーバイオレンスバンド Spazz の Max やグラインドコアバンド No Less のメンバーらが参加した作品。レコーディングを幅広いジャンルを手掛ける Patrick Olguin が担当した。本作もデスメタルを軸にしたサウンドながらゴアグラインドのエッセンスも感じられる作品で、ノイジーでバキバキなベースやピッチシフター等が特にゴアグラインドらしさを表現している。楽曲は長編のメタル系のものや短編のノイズコア的なものまで幅広く収録されている。

Methadone Abortion Clinic

Sex, Drugs, and Rotten Holes
アメリカ

Bizarre Leprous Production 2015

2004年ヴァージニア州ロアノークにて結成。4 人編成で、ギターを担当する Chase はゴアグラインドレーベル Utter Disgust Records を運営している。多くのスプリットに参加しており、本作が唯一の単独アルバムとなっている。ジャケットは Gruesome Graphx が担当し、グラインドコアバンド DSM の Connor がゲストヴォーカルとして参加している。Rompeprop の影響を強く感じるポルノ系 SE と、グルーヴィーなサウンドに下水道ヴォーカルが乗っかるスタイルで終始突き進んでいく作品。ゆったりした感じはなく、ファストなフレーズも多いのでアルバムを通して中だるみせずスパっと聴くことができる。

Metrorrhagia
人

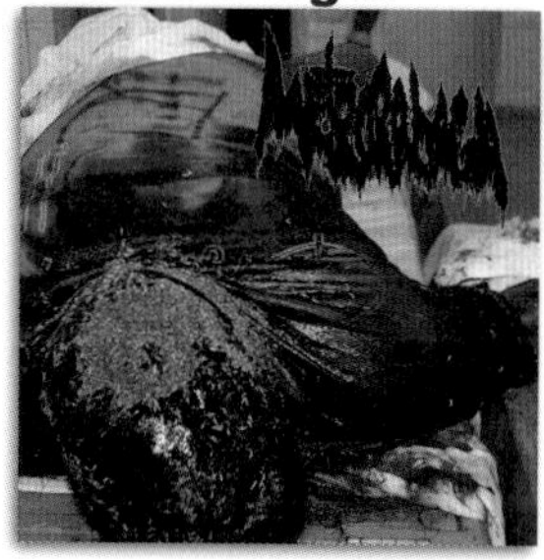

Metrorrhagia アメリカ
Horrendous Manifestation 2020

テキサス州オースティンにて数多くのプロジェクトを運営し、また数多くのバンドに在籍している Zach Fogle によるワンマン・ゴアグラインド。2016 年以降 EP、スプリットなどの音源をリリースし始め、2020 年に本作が 1st アルバムとして LP などの多くのフォーマットでリリースされた。ミックス、マスタリング、またゲストヴォーカルで Sebum Excess Production の Glésio が参加している。全体的にノイズに包まれたゴアノイズ寄りのサウンドであるが、決して一辺倒に続く楽曲ではない。また高音スネアによるブラストも耳馴染みが良いため、非常に聴きやすい作品である。

Miasmatic Necrosis
人

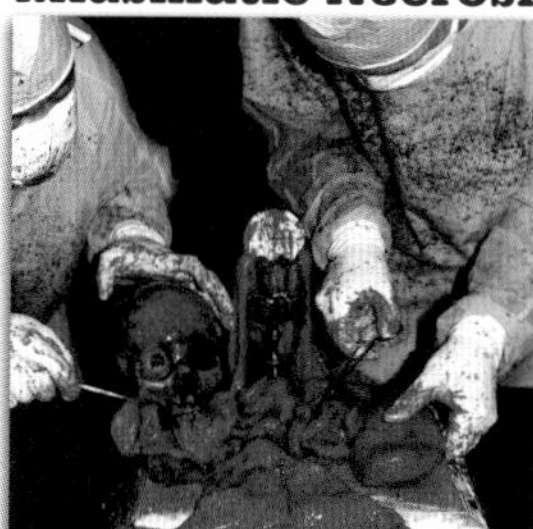

Apex Profane アメリカ
Goatgrind Records 2020

2020 年 結 成、 デ ス メ タ ル バ ン ド Biolich、Copremesis、Encenathrakh、Putrisect のメンバー、元メンバーらによるプロジェクト。デビュー作にして CD、LP、カセットと様々なフォーマットでリリースされた 1st アルバム。マスタリングは Will Killingsworth が担当した。Dead Infection の影響を受けたバンドは数多く存在するが、ほぼ完璧に Dead Infection の血筋を受け継いでいるのがこのバンドの特徴である。楽曲、サウンド面共に Dead Infection リスナーの琴線に間違いなく触れる出来栄えになっている。

Mortician
機

Chainsaw Dismemberment アメリカ
Relapse Records 1999

1989 年ニューヨーク州ヨンカーズにて結成。デスメタルバンド Incantation や Malignancy 等に参加していた人物らがメンバー / 元メンバーとして在籍している。本作は 2nd アルバムで、ジャケットはメタル系を多く手がける Wes Benscoter が担当した。デスグラインドに近い楽曲をプレイしているが、ホラー映画の SE をふんだんに使った作風や重低音が響く弦楽器サウンド、低音グロウルなど後年のゴアグラインドを始めとする多くのジャンルに与えた影響は非常に大きい。またマシンドラムを使った作風も後年の打ち込み、ソロプロジェクト等に多大なる影響を与えている。

Posthumous Regurgitation
人

Glorification of Medical Malpractice アメリカ
Rectal Purulence 2020

2017 年カリフォルニア州サンタアナにて結成。数回のメンバーチェンジを経ており、2019 年には多くのデス、ブラックメタルバンドに在籍する Kevin が加入した。デモ音源やスプリットを経て 1st アルバムにあたる本作がリリースされた。ジャケットは Karl Dahmer が担当しており、また、Butcher ABC のカバーも収録されている。General Surgery 影響下のオールドスクール・ゴアグラインド / ゴアメタルで、邪悪さを感じさせるデスメタルリフにグラインドコア流にひたすら疾走するブラストが続く。ヴォーカルもクラシックな高低ツインヴォーカルで非常に耳馴染みが良い。

Prosthetic Cunt

機

Fuckin' Your Daughter with a Frozen Vomit Fuck Stick アメリカ
Primitive Recordings 2000

1999年始動、グラインドコアバンドAgoraphobic Nosebleedの元ヴォーカルCarlとMortician、MalignancyのギターRogerによるプロジェクト。エイリアンを題材としており、後のSpermswampにも受け継がれる宇宙×ポルノ的な世界観を表現している。すべての曲がB級映画などのSEから始まり、Agoraphobic Nosebleedにも通ずるサイバーグラインド特有の爆速マシンブラストと、ゴアヴォーカルとシャウトによる掛け合いヴォーカルによって曲が構成される。ほとんどの曲が1分未満でグラインドコアの様式が感じられる。

Putrid Stu

人

Fully Fledged American Gastric Bypass アメリカ
Old Grindered Days Recs 2020

活動開始時期不明、デスメタルバンドSanguisugaboggのCodyによるソロプロジェクト。2018年より音源をリリースしており、本作は2020年までの作品を集めたコレクションアルバムである。リリースによってはゲストヴォーカルを迎えることもあり、Sulfuric CauteryのIsaacやSanguisugaboggのDevinなどが参加している。リリースによってスタイルも異なり、ミドルテンポの楽曲やひたすらブラストで突き進む楽曲、ゴアノイズ風の楽曲などが収録されている。またワンマンであるが、ドラマーによるプロジェクトということもあり、全て人力ドラムである。

Redundant Protoplasm

人

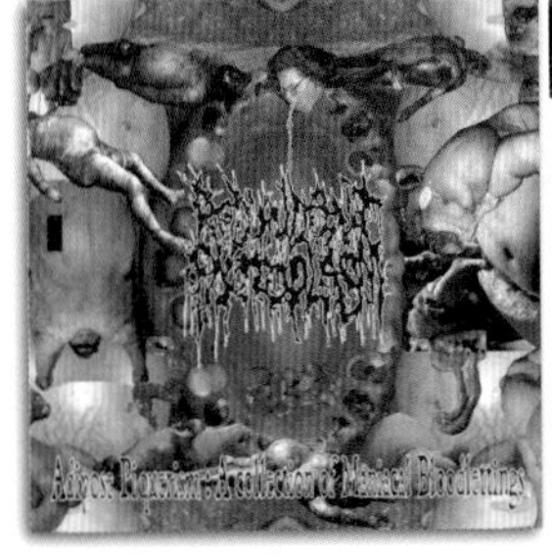

Adipose Piquerism: A Collection of Maniacal Bloodlettings アメリカ
Horror Pain Gore Death Productions 2020

2015年ヴァージニア・ビーチにて結成。デスメタルバンドNight Hag、Organ Trailのメンバーを擁する4人編成。本作がデビュー作でミックス、マスタリングをパンク、ハードコア系を多く手掛けるBob Quirkが担当した。またハードコアバンドSiegeのカバーも収録されている。サウンドはゴアグラインドを基礎としながらグラインドコア、デスメタル、ハードコアの要素を含み、さらに突っ走るパートとグルーヴィーなパートもバランスよく組み込まれている。デビュー作ながらすでにジャンルやゴアグラインドのスタイルを問わず、万人受けする楽曲を収録した作品になっている。

Serotonin Leakage

機

La Fuga De Serotonina アメリカ
Lymphatic Sexual Orgy Records 2020

活動開始時期不明、The Love Doctor名義で多数のプロジェクトで活動していたDoc Dankによるワンマンプロジェクト。2015年以降多くのスプリットやEPをリリースし、本作が1stアルバムにあたる。ゲストボーカルにHipermenorreaのJoseとアメリカのゴアグラインドバンドFentanyl SurpriseのSteveが参加している。曲名を全てローマ数字で表し、Vaporwaveの曲をSEとして利用するなどお洒落で退廃的な世界観だが、楽曲は下水道ヴォーカルやかっちりしたマシンブラストが印象的なオールドスクール・ゴアグラインドである。

Sikfuk

人

Gore Delicious　アメリカ
United Guttural Records　2002

2001 年ミネソタ州セントポールにて結成。現在はウィスコンシン州で活動している。一時期 Pocket Pussy Hash Pipe という名前で活動していた。以前はデスメタルバンド Invidiosus のメンバーらが参加していたが、現在は夫婦である Nik と Lezlie によるデュオ編成となっている。本作は 1st アルバムで、デスメタルバンド Nile などを手掛ける Bob Moore がレコーディングエンジニアを務めている。ブルータルな要素が前面に出たゴアグラインドをプレイしている。ベースの音がよく聴こえ、またところどころテクニカルなフレーズがあるという、一風変わった作風である。

Spinegrinder

機

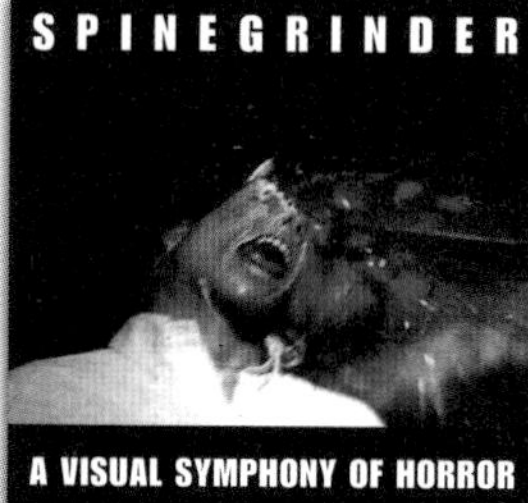

A Visual Symphony of Horror　アメリカ
Extremist Records　2001

活動開始時期不明、ペンシルバニア州ドイルスタウンにて始動。グラインドコアバンド Drogheda に在籍する Buddy によるソロプロジェクト。本作は 1st EP にあたり、本作リリース後の活動状況は不明。ブルータルデスメタルの要素が多く組み込まれており、プログレッシヴな展開が特徴的な楽曲をプレイしている。グルーヴ感を前面に出したリフを基調としているが、マシンブラストでスピード感を出したりメタリックなリフを導入するなど、様々なジャンルのエッセンスが混ぜ合わさったエクスペリメンタルな作品となっている。またヴォーカルはフランジャーのようなエフェクトがかかった少し特殊なものになっている。

Splatter Whore

人

City of the Sleazehounds　アメリカ
Obliteration Records　2009

2005 年イリノイ州イーストセントルイスにて結成。以前在籍していたメンバーは現在ブラックメタルバンド Xaemora などで活動している。本作はミニアルバムやスプリットを経ての 1st アルバムで、ジャケットを多くのスラッシュ、デスメタルバンドを手掛ける Shagrat が担当した。デスメタル影響下のゴアグラインドにロックテイストなサウンドを組み込んだグラインドロック的作品。ハードロック、パンクロック、ヘヴィメタル、スラッシュメタルなどのキャッチーなリフ、フレーズを取り入れつつ、ピッチシフター・ヴォーカルやシャウトなどからロウでダーティーな世界観をアピールした、唯一無二の作風で楽曲を作り上げている。

Splattered Entrails

機

Choking on the Rot　アメリカ
Morgue House Records　2007

2004 年ブルータルデスメタルバンド Expulsive Incision のメンバーによるサイドプロジェクトとしてニューヨーク州ロングアイランドにて結成。2021 年まで活動した。かつて Dysmenhorrea の Ulf などが在籍していた。結成当初は死体、ポルノ系のジャケットが多く、ゴアグラインド、ブルータルデスメタルをクロスオーヴァーさせたスタイルの楽曲をプレイしていたが、2010 年以降はジャケットの世界観共にブルータルデスメタルに完全移行している。本作は特にゴアグラインドの要素が強い高音スネアによるブラストと、ピッチシフター・ヴォーカルでひたすら突き進んでいく作品である。

Sulfuric Cautery

人

Chainsaws Clogged with the Underdeveloped Brain Matter of Xenophobe アメリカ

Goatgrind Records / Terrible Mutilation 2019

2015年オハイオ州デイトンにて結成。Hyperemesisを始めとする多くのゴアグラインドバンドに参加し、活動再開時のHemdaleにも在籍したIsaacやCouple SkateのTrashyらによる4人編成のバンド。多くのスプリットをリリースしているが、本作が1stアルバムとなる。人力では極めて速い分類に入るブラストが炸裂するハイスピード・ゴアグラインド。リバーブのかかった高音スネアが特徴的で、Last Days of Humanityの3rdアルバム等からの影響が特に感じられる。ゴアノイズに寄ることはなく、曲ごとのバリエーションも豊富で、さらにスッと耳に入る聴きやすいサウンドで聴き手を魅了する。

The County Medical Examiners

人

Forensic Fugues and Medicolegal Medleys アメリカ

Razorback Records 2002

2001年カリフォルニア州スコッツバレーにて結成。元ExhumedでグラインドコアバンドCretinでも活動するMatt Widenerのサイドプロジェクト。メンバー全員が現役医療関係者という情報で知られているが、おそらく設定上のものであり、実際のMatt以外のメンバーの詳細は不明。1stアルバムである本作では女性メンバーMichelleが参加しているということになっている。ジャケットからサウンドに至るまでCarcassに多大な影響を受けており、デスメタルの要素も取り入れたオールドスクールなゴアグラインドをプレイしている。プロダクションは整っており、バランスも良く聴きやすい作品となっている。

The County Medical Examiners

人

Olidous Operettas アメリカ

Relapse Records 2007

2007年発の2ndアルバム。前作でベースヴォーカルを担当したMichelleは医学部に専念するため脱退し、本作ではすでに還暦を越えた医療関係者であるDr. Guy Radcliffeが加入したということになっている。前作と同じくレコーディングをWorkshop Tillinghastにて行っており、ジャケットをOrion Landauが担当した。また本作のジャケットは擦ると屍臭が香るジャケットとなっている。前作同様高純度なCarcass影響下の楽曲を収録しており、今作は若干デスメタル要素が強まった作風となった。一方で2作とも影響が強く表れているがゆえリップオフとの意見もあり、賛否両論である。

Vomitoma

機

A Liquid Harvest of Putrefied Stomach Contents アメリカ

Alarma Records 2009

2008年始動。Steve Pekariによるソロプロジェクトとして開始し、現在はSmallpox AromaのGoredickなどゲストドラマーを迎えて活動している。またSteveは女性へと性転換しており、現在はJen Lazarusという名前で活動している。非常に多くの作品をリリースしており、本作は1stアルバムにあたる。また本作にはゲストとしてGangrene DischargeのBobbyがゲストとして参加している。ひたすら続く爆速マシンブラストと、ノイジーな弦楽器陣と下水道ヴォーカルによって埋め尽くされるゴアノイズ。しかし音質はクリアでバランスも良く、比較的聴きやすい作品である。

Waco Jesus

人

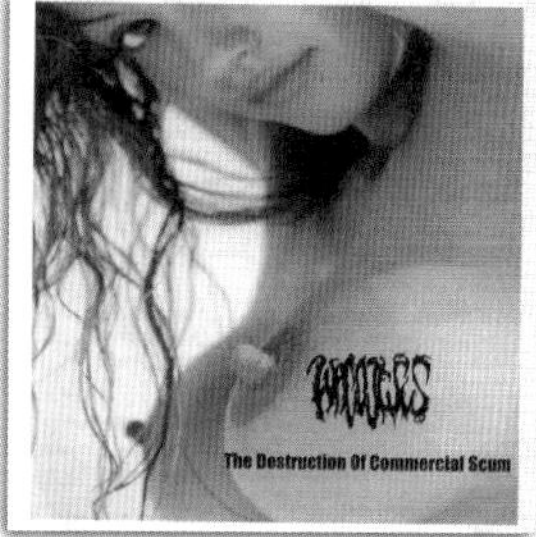

The Destruction of Commercial Scum アメリカ
United Guttural Records 1999

1993 年イリノイ州にて結成。Hot Stove として活動した後、1995 年に現名義となる。現在はデスメタルバンド Malevolent Creation の元メンバーなどが在籍しており、かつてはデスメタルバンド Lividity のメンバーや日本のデスメタルバンド Anatomia のメンバーも在籍していた。本作は 1st アルバムで、録音は Impetigo 等も手掛ける Sinewave Studio にて行われた。グラインド要素も含まれた比較的正統派なデスメタルをプレイしているが、ゴアグラインド的なグルーヴ感も時折導入されている。ジャケ、曲名等ポルノをテーマにしているが、ポルノ SE は使われていない。

XXX Maniak

機

Harvesting the Cunt Nectar アメリカ
Red Candle Records / Crooked Crosses 2006

2003 年フィラデルフィアのスラッシュメタルバンド Rumpelstiltskin Grinder の Matt が Michael Yale 名義で始動したプロジェクト。後年には日本のドゥームデスメタルバンド Coffins ともスプリットアルバムをリリースしている。1st アルバムである本作にはヴォーカルにグラインドコアバンド Brutal Truth の Rich、Prosthetic Cunt の Carl、デスメタルバンド Evil Divine の Jason が参加している。打ち込みではあるが、十分な重さを感じるインダストリアル風ドラムが奏でるブラストにクラシックなギターサウンドが乗る、とても力強いサウンドが特徴的な作品。

Zombified Preachers of Gore

The Full Regurgitation アメリカ
Dystopian Dogs 2022

1988 年ミシガン州ロイヤルオークにて結成。1991 年までの短期間活動していた。本作は長らく入手困難であった 1989 年から 1991 年に発表されたデモ音源や未発表音源を収録したコレクションアルバム。ゴアグラインド黎明期に活動していたバンドの一つで、デスメタル、グラインドコアの純粋なクロスオーヴァーでもあった初期ならではの楽曲をプレイしている。要素としてはデスメタルの毛色が強く、1989 年のデモはスラッシュメタルからの影響も感じられる。また 1990 年のデモでは打ち込みドラムを使用しており、エクストリーム音楽における非常に早い段階での打ち込み使用音源としても資料価値が高い。

Biological Monstrosity

Partus Anomalus カナダ
Goatgrind Records 2018

2004 年ケベック州ロンゲールにて結成。2009 年以降は Spermswamp の Benoît がドラムとして参加している。2015 年にはカナダにて開催された Obscene Extreme に出演した経験もある。スプリットへの参加が多く、本作が初の単独アルバム作品としてリリースされた。サウンドは Regurgitate 等の影響が窺える、パンキッシュでグルーヴィーなゴアグラインド。ファストなグラインドコア的フレーズが特に際立って聴こえるが、テンポをガクッと落とすビートダウンパートも導入されており、また音圧やプロダクションも相まって、力強さがずば抜けて感じられる作品になっている。

Gourmet

人

The Blast Supper カナダ
Grindfather Productions 2017

活動開始時期不明、ウィニペグにて結成。グラインドコアバンドArchagathusのRipley、Joeに女性ドラマーLeslieを加えた3人編成。本作は1st アルバムにあたる。バンド名、アルバム名、曲名全てが食べ物に関連しており、ライブではヴォーカルのJoeがテーブルの前に座り、食べ物を顔に塗りつけるパフォーマンスを行っている。楽曲はDead Infection系統のミドルテンポでパンキッシュなゴアグラインドをプレイしており、特にダーティーなピッチシフター・ヴォーカルが特徴的。ほとんどがショートカットチューンで、最初から最後までサクッと通しで聴ける作品である。

Grotesque Organ Defilement

Body Horror カナダ
Blastasfuk Grindcore 2015

2006年オンタリオ州ピーターボロにて結成。ソロプロジェクトとして始まり、その後バンド編成になるが人数は2～4人と移り変わる。4人時代にはグラインドコアバンドFuck the Facts、MesrineのSteveが在籍していた。本作はカバー4曲を含むアルバムでジャケットをPierre De Palmas、マスタリングをMesrineのJackが担当した。高音スネアによるブラストに始まるファストなフレーズに、下水道ヴォーカルと高低シャウトの掛け合いが加わる、グラインドコア流派を特に感じさせる楽曲をプレイしている。グルーヴィーな箇所もあり、曲の速さも変わるので、全編通して退屈させない作品になっている。

Holy Cost

The Taste of Taboo カナダ
Severed Records 2018

2008年モントリオールにて結成。現在オリジナルメンバーはドラムのMikeのみだが、他にブルータルデスメタルバンドEctopia Cordisで活動するメンバーらが参加している。2019年にはObscene Extremeにも出演した。メンバーは全員覆面を被り、ヴォーカルはさらに尼僧のコスプレという装いで活動している。多くのアルバム、スプリットを発表しており、本作は4th アルバムにあたる。ピッグスクイール、ピッチシフターの2通りのヴォーカルがリズミカルに挿入され、様々なリフやフレーズが作り出す、一貫してグルーヴィーでダンサブルなゴアグラインドをプレイしている。

Hyperemesis

人

Furious Scent of Dumped Rotten Offals カナダ
Cadaveric Dissolution Records 2017

2009年ブリティッシュコロンビア州キャンベル・リバーにて始動。多くのグラインドコアバンドに所属しているAndy Ringdahlを中心としたプロジェクト。基本はソロで活動しているが、Sulfuric CauteryのIsaacなどのゲストを迎えた音源も存在する。非常に多くのスプリットをリリースしている。パンキッシュなオールドスクール・ゴアグラインドをプレイしており、グラインドコアバンドAgathoclesに影響を受けたミンスコアの要素がとても強い。世界観はパソロジカルゴアだが、無駄なものを排除した荒々しくノイジーな演奏が特徴的である。またソロの場合でもAndyが生ドラムを担当している。

Meatus

人

The Triumphal Chariot of Antimony カナダ

Aggressive Valley Tapes 2012

活動開始時期不明、ウィニペグ出身グラインドコアバンド Archagathus の Joe によるワンマン・ゴアグラインド・プロジェクト。2010 年よりスプリットを含む数多くの音源をリリースしており、本作はデモ音源を除く初の単独作品である。多くの作品はいわゆるテープ音質であったり、極端に音割れさせたようなゴアノイズ的音源である。しかし本作はクラシックなデスグラインド系ギターリフと、ブラスト一辺倒ではないグラインド系ドラムが聴こえる比較的聴きやすい作品である。またテンポチェンジやビートダウンパートを取り入れたりと曲の構成もしっかりしており、サウンドの迫力と影響し合い、非常に聴きごたえのある作品となっている。

Moe Secretion

機

Live in Akihabara カナダ

Gyaru Guts Records 2018

活動開始時期不明、ラブラドール州セントジョンズ出身「Baka Gaijin」を名乗る人物によるワンマンプロジェクト。2014 年よりデジタルフォーマットにてスプリット等の楽曲をリリースしてきたが、本作は初めて CD として発売されたアルバム作品。自らのスタイルを「Moegrind」と称し、曲名、ジャケット等にアニメネタが多く散りばめられている。パンク風リフを多用したグラインドコア寄りの楽曲でその中でデスメタル風、ハードコアパンク風フレーズを入れ込み、多様に楽曲が展開する。ヴォーカルはゴアグラインド風低音と高音の掛け合いで、全体的な雰囲気としては Dead Infection に近い。

Necrotic Liquefaction

人

Necrotic Liquefaction カナダ

Terrible Mutilation 2019

活動開始時期不明、ウィニペグにて結成。Archagathus の Dan を中心にブラックメタル・プロジェクト Hellmoon を運営する Cavan らが参加する 3 人編成のバンド。本作はデモ音源的立ち位置の 1st EP。また Last Days of Humanity のカバーも収録されている。Regurgitate 等からの影響が感じられるグラインドコア寄りのゴアグラインドをプレイしている。ノイジーでロウな箇所もありつつも、ドラムのフレーズなどはキャッチーなものが多く、アルバム全体を通しても非常に聴きやすく、またサウンドからも力強さを感じられるような仕上がりになっている。

Spermswamp

機

Extreme Cream カナダ

Bizarre Leprous Production 2007

2001 年始動、ヴァイキングメタルバンド Les Bâtards du Nord などに所属していたケベック州ブロイユ出身 Benoît Lavallée によるワンマンプロジェクト。本作は 2nd アルバムで、2005 年以降よりジャケットに使用される宇宙テーマのポルノ画像が強烈なインパクトを与えた。ポルノ SE をふんだんに使用したエレクトロゴアだが、ギターのリフやドラムのパターンはオールドスクールなものから、グルーヴィーなものまで幅広くプレイしている。ヴォーカルは下水道ヴォーカル、豚声ヴォーカル、カエル系ヴォーカル、グロウル、シャウトとこちらも幅広く、一曲の中に様々なスタイルが詰め込まれている。

高速ブラストとグロイメージで一層過激化したメヒコゴアの第一人者

Disgorge

- Putrefact / C.A.R.N.E.
- 1994 ～現在
- メキシコ　ケレタロ州サンティアゴ・デ・ケレタロ
- (Gt, Vo) Edgar García / (Dr) Óscar García / (Gt) Markho Kim
  ex. (Dr) Guillermo Garfias / (Ba, Vo) Antimo Buonnano / (Ba) Hugore / (Gt, Vo) Gerardo / (Ba) Héctor

1994 年結成。同時期からすでに現地のデスメタルバンドにて活動していた Edgar García、Guillermo Garfias、Antimo Buonnano の 3 人によって結成された。結成時から 1997 年にかけていくつかのデモ音源を発表しており、中には Samuel というギタリストを迎え 4 人編成にて制作されたものもある。1997 年には 1st アルバム『Chronic Corpora Infest』をカセットにてリリース、翌年 CD にて再販される。その後、新たなデモ音源や Squash Bowels とのスプリットを経て、2000 年に 2nd アルバム『Forensick』がリリースされる。翌年には Cock and Ball Torture とのスプリットのリリースやヨーロッパ 10 ヵ国以上を周るツアーを行うなど活動はさらに活発になっていき、2003 年にはデスメタルからの影響をさらに強く感じさせる 3rd アルバム『Necrholocaust』をリリース。しかし 2004 年に、音楽面でもヴィジュアル面でもバンドにインパクトを持たせ続けていたベース & ヴォーカルの Antimo が脱退、以降は多くのデスメタルバンドにて活動を続けている。その後、新たなベーシストに Héctor、またギター & ヴォーカルに Gerardo を迎え、2006 年には 4th アルバム『Gore Blessed to the Worms』をリリースする。その後 2011 年に Haemorrhage とのスプリットがリリースされるが、同作品を最後に Guillermo、Gerardo が脱退。また新作の発表も以降止まっている。その後はドラマーに Edgar の兄弟である Óscar、ギタリストに現地デスメタルバンドで活動する Markho を迎えている。また 2012 年から 2016 年まではベーシストに C.A.R.N.E. の Hugore が参加していた。

Disgorge

人

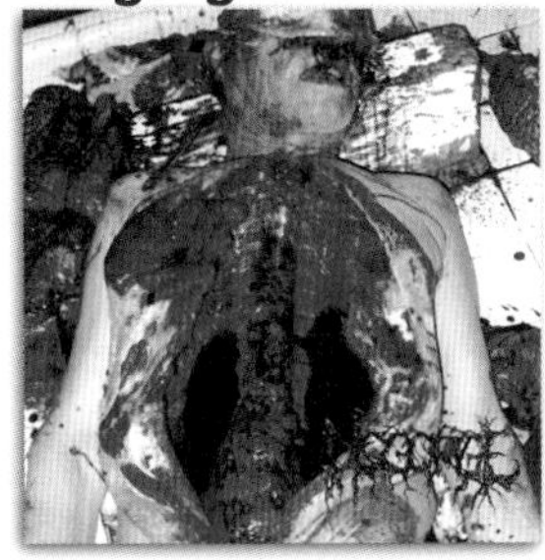

Chronic Corpora Infest メキシコ

American Line Productions 1998

1998 年発の 1st アルバム。レコーディングは現地のデスメタルバンドを多く手掛ける Tequila Studios にて行われた。またゲストヴォーカルにデスメタルバンド Pyphomgertum の元メンバーで、イラストレーターとしても活動する Alfonso が参加している。長めの SE から始まり、高速人力ブラストと高速で掻き鳴らすギターリフを中心に楽曲が構成されている。途中でテンポが落とされメロディックなリフなどが挿入されるも、すぐに元の素早いテンポに戻るスタイルが特徴的である。またロウなプロダクションやギターソロなどに見られる不気味な雰囲気からは、Carcass 等の影響が感じられる。

Disgorge

人

Forensick メキシコ

Repulse Records 2000

2000 年発の 2nd アルバム。メンバー、録音、ミックス等全て前作と同じ布陣にて制作されており、またゲストヴォーカルにデスメタルバンド Cannibal Corpse の George が参加している。作風は大まかには変わっていないが、前作よりさらに劣悪なプロダクションになっており、最前面に出たドラム、よりノイジーになったギター、そして若干埋もれがちになったヴォーカルが特徴的な作品になっている。しかしその音の悪さと性急なテンポチェンジが何度も行われるカオティックなサウンドが合わさった結果、ゴアグラインドの持つ残虐性が最大限に表された作品として高い評価も受けている。

Disgorge

人

Necrholocaust メキシコ

Xtreem Music 2003

2003 年発の 3rd アルバム。メンバーは替わらず、録音、ミックスを多くの現地デスメタルバンドを手掛ける Carlos Padilla とギターの Edgar が担当している。またジャケットは多くのデスメタルバンドを手掛ける Killustrations こと Björn が担当した。前作と比べると非常にクリアな音になっており、また各パートがバランス良く配置されたことで聴きやすくもなっている。楽曲面ではトレモロなどのメロディックなリフが増え、デスメタルらしさがより色濃く表現された作品になっている。しかしテンポチェンジや邪悪なヴォーカルなどは本作においても健在である。

Disgorge

人

Gore Blessed to the Worms メキシコ

Xtreem Music 2006

2006 年発の 4th アルバム。オリジナルメンバーの Antimo が脱退し、新たにギタリスト、ベーシストを迎え 4 人体制となり、制作された最初の作品。録音を多くのデスメタルバンドを手掛ける Inzonic Music Lab にて行い、ジャケットをブルータルデスメタルバンド Wormed にも所属する Phlegeton が担当した。前作から引き継がれたデスメタルを基調としたサウンドに、ブルータルさがさらに加わった楽曲をメインにプレイしている。ブラストなどのファストなパートやギターリフに勢いやアグレッシブさが増したことで、グラインド要素が再び表れるようになった作品である。

コラム アメリカのライバル、ブルータルデスメタルの Disgorge

Disrorge (US)

メキシコの Disgorge 以外にも、世界には Disgorge と名の付くバンドが複数存在していることをご存じだろうか。中でも有名なのはカリフォルニア州サンディエゴ出身の Disgorge。1992 年の結成からブルータルデスメタルをプレイしており、技巧派の演奏で特に人気を博した。

特にブルータルデスメタルの中でもスピード感を重視したスタイルの重鎮的な存在として、シーンをリードした。その影響力は絶大で、現在インドネシアは世界有数のブルータルデスメタル大国へと成長したが、同国の大半のバンドが「Disgorge 系」と呼ばれるほどである。

また 2006 年の解散までに在籍したメンバーの多くは、その後も Abominable Putridity を始めとする著名なブルータルデスメタルバンドに所属している。メキシコの Disgorge と合わせて二大巨頭のような立ち位置にあり、両者はしばしば「Disgorge (US)」「Disgorge (Mex)」と称される。しかしながらゴアグラインドファンにとっては「Disgorge」といえばメキシコ、ブルータルデスメタルファンにとってはアメリカという認識がすでに染みついている。従ってわざわざ国名を言わずとも話が通じる場面も多い。またエクストリーム音楽全体で見れば、両者とも比較的音が似ている為、両方を好むリスナーが多いが、一部には熱狂的に一方の Disgorge を支持し、もう一方に対して否定的なファンもいるので、話題にする時はとりわけ慎重さを要する。さらにジャンル外の人たちからは混同されることも多いので、その点も注意が必要である。

その他の Disgorge

1990 年結成、グラインドコアバンド Warsore のメンバーが在籍していたオーストラリアの Disgorge (通称 Egrogsid) はプリミティヴなグラインドコアをプレイしており、Catasexual Urge Motivation や Gore Beyond Necropsy とスプリットをリリースしたことでも知られている。また解散から 20 年以上経った 2022 年に全ての楽曲を収録したコレクションアルバムがリリースされた。

Disrorge (Argentine)

1995 年結成、オランダの Disgorge はゴアの要素も感じられるデスグラインドをプレイしていた打ち込みドラムを導入した 2 人組バンド。またメンバーは後に Inhume にも参加している。

グラインドコアバンド Agathocles とスプリットをリリースしているベルギーのハードコアバンド Disgorge やブルータルデスメタルバンド Harmony Dies のメンバーが在籍していたドイツのデスメタルバンド Disgorge、他にもアルゼンチン、ノルウェー、スウェーデンなど多くの Disgorge が存在している。

Intestinal Disgorge などバンド名の一部に「Disgorge」を含むバンドも数えると更に増える、人気のワードなのである。

ロウ&ダーティーで危険な雰囲気を醸し出すメキシコゴアの実力者

Oxidised Razor

● Red Hot Piggys Pussys
● 1998 〜現在
● メキシコ　メヒコ州ネツァワルコヨトル
● (Ba) Chapetes / (Dr) Jona / (Gt) Aarón / (Vo) Adrian
ex. (Vo) Jhony / (Dr) Luis / (Ba) Luisa / (Ba) Alex / (Ba) Kei / (Ba) Gato

1998 年結成。バンド名は Carcass の楽曲「Oxidised Razor Masticator」から取られている。Luis、Aarón、Jhony に女性ベーシスト Luisa という編成で結成され、2000 年にはリハーサル音源を集めた最初のデモ音源が発表される。2001 年には 1st アルバム『La Realidad Es Sangrienta』をリリースし、このアルバムをきっかけに多くの国に存在をアピールすることとなる。2003 年には当時グラインドコアバンド Anarchus にも在籍していた日本人ベーシスト Kei Onishi を迎え、2nd アルバム『...Carne ... Sangre...』をリリース。その後も C.A.R.N.E. や Autophagia とのスプリットのリリースや現地メキシコでのフェス出演などを経験し、2006 年には Luis、Aarón、Jhony の 3 人編成で制作された 3rd アルバム『Los Vendedores De La Muerte』がリリースされる。2007 年以降は新たなベーシスト Luis M. が加入し 4 人体制が復活したが、2010 年に発売された 2 Minuta Dreka とのスプリットは Aarón、Jhony に新ドラマー Jhona を迎えた 3 人で制作され、その後同年に発売された Vulgaroyal Bloodhill とのスプリットや 4th アルバム『Rise of the Worms』には新ベーシスト Alex が参加している。しかし翌年には Alex が脱退、しばらくは 3 人編成での活動となる。2018 年には Jhony が脱退し、後任ヴォーカルに Adrian、ベーシストに Chapetes が加入。同年約 8 年ぶりの新アルバム『Mors Vehementi』を発表する。その後も現地でのライブ活動や音源発表を続けながら現在まで活動している。

Oxidised Razor

人

La Realidad Es Sangrienta メキシコ
American Line Productions 2001

2001年発の1stアルバム。初代ベーシストのLuisaが参加している唯一のアルバム作品である。ブラックメタルバンドLustに在籍するMauricioがレコーディングを担当し、マスタリングをDisgorge等も手掛けるHectorが担当した。サウンドはDisgorgeの影響が感じられるホラー映画SEや、ノイジーな弦楽器隊が特徴的なゴアグラインド。プロダクションや音質は粗めでジャケット、ブックレット等からも不気味で血生臭い雰囲気が漂っているが、Gutのカバーが収録されるなどグルーヴィーな側面も表れており、一曲一曲が全てちゃんとした楽曲として成り立っている。

Oxidised Razor

人

...Carne ... Sangre... メキシコ
Obliteration Records 2003

2003年発の2ndアルバム。日本人ベーシストKeiが参加した唯一の作品で、日本で流通したフィジカル盤では彼によるメキシコグラインドシーンのレポートが封入されている。レコーディングは現地のパンク、グラインド系バンドを手掛けるEddy Hernandezが担当した。ホラー映画SEなど不気味な雰囲気は引き継いでいるが、前作ほどの音質の悪さはなく、クリアでバランスの取れたプロダクションになっている。サウンド面ではグルーヴィーなパートに続いて、ノイズグラインド風のカオティックで勢いのあるブラストなども挿入されている。ヴォーカルも強烈なピッグスクイール、豚声ヴォーカルへと変貌している。

Oxidised Razor

人

Los Vendedores De La Muerte メキシコ
Deus Mortuus Productions 2006

2006年発の3rdアルバム。本作ではベーシストは参加しておらず、ギターのAaronが同時にベースも担当している。前作から引き続きレコーディングをEddyが担当している。ハードコアバンドSiegeやMachetazoのカバーが収録されているように、サウンドはパンク、グラインドコア方面により近づいたものになっている。しかし、グルーヴィーなパート、豚声ヴォーカル、ブラストなどは健在でゴアグラインドとのクロスオーヴァーが上手く表現された作品になっている。またプロダクション面は前作と比べるとロウなものになっているが、バランスの良さやクリア加減は引き継がれている。

Oxidised Razor

人

Rise of the Worms メキシコ
Vectorscoope Records 2010

2010年発の4thアルバム。本作では新たにドラムにJona、ベースにAlex（単独アルバム作品は本作のみの参加）を迎えている。レコーディングはAaronが運営するAudio Rec Studioにて行われた。収録されている曲名は全て「WORM（蛆）」を冠したものになっている。デスメタルのエッセンスや、よりアグレッシブで勢いの増したブラストが新たに追加された楽曲群が特徴的である。ヴォーカルも豚声ヴォーカルに加えてピッチシフター・ヴォーカルや下水道ヴォーカルなども挿入されており、音楽性や表現力の幅がさらに広まったことが感じられる作品になっている。

Oxidised Razor

人

Mors Vehementi メキシコ

Bizarre Leprous Production 2018

2018 年発の 5th アルバム。オリジナルメンバーの Jhony に代わり新ヴォーカリストの Adrian、ベーシストに Chapetes を迎えて制作された作品。また Regurgitate や Gore Beyond Necropsy のカバーが収録されている。本作では Dead Infection 系統のどちらかといえば、グラインドコア寄りのクラシックなゴアグラインドが収録されている。グルーヴィーなパートも多く聴きやすい、言わばお手本のようなゴアグラインドをプレイしており、従来の作品にあったような不気味さはほとんど感じられなくなっている。ヴォーカルは基本ピッチシフター・ヴォーカルのみで構成されている。

Red Hot Piggys Pussys

機

Red Hot Piggys Pussys メキシコ

Diablos Recs. / Bazar Rock Prod. / Ataque Fecal Productions 2004

活動開始時期不明、メキシコシティにて結成。Oxidised Razor でも活動する Aaron、Jhony によるデュオユニット。2003 年よりスプリットを中心に音源をリリースし始め、本作は唯一のアルバム作品である。Kots や S.M.E.S. にも共通するチープなエレクトロサウンドやマシンドラムを導入したサイバーゴアグラインド。またポルノゴアでもあり、曲頭や曲中など余すことなくポルノ SE が使われている。リズミカルなヴォーカルなど基本的にはグルーヴィーに曲が進んでいくが、ドラムはプログレッシヴな一面もあり、決して一辺倒ではなく様々なアプローチが感じられる。

Aaron (Oxidised Razor) (前ページ写真右) インタビュー

Q：エクストリーム音楽やゴアグラインドに出会ったのはいつでしたか？　またどのようにしてバンドを始めるに至りましたか？

A：やあ、Aaron だよ。そうだな、僕は 13 ～ 14 歳ぐらいの時にメキシコのロックバンドだったり、KISS や Rolling Stones などのクラシックなロックバンドに出会ったんだ。そして学校の友達がもう少しアンダーグラウンドなロックを教えてくれたりもした。その後 Napalm Death のカセットをマーケットで見つけた時から、お分かりの通り人生が変わってしまったよ。次に出会ったのは Carcass、そこからは魔法のドラゴン「パフ」に魔法をかけられたようだったね。僕がバンドを始めたのはビデオを通して古いバンドの映像だったり、ゴア関連の描写を見ていたからだね。僕が子供の頃、今は亡き父が何冊かの新聞とあの有名な『Alarma!』を買って帰ってきた時のことをよく覚えているよ。僕はそれを全部読んでそういったものにハマっていき、今もゴアに関するものをやり続けているよ。

Q：あなたの音楽歴がクラシックなロックバンドから始まっていたとは驚きです。あなたのプレイングや作曲にもそういったロックバンドからの影響は表れているのでしょうか？　またサイドプロジェクト等でクラシックなロックをやったことはありますか？

A：いや、それはないね。僕の音楽に関しての影響はずっとグラインドのバンドからでロックからは受けてないね……。そしてロック関連のプロジェクトもやったことはないよ。

暗殺など……メキシコでは日常茶飯事なんだ

Q：あなたはギター、ベースに時々ヴォーカルといろいろなパートを担当していますが、それらを始めたのはいつからですか？　また他に演奏できる楽器はありますか？

A：僕はヘヴィなリフやチューニングなどの多くのギターコードが好きだからね。もちろんゴアヴォーカル（Carcassを始めとする）も好きだけど、やっぱりギターの方が好きだしそっちに集中していきたいね。ベースも同じだね。でもここ最近（エフェクトありで歌うことがつらくなりだした3、4年前ぐらい）高校生時代の11、12年ぶりに少しだけドラムをやり始めたよ。子供の頃はすごく好きだったんだけど、ドラムセットを買うお金は持ってなかったね。そして買えるようになったのもとても遅かったよ（笑）。

Q：Oxidised Razorに関して特に影響を受けたバンドは何ですか？

A：お分かりの通りNapalm DeathとCarcassの1stアルバム、それから90年代の素晴らしいバンドたちだよ。Terrorizer、Assuck、Xysma、Impetigo、Fear of God、Pungent Stench、Cannibal Corpse、Agathocles、Bloodなどなど……。

Q：Oxidised Razorはジャケットに死体写真を何年も使い続けていますが、どのように選んでいますか？　またジャケットに対するこだわりなどはありますか？

A：そうだな、メキシコで生活するということはいつも死と隣り合わせということにもなるんだ。暴力、麻薬、暗殺など……メキシコでは日常茶飯事なんだ。

Q：アルバムの録音やタイトル、テーマ決めなどはどのように行っていますか？

A：全部僕がやってるよ。若い頃はより露骨な表現にしたくて、今は顔面にパンチするぐらいにブルータルにという感じかな（笑）。これらは現実とはある意味第三世界だということの説明にもなっているよ。

Q：Oxidised Razorは多くの作品をリリースし、ライブ活動も多く行っていますが、長い間バンドを活動的にすることの秘訣などはありますか？

A：そうだね、2022年には活動24年目になるよ。僕は同じ感性を持ち続ける良い友達を持つことが大切だと思うよ。僕らは同じ町に住んでいて、リハーサルやライブ

でもとても良い時間を過ごせて、そしてたくさん酒も呑んで（笑）。これこそが秘訣かな、「良い友達を持つこと」！

Q：あなたは Red Hot Piggys Pussys でも活動していますが、どのように始まりましたか？

A：そうだね、僕がとても若かった頃、いろいろ経験してみたかったんだ。でもあまりカッコよくはなかったね。退屈な曲ばかり。だから Red Hot Piggys Pussys は死んだことにしたんだ。ただ楽しむためだけのポルノゴア・プロジェクトという感じだったね。

Q：メキシコのゴアグラインドは他の国と比べてもとてもブルータルだと思います。そしてそれはメキシコは危険な場所や安全でない地域も多く、また『Alarma!』等で簡単に残酷描写を見ることができるからだとも思っています。メキシコのゴアグラインドに関してどうお考えですか？

A：そうだね。先ほども言った通りメキシコは危険な国だ。そしてそういった危険な地域の生の情報を見せつける雑誌も存在している。『Alarma!』は今休刊していて、他の雑誌もほとんどないけど……。でもこれこそがメキシコのゴアが有名な理由だよ。全部「リアル」なんだ。

Q：あなたが先ほど話していた子供の頃に『Alarma!』に出会ったというのも日本人からしたら衝撃的だと思います。メキシコでは幼少期から雑誌などで残酷描写に触れるというのは普通のことなのでしょうか？

A：実のところメキシコではそういったことはほとんど関係がないんだ。たとえ雑誌が「18禁」だったとしてもね。そしてそういった残酷描写を表した雑誌や新聞などは 30 年以上前から存在していたけど僕は一度も気にしたことはなかったね。僕の父が仕事帰りに『Alarma!』や『LA PRENSA』を買って帰ることも本当に普通のことなんだ。それらは本当にブルータルだったけど、でもだからこそ僕はそれらに出会った。父は僕にそういった雑誌類を買いに行かせたこともあって、少し大人になってからだけど毎月 15 日に買いに行ってたこともあるよ（笑）。

Q：あなたが住んでいる町はどうなのでしょうか？　長い間バンド活動ができているということは比較的安全な場所だと思うのですが……。

A：もちろん。もし君たちが僕の街で生まれたとしても、成長したり発達していくのは他と比べても易しいと思うよ。街のみんなもそこまで問題を抱えていないし、たくさんビールもあるしね（笑）。僕らは自分たちのリハーサルルームを 10 年以上持ち続けているからバンド活動もとても簡単にできるね。

Q：あなたは最近のゴアグラインド / グラインドコアを聴いていますか？　また最近のバンド、シーンについてどう思っていますか？

A：いろいろなバンドを聴こうとはしているよ。良いものもたくさんあってクソなものもたくさんあるけど、今はバンドとかプロジェクトをチェックするのがとても簡単になったね。ヨーロッパのシーンはいつだってとても強いと思っているよ。他の国はメキシコ並みに貧弱だね。

Q：日本に対する印象と好きな日本の音楽を教えてください。

A：日本の音楽は大好きだよ！　いつか日本にも訪れてみたいね。僕のお気に入りは Gore Beyond Necropsy（カバーをやったこともあるよ）、S.O.B、Final Exit、C.S.S.O.、Vulgaroyal Bloodhill（一緒にスプリットも出したね、元気にしてるかな　）、Framtid、Confuse、Gibbed、Multiplex、Mortify など……。

Q：最後に日本のゴアグラインドファンへ一言どうぞ。

A：日本のゴアグラインド / グラインドコアシーンを愛しているよ。日本にいるたくさんの仲間たちとこのインタビューにご挨拶と熱い抱擁を。ありがとう。

Amphibian

機

Lust of the Bufo's メキシコ

Lymphatic Sexual Orgy Records 2017

活動開始時期不明、Septic Autopsy の Carlos によるソロプロジェクト。2011 以降グラインドコアバンド Agoraphobic Nosebleed のメンバーが運営する Grindcore Karaoke などから主にデジタルフォーマットで音源をリリースしており、本作は 2017 年に発売された 2nd アルバム。「両生類」を表すバンド名やジャケット、曲名から分かる通りカエルをテーマにしたエレクトロ・ゴアグラインド。S.M.E.S. 風の耳に残りやすいヘンテコ・テクノサウンドとカエル直系のゲロゲロヴォーカルが特徴的。音色も安っぽくはあるが音の種類は幅広く、曲ごとに違った印象を持たせている。

Bizarre Ejaculation

機

An Insane Tribute to All Acts of Perverted Sexuality メキシコ

Rotten Foetus Records / Deranged for Leftovers Productions / Goretomb Records 2015

2009 年始動、Septic Autopsy の Carlos と Vaginotopsy のヴォーカル Leo によるプロジェクト。多くのスプリットに参加しており、本作は 1st アルバムにあたる。Satan's Revenge on Mankind や Torsofuck のカバーも収録されており、Cock and Ball Torture 等のいわば王道ポルノゴアの影響を受けた楽曲をプレイしている。チープではあるがエレクトロっぽさが漂う打ち込みサウンドは、数多くのエレクトロゴア、打ち込みプロジェクトを運営している Carlos らしいものと言える。またギターの音作りやヴォーカルからは Kots に近いものも感じられる。

C.A.R.N.E.

人

The Taste of Latex メキシコ

Embrace My Funeral Records 2004

2000 年メキシコシティにて結成。Disgorge やグラインドコアバンド Anarchus の元メンバーでデスメタルバンド Putrefact でも活動する Hugore が在籍している。本作は 1st アルバムで、レコーディングをデスメタルバンド Foeticide に在籍し、エンジニアとしても活動する Miguel Angeles Tavera が担当した。グルーヴィーなポルノゴアをプレイしているがファニーな要素などはほとんど感じられず、デスメタルのエッセンスを加えた骨太でヘヴィなサウンドが特徴的。しかしヴォーカルは様々なスタイルでリズミカルに乗っかっており、ノリの追求も忘れずに表現されている。

Dismenorrea

人

Descomposicion Intrauterina De Secreciones Menstruales Excretadas Neoplasicamente Obitando Residuos Rancios Engendrados Anormalmente メキシコ

Diablos Recs. / 666 Records 2009

2005 年モンテレイにて結成。ベーシストやピンヴォーカルがかつて在籍していたが、2017 年前後より 2 人体制で活動している。また縦型という珍しいロゴの持ち主でもある。本作は 1st アルバムで 3 人編成時代の作品である。同郷の Oxidised Razor や Hipermenorrea などからの影響が感じられる楽曲をプレイしている。ロウでダーティーなプロダクションの下、ギターソロなどを多く導入したデスメタル風のパートやミドルテンポのパートを基調とし、時折ブルータルなエッセンスを感じる重いパートなどが導入されている。ヴォーカルはピッチシフター・ヴォーカルで、他に類を見ないほど超低音に処理されている。

Enjoy My Bitch!

機

A Bitch Romance メキシコ

Sevared Records / Butchered Records / Brutal Musick Prods 2012

2004年キンタナ・ローにて結成。Obscenoの元メンバーでAnal Fucking Whoreというゴアグラインドバンドとしても活動するEduardoのソロプロジェクトとして始まり、現在はデュオ編成となっている。スプリットなど多くの音源をリリースしており、本作は1stアルバムにあたる。ポルノゴアではあるがジャケ等でも直接的な描写は少なく、サウンド面もデスメタル寄りの邪悪な楽曲が主である。様々な要素を含んだフレーズを奏でるインダストリアルなマシンドラムと、プリミティヴなギターが特徴的で、この手のジャンルでは珍しい暗黒さと重苦しさを前面に出した作品となっている。

Fecalizer

人

Zombie Mankind Extermination メキシコ

Bizarre Leprous Production 2014

2003年ナヤリット州テピクにて結成。現在はVisceral Grinderのメンバーやデスグラインドバンド Ripping Organsのメンバーを擁する3人編成のバンド。多くのスプリットを経て本作が1stアルバムとして発売された。ジャケットは多くのメキシコデス/グラインドバンドを手掛けるRay Rottenが担当した。Disgorgeからの影響を存分に窺えるホラー映画SEやメタリックなギターソロ、ヴォーカル、ブラストなどを使い、メキシコ・ゴアグラインドの伝統や特徴を継承している。カウベルなどを使用したグルーヴィーなパートなどを導入し、バンド独自の色を表現している。

Fetal Deformity

人

A Variety of Horrendous Pathogenesis and Premature Death Cases メキシコ

Grotesque Records 2021

2007年メキシコにて結成。3人編成のバンド。フィジカル盤、デジタル共にスプリット作品を多くリリースしており、本作はデモ音源、ライブ盤を経ての単独作品である。マスタリングをPutrid StuのCodyが担当し、ジャケットをPierre De Palmasが担当した。サウンドはピッチシフターやゲロゲロヴォーカルと、高音スネアによるブラストが目立つオールドスクールなゴアグラインド。初期の作品はゴアノイズの作品も多かったが本作はRegurgitateやAutophagiaの影響下の比較的クラシックな作風で、プロダクションのバランスも良く、聴きやすい作品である。

Gore and Carnage

人

Ruidos Para Descuartizar, Mutilar, Decapitar Y Convivir En Familia メキシコ

Alarma Records 2009

2005年プエブラにて結成。2019年には来日公演も行っている。本作は1stアルバムで、ストーリー性のあるジャケットはGorenology Designが担当した。またGronibardや有名グロアニメ『Happy Tree Friends』のオープニング曲のカバーも収録されている。リズミカルなピッグスクイールや、裏声ヴォーカルを基調としたCock and Ball Torture等からの影響が感じられるグルーヴィー・ゴアグラインドをプレイしている。ファニーな要素も多く挟まれているが、ずっしりとしたビートダウンやブルータルなフレーズも含まれており、多面的で特に力強さが感じられるサウンドになっている。

Hipermenorrea

人

Lymphadenectomy for Carcinoma of the Esophagus and Gastroesophageal Junction メキシコ
Alarma Records 2007

2002年ミチョアカン州サモラ・デ・イダルゴにて結成。Lymphatic Sexual Orgy Recordsを運営するJoseがドラムヴォーカルとして在籍している。一際目を惹くグロテスクなジャケットからも判る通りDisgorge等に始まる同郷のバンドからの影響が随所に表れている。大半の曲が長めのSEから始まり、楽曲は素早い人力ブラストとノイジーでデスメタリックなギターによって構成されている。ヴォーカルはノンエフェクトながら、非常に邪悪な出来栄えである。またParacocci…影響下と言えるグルーヴィーなフレーズも多く含まれており、この系統では珍しくRompepropのカバーも収録されている。

Lord Piggy

機

Mundo Enfermo メキシコ
Independent 2016

2006年チワワ州チワワにて結成。ヴォーカルのMr. Piggyを中心としたバンドでブルータルデスメタルバンドIatrogeniaの元メンバーらが所属していたが、2018年に大幅なメンバーチェンジを行い、ブルータルデスメタルバンド巨人大虐殺やデスメタルバンドMisericordのメンバーらが加入する。2019年には来日公演も果たしている。主にデジタルフォーマットで現在まで多くの音源をリリースしている。本作は打ち込みドラム3人編成時代の音源。スラミングブルータルデスとゴアグラインドを混ぜ合わせたような楽曲に、バンド名に恥じない強烈なピッグスクイールが乗っかるスタイルが特徴的。

Marraneitors

人

Rebelion En El Chiquero メキシコ
Vroom 2016

活動開始時期不明、サン・ルイス・ポトシ州にて結成。以前は4人編成であったが現在は3人で、また全員同じ苗字を名乗っているが関係性は不明。本作が1stアルバムにあたり、デモ音源も収録され、リリースされた。楽曲はグルーヴィーなゴアグラインドをプレイしている。スラムパートもあり、系統としてはSpasmなど比較的最近のグルーヴィーゴアの影響が感じられる。プロダクションも非常にバランスが良く、聴きやすい仕上がりである。またライブでは全員チェックのシャツに、ジーンズ、テンガロンハットというザ・メキシカンな装いでパフォーマンスを行っている。アルバムのSEもメキシコ由来と思われるものが多い。

Matanza

機

Sangriento メキシコ
Nothing Left but Chunks / Gore Cannibal Records / Rotten Roll Rex 2017

2005年ユカタン州メリダにて結成。かつてObscenoの元メンバーやブラックメタルバンドNemesis Sopor、Xulub Mitnalのメンバーらが在籍していた。本作は2ndアルバムで、レコーディング、ミックス等を現地のデスメタルバンドを多く手掛けるFreddy Mijangosが担当した。Dead Infection系統のパンキッシュなゴアグラインドを軸に、ブルータルなデスメタルリフが挿入されるスタイル。グルーヴィーなパートやメタリックなパートなど、オールマイティにこなす楽曲を収録している。また1stアルバムよりも楽器陣のバランスが良くなり、聴きやすさに更に磨きがかかった作品になっている。

P.R.O.S.T.I.T.U.T.A.

機

Homo No Erectus Stupidus Deficientus メキシコ

Aquitania Grindcore Mafia 2010

2008 年チワワ州シウダードファレスにて結成。2010 年まで活動し、2015 年に再結成するも 2018 年に解散した。現在は女性ヴォーカリストを迎え、Femin.I.cidio として活動している。本作は唯一の単独アルバム。ごく少数リリースでしばらく入手不可能であったが、バンドの Facebook ページにてダウンロード可能。サウンドはダンサブルなグルーヴィー・ゴアグラインドだが、テンポチェンジや曲の展開が多く、少々プログレッシヴな楽曲になっているのが特徴的。音質はクリアで、ピッグスクイールが特に目立って聴こえる作品となっている。また日本のものすごい光に多大なる影響を与えている。

Paracoccidioidomicosisproctitissarcomucosis

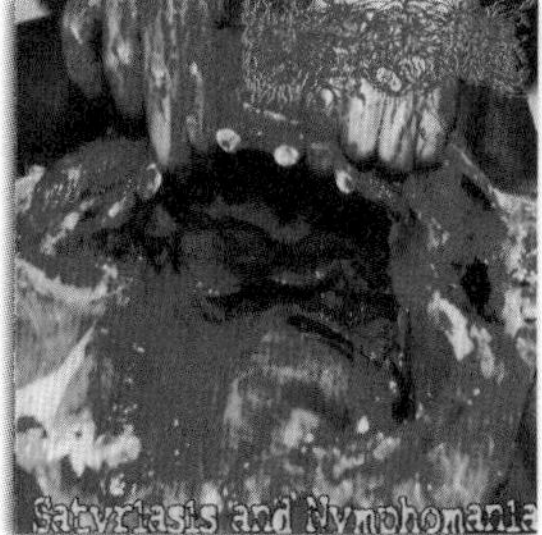

Satyriasis and Nymphomania メキシコ

American Line Productions 2002

1998 年サン・フアン・デル・リオにて結成。長大なバンド名は「パラコクシジオイデス症」「直腸炎」「肉腫」「粘膜症」を合わせたもの。メンバーや編成は流動的だが、現在は女性ベーシストを含む 4 人編成で活動している。本作はデュオ体制で制作された 1st アルバムで、ミックス、デザインを Disgorge の Edgar が担当している。全ての楽曲がホラー映画からと思われる長めの SE から始まり、楽曲は Disgorge 影響下のリフやブラストが炸裂するゴアグラインドをプレイしている。ドラムはドタバタ気味だがスネアの打撃感がよく表れたサウンドで、ブラストも人力ながら非常に速い速度で突き進んでいる。

Paracoccidioidomicosisproctitissarcomucosis

Aromatica Germenexcitación En Orgías De Viscosa Y Amarga Putrefación メキシコ

American Line Productions 2007

2007 年発の 2nd アルバム。本作は 3 人編成にて制作された作品で、ジャケットは Spermswamp 等を手掛ける Israel Lopéz が担当した。ジャケットや曲タイトル、SE などにおいて前作よりもポルノ要素が強まった作品で、グルーヴィーなミドルテンポのパートなども多く導入されている。前作と比べてドラムのドタバタ具合や軽快さはそのままに、弦楽器において主に低音などの音の厚みが増しており、ヴォーカルもさらに邪悪さや汚さが前面に出たことで、よりボリューム感が感じられる作品となった。本作発売後の 2013 年や 2019 年には Obscene Extreme にも出演している。

Pigto

Gargling Humiliation メキシコ

Gore Cannibal Records / Satanic Porno Records / Vertebral Collapse Records 2015

2004 年アカプルコにて結成。3 人編成で活動していたが現在は 4 人で、ブルータルデスメタルバンド Nasty Pig Dick のメンバーが在籍している。本作は前作より 6 年ぶりとなった 4th アルバムで、4 人編成での初のアルバムである。低音がズンズン響くグルーヴィー・ポルノゴアで、ヴォーカルは他のバンドと比べてもずば抜けた汚さや水っぽさが表れている。ドラムの音はやや機械的にも聴こえ、音質はクリアな印象を持たせている。ブラストなどファストなパートにも力が入っており、また覚えやすいキメフレーズもあるので非常に聴きごたえがあり、飽きさせないようなこだわりを感じる作品である。

コラム もはや文字ですらないものも横行する読めないロゴ

Paracoccidioidomicosisproctitissarcomucosis

Biological Monstrosity

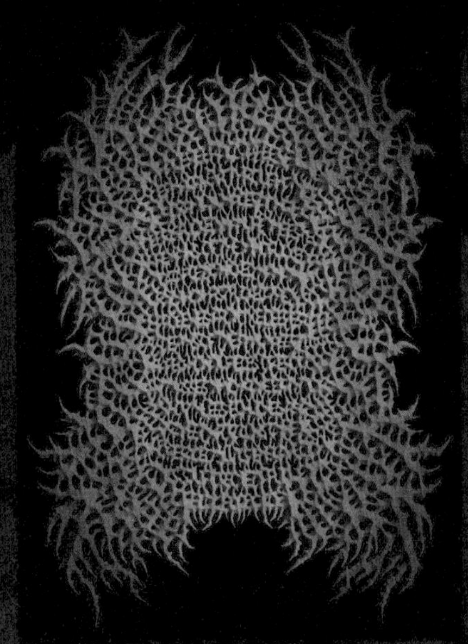
計 55 単語を冠したバンド名の通称 55gore

昨今のゴアグラインドのバンドロゴはもはやアートの域に入り込んでいるものも多数あり、いつしか「読めないロゴ」というのがステータスの一部となっていった。ではこの文化はいつ頃から始まったのだろうか？ルーツであるデスメタルやグラインドコアのバンドロゴを振り返ると、多少とげとげしいものや殴り書きのようなものはありつつも「読めない」レベルのものはほとんど存在しなかった。ゴアグラインドにおいても初期は単にとげとげしかったり、液体が滴っている程度のものが主であった。しかし、Gut、Impaled、Torsofuck あたりから文字の様相は呈しているものの、だんだんと読みにくくなっていく。

様子がおかしくなり始めたのは 1990 年代後半に台頭した Paracoccidioidomicosisproctitissarcomucosis からであろう。非常に長い名前にもはや文字ですらないロゴというのは、とても斬新なスタイルだった。以降彼らに影響を受けたかどうかは不明だが、意図的に文字を崩し、あえて読みにくくさせているバンドが多く出現した（Biological Monstrosity 等がわかりやすい例）。また PC の発展により PC 上でロゴを制作するのが主流になってからより強烈なものが増え、文字ですらないようなものも多く存在している。ジャンル問わずエクストリーム音楽において、誰が一番最初に読みにくいロゴを使い始めたのかというのは海外掲示板等でもたびたび議論されているが、正確な答えは出ていない（ブルータルデスメタルやブラックメタルにおいても同様の文化は存在している）。しかしバンドロゴで個性を出し、勝負するというのはこのジャンル特有のおもしろい点だと言えるだろう。

Postmortem Neurofetish Bionecrosis

機

Rastro Humano メキシコ
Rectal Purulence 2019

2005 年モンテレイにて結成。バンド編成の時期もあったが、メンバーチェンジを経て、現在はデュオ編成になっている。2006 年にデモ音源を出すも本格的に活動し始めるのは 2014 年になってからで、本作は 2019 年発の 1st アルバムである。Dead Infection や Regurgitate に代表されるブラストと、ミドルテンポをバランスよく混在させたオールドスクールゴアをプレイしている。デスメタルの要素もあり、短い楽曲の中にリフやキメがちゃんと表現されている。チープなマシンドラムではあるが極悪な下水道ヴォーカルが音圧や低音を増大させ、楽曲の精度をさらに高めている。

Psicovomitosis Sadinecrootitis

Sexlicioso メキシコ
Alarma Records 2010

2006 年グアダラハラにて結成。女性ヴォーカリストである Ruth が在籍し、3～4 人編成で活動しているバンド。本作は 1st アルバムで、C.A.R.N.E. や Plasma、またデスメタルバンド Six Feet Under 等のカバーが数曲収録されている。ミドルテンポのグルーヴィーなフレーズを中心に、ブルータルデスメタル的なギターリフやビートダウン等が挿入された楽曲をプレイしている。一曲の中にデスメタル、ゴアグラインドの両要素が存在する楽曲が多く、曲中のテンポチェンジも比較的多く含まれている。ヴォーカルは女性らしさを一切感じさせない邪悪なグロウルで、時折シャウトとの掛け合いパートも挿入されている。

Putrefaction Pestilence

Putrefactive Decomposition of Carneoencephalic and Facial Traumatic Destruction メキシコ
Rebirth the Metal Productions 2012

活動開始時期不明、グアナフアトにて始動。Gore and Carnage 等に参加している Alexx が Shiteater 名義で始動させたソロプロジェクト。本作は 2nd アルバムにあたる。Last Days of Humanity の影響が感じられるショートカットで疾走感溢れるマシンブラストを基調に、時折ミドルテンポやグルーヴィーなギターフレーズが挟み込まれるゴアグラインドをプレイしている。ストップ & ゴーを多用したグラインドコア的展開の下に楽曲が進んでいき、途中にはドラム、ベースソロなどのエクスペリメンタルなフレーズや何重にもエフェクトをかけたヴォーカルなど、一風変わった要素も組み込まれている。

Semen

Depositos De Semen メキシコ
Half-Life Records 2004

2002 年メキシコシティにて結成。Paracocci... にも在籍していた Saúl や後にハードコアバンド Coatl を結成する Micke、Koxxxynilla によるバンド。後年には Urtikaria Anal のメンバーも参加している。各国のバンドとスプリットをリリースし、現在まで活動を続けている。本作は 1st アルバムで、バンド名を体現したかのようなインパクトのあるジャケットが特徴的。楽曲は Carcass から影響を受けたような、またメキシコらしいとも言える若干迫力を欠いたブラストと、ロウでノイジーなサウンドプロダクションで構成されている。ポルノゴアではあるが、グルーヴィーなフレーズはあまり見られない。

Septic Autopsy

機

Spontaneous Emanation of Rotting Smell Through Necropsy Process メキシコ
Lymphatic Sexual Orgy Records 2016

2010 年始動、多くのソロプロジェクトで活動する Carlos によるワンマンプロジェクト。数多くの作品をリリースし、本作は 1st アルバムにあたり、デザインからミックス等まで全て Carlos 自身が手がけている。パソロジカルな世界観の下、Lymphatic Phlegm からの影響が特に感じられるオールドスクールなゴアグラインドをプレイしている。無機質なマシンドラムと、デスメタル風のギターリフが不穏で不気味な空気を作り出している。そこに凶悪なピッチシフター・ヴォーカルが乗ることで、血生臭く危険度の高い独自のスタイルを確立させ、多くのリスナーを魅了するような仕上がりの作品となった。

TxPxFx - Pigtails

機

School of Porn メキシコ
Splatter Zombie Records 2016

2003 年メキシコにて結成。John Pigtails、Jona Rata によるプロジェクトで、正式名称は「Teen Pussy Fuckers」。また同一のメンバーで Pigtails としても活動している（名前の使い分けの意義等は不明）。両プロジェクト共にスプリットなど多くの音源をリリースしており、本作は 2 バンド共同のアルバムとしてリリースされた。また C.A.R.N.E. や Meatknife メンバーなどをゲストヴォーカルとして迎えている。Gut の影響が感じられるクラシックなグルーヴィー・ポルノゴアをプレイしている。多少ファストなパートはあるものの、基本はミドルテンポでゆったりと曲が進んでいる。

Urtikaria Anal

人

Kamikaze Orgy メキシコ
Asenath Records 2013

2005 年モンテレイにて結成。3 人編成で、ライブはサポートヴォーカルを入れて行うこともある。Obscene Extreme には 2009、2015、2019 年と出演している。本作は 2nd アルバムにあたる。2008 年の 1st アルバムはいわゆるデモ音源的な音質だったが、本作はクリアな音質にて制作されている。豚声ヴォーカルを基調とし、全編ノリノリなグルーヴィー·ポルノゴアが展開される。一辺倒でなく様々なグルーヴィーフレーズが挿入され、その手札の多さは他のグルーヴィー・ゴアグラインドバンドを軽く凌駕している。曲は長めだが、速さやフレーズを変え、中だるみせず進んでいく。

Visceral Grinder

人

Gore Cannibal メキシコ
Alarma Records / Gore Cannibal Records 2008

2002 年メキシコのナヤリット州テピクにて結成。4 人編成でヴォーカルの Necro Cannibal は Fecalizer のヴォーカルとしても活動している。デモ音源、EP を発売したのちの本作が 1st アルバムにあたる。同じくメキシコの Disgorge に影響を受けたデスメタルを基調とし、突っ走るブラストを多く取り入れたゴアグラインドをプレイしている。Disgorge よりもギターはメタリックでソロも多く挿入され、メタルっぽい邪悪な雰囲気が醸し出されている。また、レトロなホラー映画 SE にロウなサウンドプロダクションと、古臭い世界観がおどろおどろしさをより倍増させている。

Visceral Grinder

人

Cannibal Massacre メキシコ

Alarma Records / Gore Cannibal Records 2009

前作からわずか 1 年で発売された 2nd アルバム。本作はヴォーカルの Necro Cannibal がベースも担当し、3 人編成で録音された。前作より音質はクリアになり、全てのパートが埋もれることなく聴こえやすくなった。また低音が増し、スネアの音も高音になったことでよりゴアグラインドらしいサウンドに進化することとなった。楽曲に関して、ホラー映画 SE は本作でも健在であるが、ファストなフレーズが増え、ブラストの比率も高くなった。より素早さを体感できることとなり、メタル寄りだった前作に対し、本作はグラインド寄りの作品となった。なおこの作品以降表立った活動はしていない。

GxUxRxO-PxIxG

機

Gurogasm コロンビア

Independent 2014

活動開始時期不明、首都ボゴタ出身のワンマンプロジェクト。2013 年から現在まで多くの作品を発表している。リリースは主にスプリット音源が多く、本作は 2 枚目の単独作にあたる。エログロな世界観を持ち、ジャケットにアニメ、漫画の一部を使用し、SE に日本の主にアダルトビデオの音声を使ったオタクグラインド。サウンドは爆速マシンブラストと下水道ヴォーカルでひたすら進むゴアグラインドだが、展開は変則的でプログレッシヴなアプローチも感じられる。他の打ち込み系とは一線を画した作風が特徴的。また SE に関しても、おそらく日本語を理解した上で使用しているのがおもしろい点である。

Holy Shit B.S.E

人

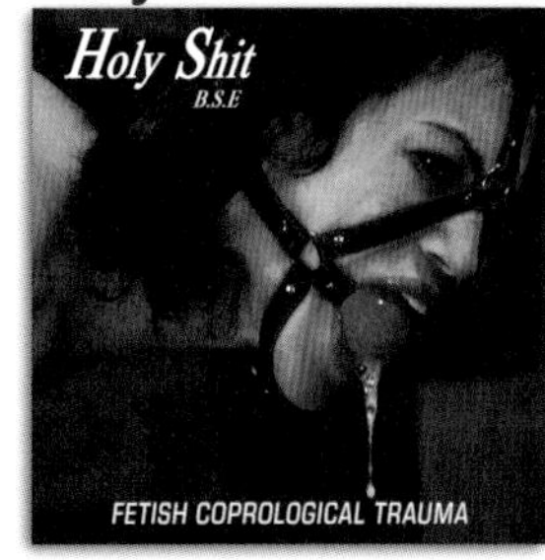

Fetish Coprological Trauma コロンビア

Gore and Blood Productions 2006

2003 年ボゴタにて結成。バンド名の B.S.E は「Brutal Sexual Execution」の略称。PxExNxE やブルータルデスメタルバンド Amputated Genitals のメンバーらが在籍している。本作は 1st アルバムでレコーディングをシンフォニックメタルバンド Ethereal の Sander が担当した。楽曲はブルータル、またスラッシュメタル的なリフやフレーズも含まれたデスメタル風のゴアグラインドをプレイしている。世界観はポルノゴアだがグルーヴィーなパートは少なく、代わりにグラインドコア的な性急でファストなパートが多く取り入れられている。

PxExNxE

人

Sexy Impalement コロンビア

Histoplasmosis Records 2010

活動開始時期不明、ボゴタにて結成。Porngore-Do と Tio によるデュオ編成。正式名称は「Penetracion Extrema Necrofilica Embarazosa」。現在は Visceral 666 名義で活動しており、ブルータルデスメタル寄りの楽曲をプレイしている。デモやスプリット音源を経て本作が 1st アルバムとして発売された。グルーヴィーなゴアグラインドをプレイしているが、時折少々カオティックなテンポチェンジやフレーズが挿入されているのが特徴的。デスメタル、グラインドコアの要素を楽曲ごとにバランスよく散りばめており、曲によってドラムの速さやギターのリフの違いが表れている。

Commando FxUxCxKx

人

Slum Zombie Gore ブラジル
Independent 2019

2018 年サンパウロにて結成。M.D.K. の Thales や後に Thales と共に Trachoma というゴアグラインド・プロジェクトを結成する女性ドラマー Rafaela らによるバンド。本作が現在唯一の作品で、ジャケットを Sebum Excess Production の Glésio が担当し、またゲストヴォーカルに Glésio と Pulmonary Fibrosis の Guyome らが参加している。Cock and Ball Torture 等に影響を受けたグルーヴィーゴアを基本的にプレイしているが、Regurgitate 等にみられるオールドスクールな一面や、グラインドコア的な迫力のあるブラストが炸裂する一面も見られる。

Crotch Rot

Pata De Camelo ブラジル
Danger Productions / Sonoros Records / Terceiro Mundo Chaos Discos 2014

クリチバにて結成、2014 年より活動するバンド。日本に在住していた経験もあるグラインドコアバンド Deranged Insane の元メンバー Cynthia とノイズコアバンド Necrose にも在籍する（Cynthia も在籍）Angela の女性メンバー 2 人を擁する 4 人編成。本作はデビュー作に当たり、Rompeprop のカバーも収録されている。また Michael Jackson のカバーも収録されたヴァージョンも存在する。サウンドは Rompeprop 系統のグルーヴィーゴアで、スラッジ系とも言える遅いパートも挿入される。ヴォーカルはピッチシフター・ヴォーカルとパンキッシュな高音シャウトのツインスタイル。

Feculent Goretomb

Archives of Pathological Goregrind States and Splatter Death Metal Atrocities - Discografia 1999-2003 ブラジル
Deranged for Leftovers Productions 2020

1998 年フォルタレザにて結成。Scatologic Madness Possession の元メンバーらが在籍している。本作は 1999 年から 2003 年までの間に発売されたスプリット音源などをまとめたコレクションアルバム。メキシコのバンドからの影響が窺えるロウなプロダクションや、少しドタバタ気味のドラムが特徴的で、デスメタルのエッセンスも組み込まれたオールドスクール・ゴアグラインドをプレイしている。楽曲はスピード感のあるブラストを起用した曲や、ミドルテンポのパートが挿入された曲など幅広い。ヴォーカルは下水道ヴォーカルとシャウトの掛け合いをメインに構成されるスタイル。

Flesh Grinder

人

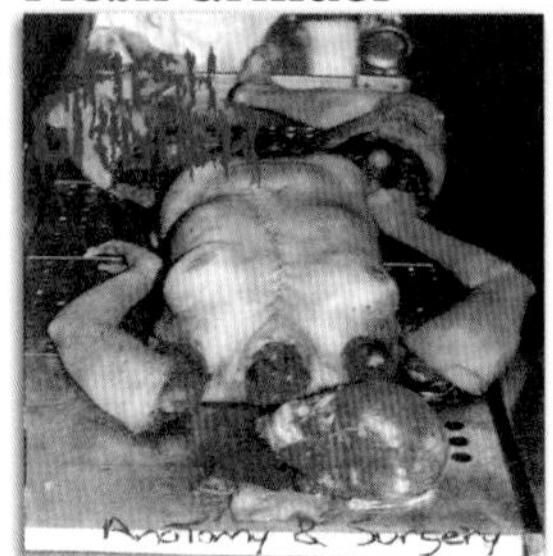

Anatomy & Surgery ブラジル
Lofty Storm Records 1997

1993 年ジョインヴィレにて結成。デスメタルバンド Zombie Cookbook やブラックメタルバンド Zerstörung 等に在籍した Fábio を中心としたバンド。また最初期には現在グラインドコアバンド Rot にも参加する Marcelo Da Silva が在籍していた。本作は 1st アルバムで、Lymphatic Phlegm の André がゲストヴォーカルで参加している。パソロジカルな世界観の下、Carcass の影響が表れたゴアグラインド、デスメタルをプレイしている。ロウなプロダクションや若干もたつき気味のドラムなど、いかにもオールドスクールらしいプリミティヴな雰囲気が漂う作品になっている。

Flesh Grinder

人

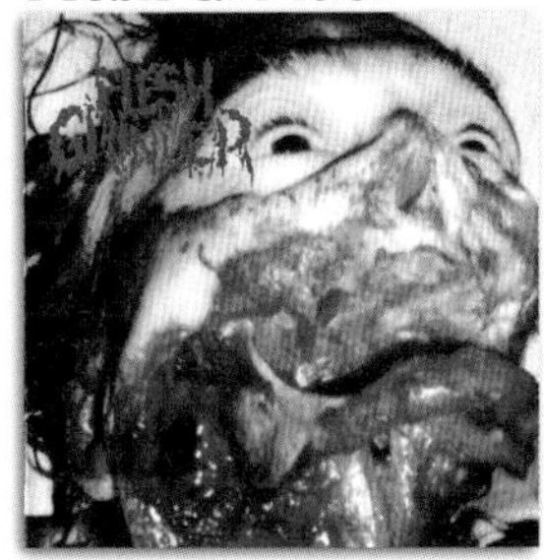

S.P.L.A.T.T.E.R. ブラジル

Lofty Storm Records 1999

1999年発の2ndアルバム。本作より現在も参加しているRogério（スラッシュメタルバンドRhestusの元メンバー）がベーシストとして加入する。レコーディングはメタル系を多く手掛けるClinica Studiosにて行われた。前作以上にメロディックなパートが挿入され、さらにメタル要素が強くなった作品であるがドラムは前作と比べ安定している。ブラストにおいてはよりグラインドらしい疾走感が感じられるサウンドへと、改良が為されている。またメタル化が進むサウンドの中でもピッチシフター・ヴォーカルは勢いを落としておらず、ゴアグラインドらしさを表現するパートの一つとして力を発揮し続けている。

Flesh Grinder

人

Libido Corporis ブラジル

Demise Records 2001

2001年発の3rdアルバム。前作と同じ布陣で制作され、また前作と同じくClinica Studiosにてレコーディングが行われた。本作にはデスメタルバンドDemilichのカバーが収録されている。前作以上にピッチシフター・ヴォーカルが前面に出ており、また楽曲面においてもミドルテンポのパートが導入されるなど、ゴアグラインドの要素がさらに発揮されることとなった作品である。ドラムも人力ではとても速い分類に入るスピードが安定して出ている。またデスメタルの観点から見てもメロディックなリフからゆったりとした重いリフまで、さらに幅広いフレーズが組み込まれるようになった。

Gore

人

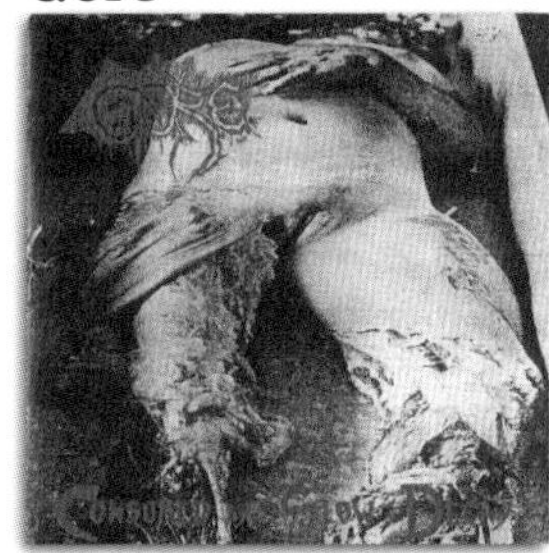

Consumed by Slow Decay ブラジル

Lofty Storm Records 1995

1992年リオデジャネイロ州サン・ゴンサロにて結成。1989年より前身バンドとして活動していた。現在は唯一のオリジナルメンバーのRobotを中心としたバンドとなっており、メンバーは非常に流動的である。本作は1stアルバムにあたる。デスメタルの要素も強いが、グラインドコアらしいファストなフレーズが目立つ、オールドスクールなゴアグラインド。パイオニア的存在であるCarcassの影響は感じられるが、ブラストやギターフレーズなどは当時としてはオリジナリティのあるものが多く、そのスタイルはLast Days of HumanityやDisgorgeなど後年のゴアグラインドバンドへの多大なる影響が窺える。

Harmony Fault

人

Rotting Flesh Good Meal ブラジル

Cauterized Productions / Rotten Foetus Records / Violent Records 2011

2002年リオグランデ・ド・スル州ラジェアドにて結成。1998年よりGod's Way、Carkemisなどの前身バンドとして活動していた。本作はデモ音源やスプリットを経ての1stアルバムで、ジャケットはCarlos Augusto Portoが担当した。レトロなホラー映画をイントロに使用したミドルテンポのゴアグラインドを基調に楽曲を作り上げている。基本的にゆったりとしたパートが続くが、グラインドコアらしいキメパートがしばしば挿入され、そこから転調に繋がるパターンも多い。ヴォーカルはピッチシフター・ヴォーカルで、リズミカルとまではいかないが、ノリ重視で曲のテンポに合わせて乗っかっていくスタイル。

I Shit on Your Face

人

Defecation Domination ブラジル
The Hole Productions / Zuada Rec. / Carnificina Records / Cianeto Discos / Terceiro Mundo Chaos Discos / Disturbed Mind Records 2013

2002年エスピリトサント州ヴィラ・ヴェーリャにて結成、2012年まで活動を続けた。現在デスメタルバンドAss Flavor、Await Rottennessなどで活動するメンバーがかつて在籍していた。本作は2ndアルバムで、ミックス、マスタリングをデスメタルを多く手掛けるScott Creekmoreが担当した。ブルータルデスメタルとグラインドコアを好い塩梅でクロスオーヴァーさせ、ゴアグラインドへと昇華させたようなサウンドが特徴的。テンポチェンジを繰り返す楽曲に様々なスタイルのヴォーカルが矢継ぎ早に乗っかり、少々カオティックな印象も見受けられる。

Insepsy

人

Diagnostic and Statistical Manual of Mental Dis-Orders ブラジル
Cemitério Records / Zuada Rec. / Disturbed Mind Records / Jazigo Distro / Old Grindered Days Recs / Camarão Grind Records / Deranged for Leftovers Productions 2016

2010年フォルタレザにてScatologic Madness Possessionの元メンバーらによって結成。現在はブルータルデスメタルバンドDecomposingのメンバーも在籍している。本作は1stアルバムでレコーディング、ミックスを現地のデスメタルバンドGriefgiverに在籍していたAndréが担当した。デスメタル、オールドスクールゴア寄りの世界観や楽曲ではあるが、音はとてもキメ細かくクリーンで、途中挟まれるグルーヴィーパートも非常にノリノリな出来上がりになっている。ブルータルなパートもあるメタリックなリフと、ノれるグルーヴィーパートを両立させた珍しいスタイルのバンドである。

Lymphatic Phlegm

機

Pathogenesis Infest Phlegmsepsia ブラジル
Black Hole Productions 2002

1996年クリチバにて結成。楽器担当のRodrigoとデスメタルバンドOffalでも活動するヴォーカル担当Andréによるデュオ編成。本作は1stアルバムにあたり、マスタリングをグラインドコアバンドNasumのMieszkoが担当した。パソロジカルな世界観の下、インダストリアルな打ち込みドラムを用いたデスメタリックなゴアグラインドをプレイしている。ギターはトレモロなどメロディックなフレーズが多く、リバーブがかかっていることもあり、ブラックメタルに似た雰囲気を醸し出しているのが特徴的。そんな中、ひたすら続くマシンブラストや強烈なピッチシフター・ヴォーカルが邪悪さに磨きをかけている。

M.D.K.

人

Into the Pussymorgue ブラジル
Bizarre Leprous Production 2012

1997年サンパウロにて結成。Commando FxUxCxKxのThalesがオリジナルメンバーとして参加している。多くのスプリットに参加しており、本作は3rdアルバムにあたる。現在は活動休止しており、本作が現状最後の単独作品である。スラムパートも多く、ブルータルデスメタルに近いサウンドの中で、グロウル、シャウトなどの様々なヴォーカルが四方八方から入り乱れるという、少々カオティックな楽曲をプレイしている。初期デスメタルっぽさを感じるロウなプロダクションで、少しばかり慌ただしさを感じるドラムや、不規則なヴォーカルなども相まってDisgorgeなどを彷彿とさせる作品となっている。

Neuro-Visceral Exhumation

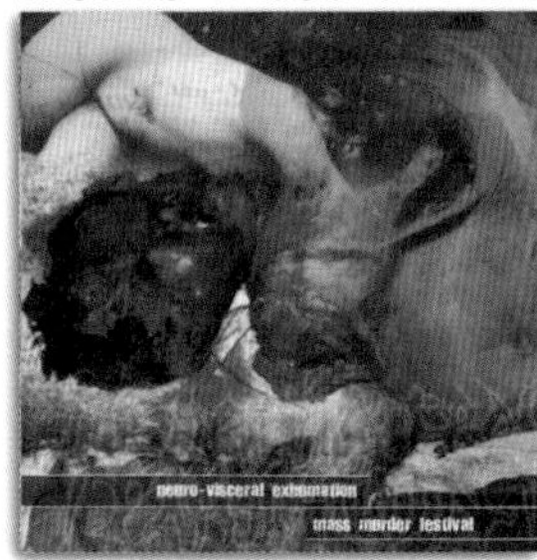

Mass Murder Festival ブラジル
No Escape Records 2002

1999 年サンパウロ州サン・カルロスにて結成。当初は Corrosive Nausea という名前でノイズコア系の楽曲をプレイしていた。以前は Lymphatic Phlegm の André が在籍しており、また現在はオリジナルメンバーの Fred を中心としたバンドで Pierre De Palmas がヴォーカルで参加している。本作は 1st アルバムにあたる。高音スネアによる爽快なブラストが目立つゴアグラインド。流れるようなフレーズが多い中に、ビートダウンパートも挿入されており、緩急がしっかりした楽曲がほとんどである。楽器、ヴォーカルのバランスも良く、非常に耳馴染みの良いサウンドである。

Pankreatite Necro Hemorrágica

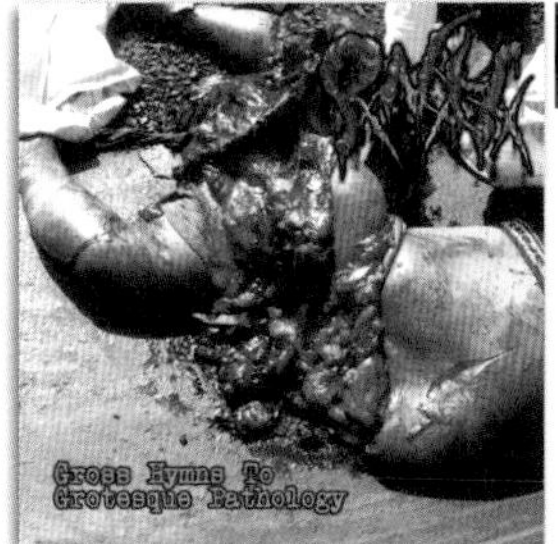

Gross Hymns to Grotesque Pathology ブラジル
Sonoros Records / Cemitério Records / Old Grindered Days Recs 2016

2008 年サンパウロ州ピラシカバにて結成。メンバーは現地のノイズコア / ゴアノイズバンド Cyst Eater にも在籍している。多くのスプリットをリリースしており、本作は 1st アルバムにあたる。ホラー / スプラッター映画の SE やデスメタルのエッセンスを多大に含んだオールドスクール・ゴアグラインドを軸に、高速ブラストビートや水気たっぷりの下水道ヴォーカルが組み込まれる楽曲をプレイしている。音質を始めとするプロダクションは綺麗に整っており、またリフもわかりやすいものが多い。ダーティーで猟奇的な世界観とサウンドではあるが、非常に聴きやすい仕上がりの作品になっている。

Rancid Flesh

Pathological Zombie Carnage ブラジル
Carnificina Records / Cianeto Discos / Terceiro Mundo Chaos Discos / Rapture Records 2012

2009 年結成、多くのブラックメタルバンドに在籍していたナタウ出身 Adriano と Scatologic Madness Possession の元メンバー Laerte による 2 人組バンド。本作は 2nd アルバムでレコーディングを多くのグラインド系バンドを手掛ける Estúdio 746 にて行い、ジャケットを Matthew Carr が担当した。サウンドはオールドスクールなゴアグラインドをプレイしている。Carcass からの影響を感じるデスメタリックなパートや、Dead Infection からの影響を感じるミドルテンポのパンク風なパートなどが随所に色濃く表れている。

Rotting Flesh

Mesologic Colliquative Effects upon the Chronothanatognosis Methods Compendium ブラジル
Nuclear Abominations Records 2019

1990 年サンパウロ州アララクアラにて結成、1997 年までの短期間に活動していた。本作は 1996 年にリリースされた唯一のアルバム作品や EP、デモ、ライブ音源が収録されたコレクションアルバム。Carcass の影響が感じられるオールドスクールなゴアグラインドをプレイしており、グラインドコアとデスメタルの純粋なクロスオーヴァーだった、初期ゴアグラインドならではのサウンドが特徴的である。また EP やデモ音源ではノイズコア的アプローチを感じるショートカットグラインド的な楽曲も収録されており、アルバム全体を通して聴くことで音や楽曲の変化を感じ、楽しむことができる作品になっている。

Scatologic Madness Possession

人

Devotes of Insalubrity ブラジル

Deranged for Leftovers Productions 2008

2002年フォルタレザにて結成。ギターのRogérioが亡くなる2012年まで活動し、ブラックメタルバンドImpério Profanoやグラインドコアバンド Facadaのメンバーなどが在籍していた。本作が唯一の単独アルバムで、レコーディングをRancid Fleshなどを手掛けるJorge Albuquerqueが担当した。また日本のグラインドコアバンドUnholy Graveのカバーも収録されている。楽曲はグラインドコア寄りでファストなフレーズが多いがグルーヴィーなパート、またメタリックなパートも導入されたゴアグラインドをプレイしている。ヴォーカルも様々なスタイルで曲を彩っている。

Sebum Excess Production

人

Public Cystical Extraction Draining ブラジル

Rotten Foetus Records 2019

結成時期不明、2017年以降特に精力的に音源をリリースするOld Grindered Days Recordsを運営するペルナンブーコ州ペトロリナ出身Glésioを中心とし、M.D.K.のThalesなどが参加しているバンド。2017年よりスプリット、EPと多数の音源を発表しているが単独アルバムは本作のみである。あくまでグラインドコアを基調としていることがわかる楽曲をプレイしている。超ゴボゴボな下水道ヴォーカルやDead Infection系統のミドルテンポのパートもありながら、ブラストやシャウトヴォーカルへ切り替わる際の勢いは凄まじく、ゴアとグラインドの持ち味を上手く調合した作品といえる。

Vômito

人

Vomitology ブラジル

Rotten Foetus Records / Terceiro Mundo Chaos Discos / Virus Productions / Blasphemic Art Productions / Putr-Essence Distro 2015

1993年リオグランデドスル州パソ・フンドにて結成。ブラジルにおいて最初期に活動していたバンドの一つ。現在は解散済み。本作はデモテープ、スプリット音源などを集め、それら全てを新たにミックスし直して収録したコレクションアルバム。プロダクションも含めCarcassからの影響が表れたゴアグラインドをプレイしている。オールドスクールデスメタルの要素が組み込まれた楽曲や純粋なグラインドコア、またはハードコア風の曲などがあり、時期によって作風も少し異なっている。プロダクションや演奏など粗削りでノイジーなものが多いが、2000年以前のプリミティヴなゴアグラインドの表現技法が感じられる作品である。

Grandma

機

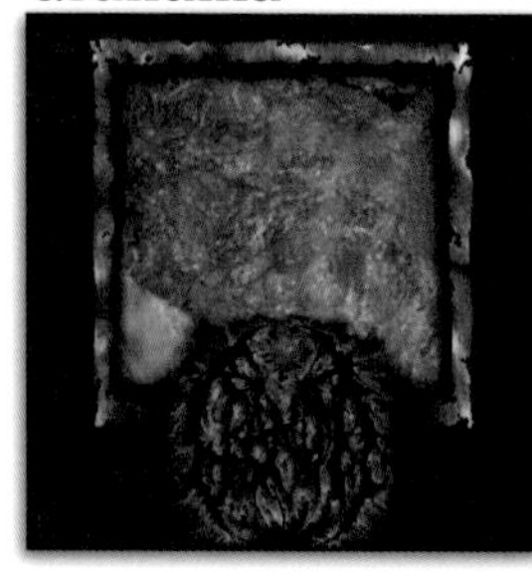

Obscure Grandma's Necrocadaveric Vomit アルゼンチン

Obskure Sombre Records 2004

2003年サンタフェ州ロサリオにて打ち込みドラム3人編成バンドとして結成。単独作は本作のみのリリースで以降活動はしておらず、うちメンバー2人はブラックメタルバンドInfernusに在籍していた。高音スネアによるマシンブラストが特徴的で、サウンドはInopexiaに近い。またミドルテンポで進む場面もあり、同じく打ち込みドラムを使用したMorticianからの影響も感じられる（カバー曲も収録されている）。ヴォーカル、弦楽器隊の重低音が特にはっきりと表現されており、Grandma（おばあちゃん）という名前ではあるが、おふざけ要素などを全く感じさせない力強い楽曲である。

Hatefilled

A Manual of Heinous Ways in Disembowelment アルゼンチン
Lymphatic Sexual Orgy Records 2021

2017年始動、多くのソロプロジェクトで活動しているネウケン州出身Christian Badiaによるプロジェクト。主にデジタルフォーマットで作品をリリースしており、本作は2019年から2021年までに発表されたデモ、EPなど全ての音源を集めたコレクションアルバム。バンド名がRegurgitateの作品から取られていることからもわかるように、同バンドの影響が色濃く表れたゴアグラインドをプレイしており、カバー曲も数曲収録されている。また正統派なグラインドコアのフレーズも挟まれており、勢いのあるギターリフや疾走感のあるドラム、力強いシャウトなどが特に際立って表現されている。

Gruesome Bodyparts Autopsy

Cadaveric Sex and Cavernous Genital Rigidity チリ
Lymphatic Sexual Orgy Records 2018

2009年マウレ州タルカにて結成。デュオ編成にて結成されたが、2015年以降はソロプロジェクトとなった。数件のデモ音源やスプリット音源を経て1stアルバムである本作がリリースされた。ゲストヴォーカルにHatefilledのChristianらが参加している。Last Days of Humanityの血筋を引き継いだ、ひたすらドロッとした世界観が前面に押し出されているのが特徴的。リバーブがかったスネアによるマシンブラストが印象的であるが、グラインドコアの様式美を守ったキメパートも魅せてくれる。打ち込みっぽさを感じさせないドラムのおかげでソロでありながら、バンドらしいサウンドを奏でている。

Piggy

人

Porcogore チリ
Bizarre Leprous Production 2017

2014年チリの首都サンティアゴにて結成。デモ音源やスプリット、コンピレーションへの参加を経ての本作が1stアルバムにあたる。サウンドはSpasm、Serrabulho系統の非常に明るい曲調のダンサブルなグルーヴィー・ゴアグラインドをプレイしている。またバンド名、アルバム名に豚をフィーチャリングしていることもあり、早口で強烈なピッグスクイール、豚声ヴォーカルが挿入されている。SEもゲーム『モータルコンバット』由来のわかりやすいものや、出所不明なものまで幅広く使われている。ライブではメンバーは豚のお面を着けており、またフェティッシュな女性ダンサーがいる映像も確認できる。

M.O.S.S.

In Porn We Trust ... Also in Grind but First Porn !!! キューバ
Coyote Records 2019

2019年始動、キューバの首都ハヴァナ出身のEl Tiradorと名乗る人物によるワンマン・ゴアグラインド・プロジェクト。正式名称は「Method of Self Satisfaction」。現在まで本作1枚のみをリリースしている。Cock and Ball TortureやGutalaxなどの影響が感じられるグルーヴィー・ポルノゴアをプレイしており、クラシックなフレーズからキャッチーなフレーズまで幅広いエッセンスを織り交ぜながらも、ひたすらノれる楽曲が展開されている。打ち込みドラムの音も非常に精細な作りになっており、ミックスも整っているので、聴きやすい音作りのもとに作品が作り上げられている。

ゴアグラインド用語集

ゴアグラインドには医療用語をはじめとした一般的ではない単語がバンド名、タイトル、曲名などに使われる。ここではよく使われているものを抜粋して紹介しする。

ホラー・スプラッター

単語	品詞	意味	関連用語
Adipocere	名詞	死蝋	
Butcher	動詞 / 名詞	食肉処理する、虐殺する / 肉屋、食肉処理者、虐殺者	
Cadaver	名詞	（特に解体用の）死体	Cadaveric（形）死体の、死後硬直
Cannibal	形容詞 / 名詞	人食いの、食人習慣を持つ / 人肉を食べる人	
Casket	名詞	棺	
Choke	動詞	窒息する、絞殺する	Suffocate（動）窒息死させる、息苦しくなる
Chunk	動詞 / 名詞	大きな塊に切り分ける、塊ができる /（パンや肉などの）大きい塊	Clump（名）塊、群れ
Cripple	動詞 / 名詞	活動不能にする、不具にする / 手足の不自由な人、欠陥品、廃人	
Decay	動詞 / 名詞	腐る、腐らせる、衰弱する / 腐敗、腐敗した部分	Putrefy（動）腐らせる、化膿させる　Putrid（形）腐敗した、堕落した、不快な
Decomposition	名詞	腐敗、分解	Corrosion（名）腐食
Deteriorate	動詞	悪化させる、堕落させる	Deprave（動）（道徳的に）悪くする、堕落させる
Dismantle	動詞	分解する	
Dismember	動詞	手足を切断する	
Dissolve	動詞	（物を液体で）溶かす	
Exhume	動詞	（死体などを）発掘する	Inhume（動）埋める、埋葬する
Fermentation	名詞	発酵	
Flesh	名詞	肉	
Gape	動詞	（傷口、割れ目などが）ぱくりと開く	
Gorge	動詞	貪り食う	Disgorge（動）吐き出す Engorge（動）貪り食う Devour（動）貪り食う
Gross	形容詞	気持ち悪い、ゾッとする、吐き気を催すような	
Gruesome	形容詞	ゾッとする、身の毛のよだつ	
Gurgle	動詞	喉を鳴らす、ゴボゴボ音を立てる	Gargle（動）うがいする
Gutted	形容詞	はらわたを抜かれた、内臓を取り出された	Gut（名）腸、はらわた
Holocaust	動詞 / 名詞	（特に火による）大虐殺	
Impale	動詞	突き刺す、刺し貫く	
Infest	動詞	出没する、蔓延る、群がる	
Lacerate	動詞	（皮膚などをギザギザに）引き裂く、切る、痛めつける	
Larva	名詞	幼虫	Larvae（名）複数形

Leakage	名詞	漏れ、漏出	Leak（動）漏れる
Maggot	名詞	蛆	
Mangle	動詞	めった切りにする、台無しにする	
Masticate	動詞	咬む	
Monstrosity	名詞	巨大で奇怪なもの、怪異、(動植物の)奇形	
Musty	形容詞	かび臭い、かびの生えた	
Mutilation	名詞	不完全にする、損傷、（手足などを）切断、切除	
Odor	名詞	悪臭	Stench（名）悪臭
Ooze	動詞	滲み出る、流れ出る、溢れ出る	
Posthumous	形容詞	死後の、死後に生じた	
Puncture	動詞 / 名詞	刺す、穴を開ける、破裂させる / 刺し傷、穿刺	Stab（動 / 名）刺す / 刺し傷
Rancid	形容詞	腐ったような悪臭のする、不快な	
Regurgitate	動詞	噴き返す、逆流する、吐き戻す	
Remains	名詞	遺体、遺骨	
Rip	動詞	引き裂く、剥ぎ取る	
Severe	形容詞	厳しい、過酷な、重い（病気）	Severed（動）（無理やり）切断する、切る
Sewer	名詞	下水道	
Slurp	動詞	啜る、音を立てて食べる	
Succulent	形容詞	汁の多い、水気の多い	
Torture	名詞	拷問	
Treacherous	形容詞	不誠実な、不安定な、危険な	
Vomit	動詞 / 名詞	吐く / 嘔吐、嘔吐物	Puke（動 / 名）吐く / 吐いたもの、反吐　Retch（動）吐き気を催す、吐く
Wound	動詞 / 名詞	（刃物や銃などで）傷つける / （刃物や銃などによる）傷	
Writhe	動詞	もがく、のたうち回る、悶え苦しむ	

医療系

単語	品詞	意味	関連用語
Abdominal	形容詞	腹部の	
Abortion	名詞	妊娠中絶、堕胎	Miscarriage（名）流産
Abscess	名詞	膿瘍	
Acute	形容詞	急性の、(痛みが)激しい、先のとがった	
Afterbirth	名詞	後産（出産直後に子宮から排出される胎盤や胎膜）	
Amputate	動詞	（手術で）切断する	
Anatomy	名詞	解剖、解剖学、骨格、人体	
Artery	名詞	動脈	Aortic（形）大動脈の
Autophagia	名詞	自咬症、自食症	
Bile	名詞	胆汁、胆液	
Bowel	名詞	腸、はらわた	Intestine（名）腸
Carcinoma	名詞	がん腫	Cancer（名）がん、がん腫、悪性腫瘍

Cavity	名詞	腔、虫歯（の穴）	
Cephalic	形容詞	頭部の	
Cerebral	形容詞	脳の、脳に関する、脳に発生する	
Chronic	形容詞	持病がある、（病気が）慢性の	
Clot	名詞 / 動詞	凝血塊 / 凝固する	
Coagulation	名詞	凝固（作用）	
Corporal	形容詞	肉体の、人体の	
Cranial	形容詞	頭蓋の	
Cyst	名詞	嚢胞	
Deformity	名詞	変形（部）、奇形（部）	
Digestion	名詞	消化	Indigestion（名）消化不良
Discharge	名詞 / 動詞	分泌物 / 排出する	
Disease	名詞	病気、病弊	
Dissect	動詞	（研究のために）解剖する、切断する	
Dysentery	名詞	赤痢	
Dysfunction	名詞	機能障害、機能不全	
-ectomy	連結	～の外科的切除	
Ectopia	名詞	器官や組織が正常な位置から逸脱した状態	
Emetic	名詞 / 形容詞	嘔吐を促す薬品 / 吐き気を催させる	
Endo-	連結	内側の	
Esophagus	名詞	食道	
Evacuation	名詞	（器官からの）排出、排泄	
Eviscerate	動詞	（動物や人の内臓を）取り出す	
Extirpate	動詞	（腫瘍などを）摘出する、切除する、根絶する	
Fasciitis	名詞	筋膜炎	
Fetus	名詞	胎児	Infant（名 / 形）幼児（の）、小児（の）
Fluid	名詞	体液	
Gallbladder	名詞	胆嚢	Bladder（名）嚢、膀胱
Gangrene	名詞 / 動詞	壊疽 / 壊疽を引き起こす	
Gastric	形容詞	胃の	Gastro-（連結）胃の、腹部の
Gland	名詞	腺、分泌腺	
Haemorrhage	名詞	出血	
Idiopathy	名詞	突発性疾患、原因不明の疾患	
Infection	名詞	感染、感染症	
Inflammation	名詞	炎症	
Ingest	動詞	（口から体内に）取り込む、摂取する	
Kidney	名詞	腎臓	Renal（形）腎臓の
Limb	名詞	肢、手足	
Livor Mortis	名詞	死斑	
Lung	名詞	肺	
Lymph	名詞	リンパ液	Lymphatic（形）リンパの、リンパ性の
Malignant	形容詞	悪性の	Malignancy（名）悪性腫瘍
Metastasis	名詞	（がんなどの）転移	
Mucous	形容詞	粘液を分泌する	Mucus（名）粘液

Myiasis	名詞	蝿蛆症（ハエの幼虫による体内の侵入から生じる疾患）	
Necropsy	名詞	死体解剖	
Neuro-	連結	神経	
Organ	名詞	器官、臓器	
Orifice	名詞	（人体の）開口部	
Ovary	名詞	卵巣	
Pancreas	名詞	膵臓	
Pathology	名詞	病状、病理、病理学	Pathogenesis（名）発病、発症、病因
Phlegm	名詞	痰、粘液	
Plasma	名詞	血漿、リンパ漿、原形質	
Pneumo-	連結	肺、呼吸	
Proctalgia	名詞	直腸（神経）痛	
Prolapse	名詞	（器官の）脱出	
Pulmonary	形容詞	肺の、肺疾患の	
Pulsate	動詞	脈打つ、鼓動する、震える	
Purulent	形容詞	化膿性の、化膿した	Fester（動）化膿する、悪化する、腐る、痛む、苦しむ　Suppurate（動）化膿する
Pus	名詞	膿	Pustule（名）膿疱
Rectum	名詞	直腸	Rectal（形）直腸の　Anorectum（名）肛門直腸
Reflux	名詞	逆流	
Rigor Mortis	名詞	死後硬直	
Sarcoma	名詞	肉腫	
Scalpel	名詞	外科用メス	
Septic	名詞 / 形容詞	腐敗物 / 腐敗（性）の、感染（性）の、敗血性の	
Spine	名詞	脊柱、脊椎骨	
Stoma	名詞	瘻孔、人工肛門、人工膀胱	Colostomy（名）結腸に人工肛門を造設する手術
Surgery	名詞	手術、外科（学）	Surgical（形）外科（医）の、手術の、術後の
Swollen	形容詞	膨れた、腫れ上がった、肥大した	Swell（動）膨れる
Thoraco-	連結	胸の	
Tissue	名詞	（細胞の）組織	
Torso	名詞	胴体、トルソー（頭・腕・脚のない胴体のみの像）	
Tumor	名詞	腫瘍	Neoplasm（名）腫瘍
Ulcer	名詞	潰瘍、病弊	
Urethra	名詞	尿道	
Uterus	名詞	子宮	Uterine（形）子宮の　Womb（名）子宮
Vein	名詞	静脈	
Verrucose	形容詞	いぼ状の、いぼのある	
Virulent	形容詞	（細菌などが）猛毒の、（病気などが）悪性の	
Viscera	名詞	内臓	Entrails（名）内臓　Giblet（名）臓物

下ネタ・ポルノ

単語	品詞	意味	関連用語
Abuse	動詞	（性的に）虐待する、自慰をする	
Anal	形容詞	肛門の	Anus（名）肛門
Bestiality	名詞	獣姦	
Bizarre	形容詞	奇妙な、異様な	
Blowjob	名詞	フェラチオ	
Boob	名詞	乳房	
Castration	名詞	去勢	
Coitus	名詞	性交	Copulation（名）性交、交尾
Coprophilia	名詞	糞便愛好	Coprophagia（名）食糞
Creampie	動詞 / 名詞	膣内射精する / 中出しされた膣	
Cumshot	名詞	射精	Cum（名 / 動）精液 / イく　Ejacula-tion（名）射精
Defecation	名詞	排便	Fecal（形）糞便の
Deflower	動詞	処女を奪う	
Diarrhea	名詞	下痢	
Enema	名詞	浣腸	
Erection	名詞	勃起	
Excrete	動詞	排泄する、分泌する	Excrement（名）排泄物
Genital	形容詞	生殖器の	
Gonorrhea	名詞	淋病	
Groin	名詞	股間、鼠径部、性器	
Horny	形容詞	性的に興奮した	
Humiliation	名詞	屈辱を与えること、屈辱、恥	
Hymen	名詞	処女膜	
Incest	名詞	近親相姦	
Menstrual	形容詞	月経の	
Nymphomania	名詞	異常な性的欲望がある女性	
Orgy	名詞	乱痴気騒ぎ、乱交パーティー	
Penetration	名詞	貫通、めり込み	
Pervert	名詞	変態	
-philia	連結	～性愛	
Scatology	名詞	スカトロ	Scatological（形）スカトロ趣味の Scat（名）略称
Scrotal	形容詞	陰嚢の	Scrotum（名）陰嚢
Smegma	名詞	恥垢	
Sodomy	名詞	男色、獣姦など自然に反した性愛	
Sperm	名詞	精液	Semen（名）精液　Jizz（名 / 動）精液 / 射精する
Sphincter	名詞	（肛門）括約筋	
Squirt	動詞 / 名詞	潮吹き	
Testicle	名詞	睾丸	Testicular（形）睾丸（精巣）の
Turd	名詞	大便、糞塊	
Twat	名詞	女性器	
Vaginal	形容詞	膣の	
Venereal	形容詞	性行為に起因する、性病の	
Vulgar	形容詞	品のない、粗野な、卑猥な	
Vulva	名詞	外陰	
Wank	動詞	自慰をする	
Whore	名詞	売春婦、尻軽女	

Chapter 3

Oceania, Asia International VA

オーストラリアでは主にメルボルンにおいて多くのバンドが誕生しており、Blood Duster 等のベテランバンドや Decomposing Serenity、Meatal Ulcer 等の特に活動的なバンドが存在している。また 2010 年以降はデスメタルやグラインドコアにおいても活発なバンドが増え、シーンにおいてもさらなる成長を遂げている。デスメタルが盛んなインドネシア、タイにおいても一定数ゴアグラインドバンドは存在しており、別バンドのサイドプロジェクト的なバンドが多いが活発に活動し、人気を博しているバンドもいる。またインドの Gruesome Malady は同国のエクストリーム音楽における代表的なバンドと言える存在である。台湾、中国、韓国のゴアグラインドバンドはワンマンプロジェクトが多く、数は少ないながらも、現地ライブハウスでの精力的な活動や国外の大型フェスへの出演により世界的に名を轟かせたバンドが多い。日本では 90 年代にすでにデスメタルやグラインドコアのシーンが形成されており、ゴアグラインドにおいても 90 年代からすでに名を馳せたバンドが存在していた。活動的なレーベルも多いことからほとんどのバンドの音源は国内のみならず海外でも流通しており、海外レーベルからのリリースを経験したバンドも非常に多い。またそのような状況から海外バンドのメンバーが日本のバンドをフェイバリットとして挙げることも珍しくない。多くの海外公演やフェス出演を経験した Butcher ABC や Viscera Infest、Vulgaroyal Bloodhill は特に代表的と言えるバンドで国内外問わずファンはとても多い。また国内でフェス出演やツアー等で海外バンドが来日することもあり、招聘を担当したバンドも多く存在する。また現在までオールドスクールなゴアグラインドからゴアメタル、デスグラインド、ポルノゴア、打ち込みワンマンプロジェクト等様々なスタイルのゴアグラインドが存在しているのも特徴的であり、世界的に見ても非常に豊かなシーンと言える。

Blood Duster

人

Fisting the Dead オーストラリア
Dr Jim's Records 1993

1991年メルボルンにて結成。エンジニアとしても活動するJason Fullerを中心としたバンドで、2017年まで活動した。本作は1st EPでThe Day Everything Became Nothingにも在籍するTonyや、ブラックメタルバンドAbyssic Hateとしても活動するShaneらが参加している。グラインドロックバンドとして広く知られているが、初期の作品はゴアグラインド的アプローチも多い。本作はクラシックなグラインドコアを軸に邪悪なグロウルや、グルーヴィーなパートが導入された楽曲を収録した作品である。またジャケットやSEにはポルノ要素も含まれている。

Blood Duster

人

Menstrual Soup オーストラリア
Bizarre Leprous Production 2005

2005年発の作品。1992年にリリースされたデモテープをCD及び7インチにて再発したもの。最初期のメンバーによる作品だが、Jason以外のメンバーは全員本作のみの参加である。レコーディングをハードコア系を多く手掛けるScott Harperが担当し、リマスターは幅広いジャンルを手掛けるToyland Studiosにて行われた。EP作品よりもゴアグラインド要素は強く、オールドスクールなデスメタル、グラインドコアを基調としたサウンドにグロウルやシャウトを始めとする、ダーティなヴォーカルを絡めた楽曲を収録している。ロック要素は少なく、全体的にロウで勢いのあるスタイルである。

Bowel Fetus

機

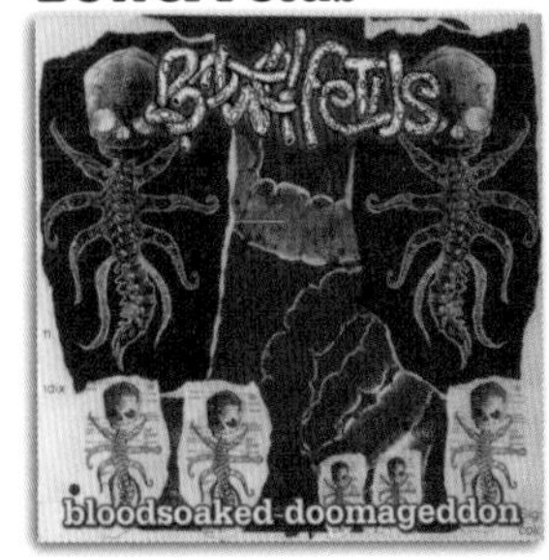

Bloodsoaked Doomageddon オーストラリア
Half-Life Records 2006

2003年ブリスベンにて結成。グラインドコアバンドVisceraに在籍していたGlenのソロプロジェクトとして始動。2006年にはドラマーに同じくVisceraのMikeが加入し、デュオ体制となる。本作は1stアルバムで、ジャケットはFaeces Eruption等も手がけるIva Jonesが担当した。Catasexual Urge Motivationの影響が感じられるインダストリアルなドラムと、メタリックなリフが特徴的なデスメタル / ゴアグラインドをプレイしている。ドゥーム的な要素も含まれており、後年はよりドゥーム要素を前面に出した作品がリリースされている。

Cuntscrape

人

Thrush Bang Mania オーストラリア
Prime Cuts Music 2007

2006年オーストラリアはパースにて、デスメタルバンドFlatusのメンバーらと、ブラックメタルやデスメタルなど数多くのバンドでヴォーカルを担当していたDanielによって結成。本作は1stアルバムで、レコーディングをエンジニアとしても活動するギターのDanielが担当した。Gronibardに通ずるものを感じるファニー寄りのポルノゴアだが、時より挟まるスラッシュメタルやヘヴィメタル風のフレーズはおふざけというよりもきっちりしており、系統としてはデスグラインドに近い。ヴォーカルもノーエフェクトでポルノ、メタル、グラインドの純粋なクロスオーヴァーとして楽しめる。

Decomposing Serenity

Please Don't Die Yet... I'm Not Done オーストラリア
Black Hole Productions 2002

1995 年メルボルンにて始動、現在はネバダ州エルコにて活動している。グラインドコアバンド Viscera の元メンバーでスケートボーダーとしても活動している Witter Cheng によるソロプロジェクト。多くのスプリットや EP をリリースしており、本作は 1st アルバムにあたるが、未発表曲や Anthrax など有名バンドのカバーなども収録されているコレクションアルバムでもある。ほとんどの作品のジャケットにドールの写真が使われているのが特徴である。爆速マシンブラストが鳴り響くゴアグラインドを基調とし、デスメタル系統のフレーズやグルーヴィーパート、中にはファニーなアプローチなども導入されている。

Die Pigeon Die

人

Ripped From V to A オーストラリア
No Escape Records 2007

2005 年メルボルンにて結成。後に Meatal Ulcer を結成する兄弟 Jack、Leo と後にグラインドコアバンド Doubled Over を結成する Sam らによるバンド。結成時はほとんどのメンバーが 10 代であった。またグラインドコアバンド Internal Rot のメンバーが在籍していたこともある。2015 年には来日公演も行っている。本作はデモを除く唯一の単独作である。ノイジーなベースや高音スネアが目立ち、ブラストなどの速いフレーズと遅いフレーズを上手い具合に切り替える、緩急のついたサウンドが特徴的。様々な要素が組み込まれており、万人受けするゴアグラインドをプレイしている。

Intense Hammer Rage

人

Devogrindporngorecoreaphile オーストラリア
Independent 1999

1994 年タスマニアのバーニーにて結成。1995 年まで Intense Hemorrhage という名前で活動していた。デスメタルバンド Three Victims のメンバー、元メンバーらが在籍している。現在まで 4 枚のアルバムをリリースしており、本作は 1 枚目に当たる。デスメタルの要素も含まれたオールドスクール・ゴアグラインドをプレイしているが、テンポチェンジが多く、プログレッシヴな展開も多く導入されている。プロダクションの結果、音が軽い仕上がりになっており、特にドラムにおいて顕著に表れている。ヴォーカルは低音高音のツインを基調としつつ様々なスタイルが登場しており、少々ファニーなシャウトなども挟まれている。

Meatal Ulcer

機

The Fog Has Begun to Churn with Flesh Enthusiasm オーストラリア
Terrible Mutilation 2020

2011 年始動、Die Pigeon Die の Leo によるプロジェクト。一時期兄弟の Jack も参加していたが、現在はソロプロジェクトとして活動している。本作は 2020 年までのほぼすべての音源を収録したコレクションアルバムで、2017 年発の初版の際の音源エラーを直し、2020 年に再発されたもの。マシンブラストと下水道ヴォーカルが絡み合い、精細でクラシックなゴアグラインドを作り上げている。年代により音作りや作風は変わり、ゴアノイズ風の音源やデスメタル寄りになる音源も聴くことができる。しかしブラストと下水道ヴォーカルはどの年代でも特に際立って表現されている。

Rawhead

人

Spineless Pigs オーストラリア
Cadaveric Dissolution Records 2018

2016年メルボルンにて結成。デスメタルバンドContaminated等に在籍するLachyのソロプロジェクトとして始動、翌年にはバンド編成となる。現在は元Die Pigeon DieのChristophらが在籍している。本作はデモ音源2作品を経た後の1stアルバムであり、ジャケットはPierre De Palmasが担当した。オールドスクールなデスメタル、グラインドコアの両要素を兼ね備えたサウンドと、強烈な下水道ヴォーカルが特徴的なゴアグラインドをプレイしており、非常に速いブラストからゆったりとしたデスメタル的パートへの緩急の付け具合も絶妙な出来栄えである。

Take That Vile Fiend

人

Excreted Brain Matters オーストラリア
Radical Blarghst 2015

活動開始時期不明、グラインドコアバンドSuper Fun Happy Slide、Internal Rotに在籍するBrad、同じくSuper Fun Happy Slideのメンバーでグラインドコアバンド The Killに在籍していたNikによるプロジェクト。2015年より音源をリリースし、本作は1stアルバムにあたる。ブラストもありながら遅めの聴かせるフレーズもあるクラシックなゴアグラインドだが、かなりロウな録音でありサウンドだけ切り取るとゴアノイズに非常に近い。しかし両者が互いの良いところを補い合っており、キャッチーさと汚さが上手く共存した完成度の高い作品となっている。

The Day Everything Became Nothing

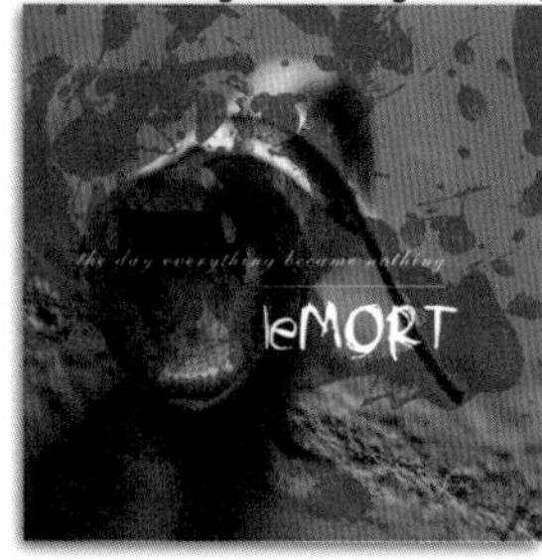

人

Le Mort オーストラリア
No Escape Records 2003

2001年メルボルンにて結成。グラインドコアバンドFuck... I'm DeadやBlood Dusterの元メンバーらが在籍している。本作は1stアルバムでレコーディングを様々なジャンルを手掛けるPaul Morrisが担当し、ジャケットをCock and Ball TortureのドラマーであるSaschaが担当した。低音がよく響く弦楽器陣に生声ではあるが、汚さ満載の高低ツインヴォーカルが乗るグルーヴィー・ゴアグラインドをプレイしている。しかしポルノゴアとは一線を画し、SE等をほとんど使わず各楽器のキメフレーズでカッコよさを演出しており、あくまで音楽的にゴアグラインドを追求しているバンドといえる。

Vomitorial Corpulence

人

Skin Stripper オーストラリア
Christ Core Records 1998

1993年メルボルンにて結成。1999年以降断続的に活動していたが、2008年に活動休止した。ブルータルデスメタルバンドExcarnatedに所属していたPaulを中心としたバンド。「クリスチャン・グラインドコア」の第一人者としても知られており、バンド名も『新約聖書』内の一節から取られている。本作は1stアルバムにあたる。低音が響くノイジーな弦楽器隊と、ブラストを中心としたファストなドラムを基調とした楽曲をプレイしている。ヴォーカルはピッチシフター、シャウト、グロウルが縦横無尽に暴れ回るスタイル。またバンジョーを取り入れた楽曲など、ファニーな一面も垣間見える作品になっている。

Analkholic

機

After Party Shit Stinks ニューカレドニア
Bizarre Leprous Production 2014

リゾート地としても知られるフランス領の島ニューカレドニアにて2011年に結成。デュオ編成で活動しており、2015年にはObscene Extremeに出演。本作は2ndアルバムにあたり、2013年発売の1stアルバムの楽曲も収録されている。ジャケットはGruesome Graphxが担当している。スラミングな要素もあるダンサブルなグルーヴィーゴアをプレイしており、リズミカルだったり早口だったりと様々なスタイルを使い分けるピッチシフター・ヴォーカルと、発狂系シャウトが特徴的。低音がよく響くプロダクションで、グルーヴィーな中にもカッコよさが滲み出た作品となっている。

Abosranie Bogom

機

Coprotherapy イスラエル
American Line Productions / Alarma Records 2003

1999年ハイファにて始動。バンド名はロシア語で「Shat upon by God」を意味する。Soldered Poonやブルータルデスメタルバンド Screwrotなどで活動するShit EaterことJashを中心としたプロジェクト。本作は1stアルバムで、Intestinal DisgorgeのRyanがドラム打ち込みを担当した作品。ポルノ、排泄音、嘔吐音SEをふんだんに織り込んだグルーヴィーなポルノゴアをプレイしている。ギターはチープな音だがデスメタル風のどっしりとしたフレーズも多い。ヴォーカルはグロウル、ピッチシフター、下水道ヴォーカルが複雑に絡み合うスタイル。

Alien Fucker

機

The First Rape in Space イスラエル
HGP Records 2014

2013年始動、イスラエルはハイファ出身スラッシュメタルバンド Tuberculizmにも所属するDavid Amiramovを中心としたプロジェクト。基本的にソロで活動し、作品によってヴォーカル、ベースなどが加入することもある。デジタルフォーマットにて多くの音源を発表しており、本作は1stアルバムにあたる。バンド名からも推測できる宇宙×ポルノ的な世界観が特徴的。基本はグルーヴィーなサイバーゴアであるが、曲中にチープで脱力系のエレクトロパートが挿入される。安っぽいが耳に残り、中毒性のあるエレクトロ、サイバーゴアという点ではS.M.E.S.と非常に親和性が高い。

Gorified

人

It's Not Fear That Tears You'll Apart... It's Us インド
Coyote Records 2020

2004年ベンガルールにて結成。現在のメンバーのうちヴォーカルのCharlesとドラムのKarthikはグラインドコアバンドNauseateとしても活動している。2006年にEP、2020年にアルバムを発売しており、本作はその2作品を収録したコレクションアルバム。EPには少々カオティックなデスグラインド系ゴアグラインドが収録されており、プロダクションは粗削りではあるが、ベースが前面に出たサウンドはなかなか珍しい。アルバムではカオティックな一面を残しつつブルータルな要素などを加え、幾分か正統なデスメタル、ゴアグラインドに近づくこととなった。またこちらはDisgorgeの影響なども感じられる。

Gruesome Malady

人

Infected with Virulent Seed インド

Bizarre Leprous Production 2003

1999 年ベンガルールにて結成。デスメタルバンド Dying Embrace にも在籍する Jimmy、Vikram によるバンド。2007 年まで活動し、2015 年に活動再開した。本作は 1st アルバムにあたり、ジャケットを Pierre De Palmas が担当した。またデスメタルバンド Autopsy のカバーも収録されている。ほとんどの曲が SE から始まり、ハーモニクスを多用したブルータルデスメタルにも通ずるギターリフや、汁気の多い下水道ヴォーカル。ところどころモタつきながらも無機質なブラストを奏でるドラムが絡み合い、邪悪さを大いに含んだ独自のサウンドを作り上げている。

Excruciation

人

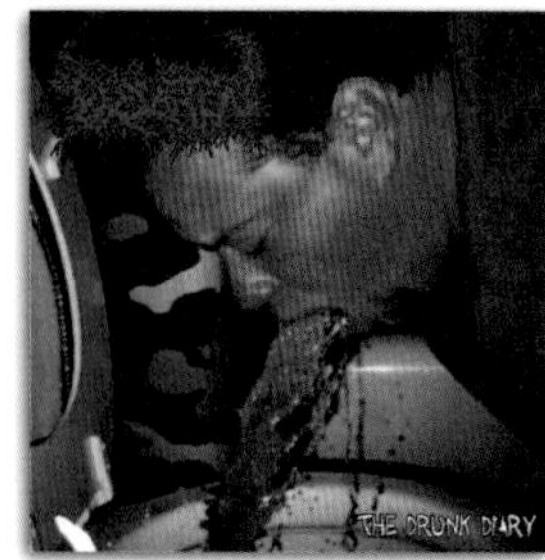

The Drunk Diary インドネシア

Proguttural Production 2018

2018 年始動、ブルータルデスメタル Cadavoracity を始めとする多くのプロジェクトで活動するブカシ出身の Januaryo Hardy によるプロジェクト。本作はデビュー EP にあたる。レコーディングは現地デスメタルバンドを多く手掛ける Apache Studio や Insidious Soundlab にて行われた。ジャケットは Januaryo 本人の写真。「インドネシアの Last Days of Humanity」といっても差し支えないほど同バンドに影響を受けた楽曲が特徴的。ワンマンであるが、ドラムは人力で高音スネアによるブラストを絶え間なく敷き詰めている。ヴォーカルは下水道ではなく、ピッチシフターをかけた邪悪なグロウルである。

Spermblast

人

Grinding Axe マレーシア

Dark Coleseum 2006

活動開始時期不明、クアラルンプールにて結成。現在はすでに解散している。メンバーは現在ブラックメタルバンド Satan's Sperm やブルータルデスメタルバンド Bloody Anatomies 等に在籍している。2002 年より音源をリリースしており、本作は 1st アルバムにあたる。マレーシアにおける最初のポルノゴアバンドとしても知られており、楽曲はミドルテンポを中心にブルータルデスメタルの要素が加えられたものを多くプレイしている。ギターリフはメタリックなものや刻むフレーズを多く導入しており、ヴォーカルは高音シャウトと汁気の多いグロウルのツインヴォーカルになっている。

WTN

人

Rotting in Pestilence シンガポール

Razorback Records 2004

1998 年シンガポールにて結成。正式名称は「Wartorn Nation」。デスメタルバンド Vrykolakas のメンバーがかつて在籍していた。本作は 1st アルバムで、ジャケットはメタル、グラインド系を多く手がける Nor Prego が担当した。メタリックなギターリフや繰り返されるテンポチェンジなどが特徴的な、オールドスクールデスグラインドをプレイしている。Carcass やカバーも収録されている Impetigo 等からの初期ゴアグラインド的側面の影響も感じられ、特に全体を通して疾走感を失わない曲調やダーティーなヴォーカルスタイルにおいて顕著に表れている。

Cystgurgle

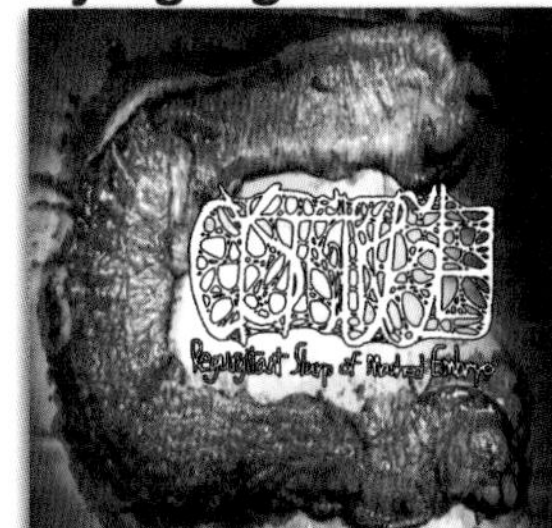

Regurgitant Slurp of Mashed Embryo タイ

Degenerate Slime Distribution 2012

2012年バンコクにて結成。Smallpox AromaのGoredick、ブルータルデスメタルバンドEcchymosis、デスメタルバンドSavage DeityのNioseによるバンド。現在はSEにおいて病理報告書の読み上げを担当するDr Saariというメンバーも在籍している。本作は初の単独EP作品にあたる。空き缶のようなスネア、ノイジーなベースに下水道ヴォーカルが乗るゴアグラインド。全体的にノイズが際立つ中、時折グルーヴィーなパートも織り込まれている。本作は楽曲ごとの違いが表立っているが、後年はよりゴアノイズ要素の強い作品もリリースされている。

Granulocytic Blastoma

Moments of Tarsotomy タイ

Last House on the Right 2010

2004年バンコクにて結成。グラインド、デスメタルレーベルBrute! Productionsを運営するPanratのソロプロジェクトとして始動し、後にゴアグラインドバンドBiopsycuntのメンバーらが参加し、バンド編成となる。本作は1stアルバムで、ソロプロジェクト時代の作品である。Lymphatic Phlegm等の影響が感じられる少しメロディックなデスメタル風ゴアグラインドをプレイしているが、ミドルテンポのパートやグラインドコアらしいフレーズも多く含まれている。またドラムフレーズは爆速マシンブラストなどの他、テクニカルなパターンもしばしば挿入されている。

Smallpox Aroma

Repulsive Pleasures タイ

Eyes of the Dead Productions 2018

2006年バンコクにてブルータルデスメタルバンドEcchymosisでも活動するGoredickらによって結成。スプリットやコンピレーションに音源を提供していたが、本作が初の単独作となる。レコーディングを多くのデスメタルバンドを手掛けるInsidious Soundlabにて行い、ジャケットはGruesome Graphxが担当した。以前はマシンドラムだったが、本作は生ドラムで制作された。また作風もグラインドコア寄りになっているが、ゴアグラインドを感じさせる一節やフレーズが数多くある。エフェクト無しではあるが、汚さや汁っぽさが見て取れる高低掛け合いヴォーカルや、人力高速ブラストが楽曲をより輝かせている。

Proctalgia

Consuming the Regurgitated Entrails フィリピン

Klysma Records 2007

2005年フィリピンにて結成。JumelとJangoreによるデュオ編成で結成され、現在はドラマーが参加することもある。多数のスプリットに参加しており、本作は1stアルバムにあたる。ジャケットをデスメタル、ゴアグラインドを多く手掛けるFreaktrash.comことLou Rusconiが担当した。ひたすら鳴り響く爆速マシンブラストに、二通りの下水道ヴォーカルが乗っかるゴアノイズ的楽曲を収録している。時折テンポチェンジや小休止などが挟まり、ある程度の緩急は付けられているが、プロダクションも非常にノイジーで、曲単位ではなくアルバムを通して楽しむ作品になっている。

Enema Torture

機

Frail for Free 台湾
Rottenpyosis Records 2015

活動開始時期不明。現在は Myxoma としても活動する台湾出身 Mark のソロプロジェクト。2015 年には同郷の Fetus Slicer と共に来日公演を行った。本作は 2nd アルバムにあたり、アルバムの最後には The Beatles の「I Want to Hold Your Hand」のファニーなカバーも収録されている。非常にチープなマシンドラムに、スラッシュメタル要素も感じるギターが乗る楽曲をプレイしている。放屁音、出所不明の SE や裏声ヴォーカルなどのファニー要素も多い。他のバンドと比べても特に水気が多い溺死ヴォーカルが、全体におけるアピールポイントとなっている。

Fetus Slicer

機

Metamorphoses of Sickness 台湾
Rottenpyosis Records 2015

2013 年始動、2015 年には来日経験もある台北出身のゴアグラインドバンド。デスメタルバンド Aohen にも所属する Varg Huang のソロプロジェクトとしてスタートし、2016 年にはベース、ドラムが加入しバンド編成となった。楽曲はデスメタル要素を多く含んだゴアグラインドで、全体的な雰囲気は Patisserie に非常に近い。ヴォーカルからは Disgorge などのメキシコゴアからの影響が感じられる。ソロではあるがサウンドからは特に低音などの音の厚みがしっかりと出ており、全体を通してもチープさを全く感じさせず、音における地盤が固まった硬派な作品となっている。

Lesbians Tribbing Squirt

機

Tribbing Is My Religion 台湾
Brutal Mind 2020

活動開始時期不明、台湾のブルータルデスメタルバンド Maggot Colony、Gorepot などでも活動する Larry Wang によるゴアグラインド・プロジェクト。2019 年にリリースされたデビュー EP を経ての本作が 1st アルバムにあたる。ジャケットには日本のフェティッシュ系 AV レーベル「幻奇」のものを使用しており、曲名や SE にもフェティッシュなテーマが非常に多く使われるポルノゴアをプレイしている。Gutalax 系のグルーヴィーフレーズとマシンドラムによる爆速ブラスを両立させた作風で、他のポルノゴアと比べてもスピード感が特に重視されている点が特徴的である。

Rampancy

機

Behind the Mask... The Massacre 台湾
Thrash Hard Records 2006

2004 年始動、台北出身 L.Yang によるワンマンプロジェクト。以前はデスメタルバンド Almost Human、Brain Corrosion のメンバーが参加していたこともある。デモ音源、スプリットを経ての本作が 1st アルバムで、グラインドコアバンド Agathocles のカバーが収録されている。打ち込みならではの高速ブラストが多く挿入された曲をプレイしているが、曲調はグラインドコア寄りのグルーヴィーでパンキッシュなものが多く、特にギターのフレーズもわかりやすい。ヴォーカルはデスメタル、ブラックメタル風のシャウトで、オールドスクールで邪悪な印象も感じられる。

Rectal Wench

人

Judgement of Whore Labia From the Sewer Throne 中国

Splatter Zombie Records 2021

2009 年北京にて結成。メンバーは現地にてグラインドコアバンドやゴアグラインドのコピーバンドとしても活動しており、またスラッシュメタルバンド Ancestor の元メンバーがかつて在籍していた。スプリットや EP 等を経て本作が発売された。Gut や Cock and Ball Torture、Satan's Revenge on Mankind のカバーが収録されている。ひたすらミドルテンポでゆったりと進んでいくグルーヴィー・ゴアグラインドをプレイしている。若干ノイジーな刻む系ギターリフと、ノリの良い高音スネアにピッチシフター・ヴォーカルとシャウトが絡んでいく楽曲が主である。中国において高純度のグルーヴィー・ポルノゴアをプレイしている数少ないバンドである。

Globularcyst

機

Fermented Abscess Proliferation 中国

Huangquan Records 2020

2019 年中国の太原にて結成。3 人編成でメンバーは現地のデスメタルバンド Mvltifission や毒蠱としても活動している。本作は 1st アルバムにあたる。マシンドラムが Disgorge 系統のハイスピードブラストを奏で、そこにデスメタリックなギターやヴォーカルが重なるスタイルのゴアグラインドをプレイしている。オールドスクールなデスメタル、ゴアグラインドからの影響が特に感じられるが、各パートの音はとてもはっきりと聴こえる。また要所にブルーダルデスメタル的なアプローチも挟まれているのでサウンド、プロダクションともにとっつきやすくクリアな仕上がりになっている。

Paohoo

機

Hentai Holocaust by MOE 韓国

Independent 2017

2015 年ソウルにて結成の 2 人組バンド。バンド名は太った人の呼吸音から派生した韓国の蔑称的ネットスラングから。ジャケット、曲名、SE にアニメネタをふんだんに盛り込んでいる日本趣味オタクゴアグラインド。ノイジーであるが、比較的邪悪でブルータルなデスメタル風のリフを鳴らすギターとチープな打ち込みドラムに、ゲロゲロなゴアヴォーカルが乗っかる。曲調はブラストがひたすら続いたりグルーヴィーだったりと幅広い。決して完成度が高いわけではないが、全体を通してのローファイさ加減がまた良い味を出している。2019 年後半に最後のライブを行ったことを報告しており、活動休止したと見られる。

Sulsa

人

Gore Is My Business... 2014-2019 韓国

Rectal Purulence 2019

活動開始時期不明、ドゥームメタルバンド Gonguri やグラインドコアバンド Little Puppy Princess に在籍し、ライブハウスも運営する韓国におけるアンダーグラウンドのパイオニア的存在の Yuying によるバンド。本作は 2014 年から 2019 年までの EP やスプリット音源を収録したコレクションアルバム。メンバーや担当楽器は流動的で、打ち込みドラムの音源も収録されているが、スタイルは一環としてゴアグラインドやゴアノイズをプレイしている。ひたすら走り抜けるブラストや邪悪な下水道ヴォーカルが目立つサウンドで、発表年月ごとの特徴を感じることができる。

コラム 日本では「検索してはいけない言葉」「ニコニコ動画」でブレーク

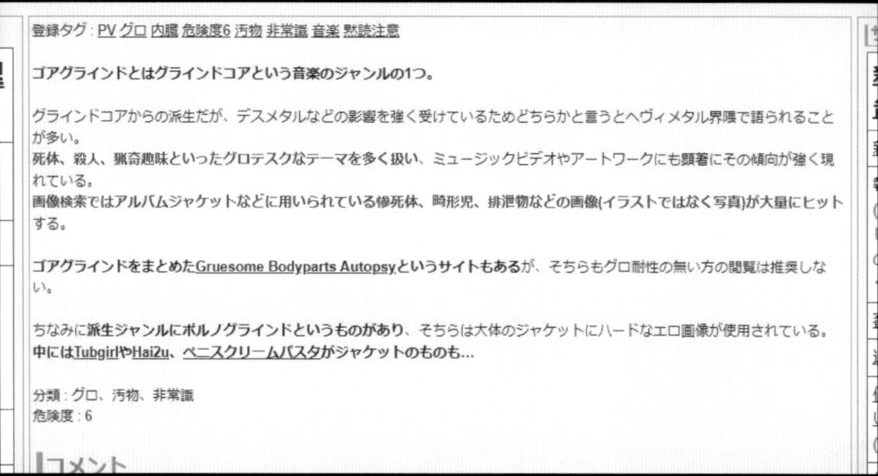

登録タグ：PV グロ 内臓 危険度6 汚物 非常識 音楽 黙読注意

ゴアグラインドとはグラインドコアという音楽のジャンルの1つ。

グラインドコアからの派生だが、デスメタルなどの影響を強く受けているためどちらかと言うとヘヴィメタル界隈で語られることが多い。
死体、殺人、猟奇趣味といったグロテスクなテーマを多く扱い、ミュージックビデオやアートワークにも顕著にその傾向が強く現れている。
画像検索ではアルバムジャケットなどに用いられている惨死体、畸形児、排泄物などの画像(イラストではなく写真)が大量にヒットする。

ゴアグラインドをまとめたGruesome Bodyparts Autopsyというサイトもあるが、そちらもグロ耐性の無い方の閲覧は推奨しない。

ちなみに**派生ジャンルにポルノグラインドというものがあり、**そちらは大体のジャケットにハードなエロ画像が使用されている。
中にはTubgirlやHai2u、ペニスクリームパスタがジャケットのものも…

分類：グロ、汚物、非常識
危険度：6

コメント

「検索してはいけない言葉」をまとめた大手サイトによる「ゴアグラインド」の記事

「検索してはいけない言葉」

「ゴアグラインド」という単語、及び大まかな特徴は日本においてそれなりに実は知名度がある。その理由の一つはゴアグラインドが「検索してはいけない言葉」一覧の中に掲載されているからである。「検索してはいけない言葉」とはGoogle等で検索、または画像検索することによってホラー、グロテスク、ウィルスサイトなど様々な危険コンテンツが表示される言葉のことを指す。ネット掲示板や動画サイトを中心に人気を博しており、特に動画サイトには「検索してはいけない言葉」をあえて検索してみるといった動画が多数アップロードされている。この「検索してはいけない言葉」にゴアグラインドが含まれている理由はジャケットが要因であり、「ゴアグラインド」で画像検索することで大量の死体、グロテスク画像やアブノーマルなポルノ画像が表示されるからである（現在は「ゴアグラインド」「goregrind」共に以前ほど露骨な画像は出てこなくなっている）。「検索してはいけない言葉」をまとめた大手サイトにもゴアグラインドが掲載されており、「検索してはいけない言葉」をよく閲覧するコミュニティを中心に、単語や大まかな特徴自体の知名度は広まっている。しかしこういった人たちはゴアグラインドの音楽はほとんど聴いておらず、大体は画像検索をしただけで終わりか音楽を聴いたとしても「グロ画像をジャケットに使っているヤバい音楽」程度の認識しか持っていない場合が多い（もっともそういったコミュニティの中に、いわゆるメタルを聴いている人すら少ないという要因もあるが）。以上の理由から「検索してはいけない言葉」としての知名度が一人歩きしている状態で、国内におけるゴアグラインドリスナーの増加などにはほとんど影響していないのが現状である。

ニコニコ動画のセサミストリート

このようなビジュアルだけのイメージから一歩踏み出し、あくまで音楽としての「ゴアグラインド」の知名度を広げている場所は「ニコニコ動画」を始めとする動画サイトである。そもそも「ニコニコ動画」には「珍メタル」というマイナーなメタルバンドの映像やメタルバンドのダサい、おもしろいMVなどに付けられるタグが存在している。その「珍メタル」からさらに細分化したものにKotsの唯一無二の音楽性を崇拝した「Kotsは神」というタグも存在しており、こちらがゴアグラインドやデスメタルなどさらにアングラなメタルの動画にタグ付けされている。数ある動画の中で特に有名なのは「セサミストリート」のキャラクター、バートとアーニーがドラムを叩いている映像を倍速にしたものにLast Days of Humanityの楽曲を被せた「ハードコア」というタイトルの動画で、こちらは総再生回数が150万を超えている。ゴアグラインド関連の動画は2007年から投稿されており、MV、ライブ映像（YouTubeに上がっていない貴重なものも）や楽曲を詰め合わせた紹介動画、またVOCALOIDにゴアグラインドを歌わせるいかにも「ニコニコ動画」らしい動画なども存在している。しかしここにおいてもただの「ヤバい音楽」といった印象が付きがちになってはいるが、前述の「検索してはいけない言葉」と比べても音楽のコンテンツとして成り立っており、音楽の「ゴアグラインド」の知名度を上げたサイトとしての功績は非常に大きい。

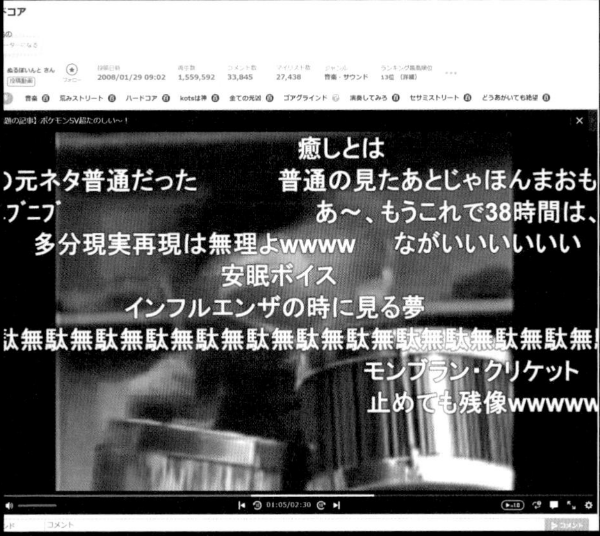

2008年にニコニコ動画に投稿された「ハードコア」。
元は外部の動画サイトにアップされていたもの。

「ニコニコ動画」にゴアグラインド関連の動画がアップされ始めた2000年代後半〜2010年代前半は国内のゴアグラインド需要が高まっていた時期であった。例えばネット掲示板のゴアグラインドコミュニティでコンピレーションアルバムが制作されたり、mixi等のSNSでゴアグラインド人気が高まっていた。またゴアグラインドのレビューブログなどはこの時期が一番多く、海外バンドの来日も多く行われていた。現在はほとんどがなくなっており、また音源等も残っていないがこの時期には多くのゴアグラインドバンド、プロジェクトが存在していた。

一時期ほどの勢いはないにしろ「ニコニコ動画」には未だにゴアグラインド関連の動画は上がっており、また現在はYouTubeにて海外ユーザーによるゴアグラインド紹介動画も多く上がっている。それらの動画経由でゴアグラインドに興味を持つ人も増えているように感じる。日本におけるゴアグラインド人気は衰えているかもしれないが、逆に海外のゴアグラインドシーンは現在でも進化と発展を続けている。彼らの活躍を目にし、その情報を発信している日本人も決して少なくない。海外ゴアグラインドの発展に続き、日本でも多くのゴアグラインドバンドが誕生し、一時期のようなゴアグラインドブームが再度起こることを願うばかりである。

グラインドロック取り入れ「踊れる」国産ゴアグラインド最重要バンド

写真 Natsumi Okano

Butcher ABC

◎ Clotted Symmetric Sexual Organ (C.S.S.O.) / Vomit Remnants / Defiled / Abort Mastication / Intestine Baalism / Patisserie
◷ 1994 ～ 1996、2000 ～現在　　　　　　　　　🌐 日本　東京
👤 (Gt, Vo) Narutoshi Sekine / (Dr) Hisao Hashimoto / (Ba, Vo)Takanori Kubo / (Gt) Jeong Jong-ha
ex. (Dr) Takeshi Toshima / (Gt, Ba) Sumito Sekine / (Ba, Vo) Steve Eagle / (Vo) Kenji Sato / (Dr) Susumu / (Ba, Vo) Hagamoto

1994 年結成。グラインドコアバンド C.S.S.O. に在籍していた Narutoshi と Susumu によって結成。初期ゴアグラインドやデスグラインド影響下の楽曲を演奏するためのバンドであったが、1996 年に Susumu が脱退。2000 年当初のコンセプトにデスメタルやグラインドロックの要素を付け加える形で再結成。C.S.S.O. の元メンバーである Sumito や Takeshi が加入し、2002 年に最初のデモ音源を発表。翌年デスメタルバンド Defiled に在籍していた Kenji が加入。同年に 1st EP『Butchered at Birth Day』のリリースや Dead Infection との日本ツアー、翌年に Obscene Extreme への出演などを経験するが、Sumito、Kenji が脱退。2005 年にはブルータルデスメタルバンド Vomit Remnants に在籍していた Steve がベースヴォーカルで加入。翌年には 2nd EP『Butchered Feast of Being』発表後に Takeshi が脱退、その後デスメタルバンド Intestine Baalism でも活動する Hisao が加入する。以降は General Surgery、Dead 等とのスプリットを発表するも、2010 年 Steve がアメリカへ帰国するため脱退。その後 Patisserie の Hagamoto が一時的に参加し、2012 年にデスグラインドバンド Abort Mastication でも活動する Takanori が加入。また同年より Kenji が一時的に復帰し、2016 年頃まで主に 4 人編成にてライブや音源発表を行う。2017 年には 1st アルバム『North of Hell』をリリース。同作でゲストギターを担当したブルータルデスメタルバンド Fecundation の Jong も 2020 年に正式メンバーとして加入している。

Butcher ABC

人

Butchered at Birth Day 日本
Obliteration Records 2003

2003年発の1st EP。2004年にはライブ音源を収録した再販盤がリリースされた。レコーディングはハードコア、メタルを多く手掛けるMusic Forceにて行われた。デスメタルバンドMorquidoのJunpeiがゲストヴォーカルで参加しており、またベースのChemi-KillことSumitoはギターソロも担当している。サウンドはグルーヴィーでノリの良いグラインドロックを基調にシャウトとグロウル、ピッチシフターが絡む楽曲をプレイしている。ギターはソロなども含まれたデスメタル風のものが多く、オールドスクールなデスメタル/グラインドコアのクロスオーヴァーのスタイルで楽曲を作り上げている。

Butcher ABC

人

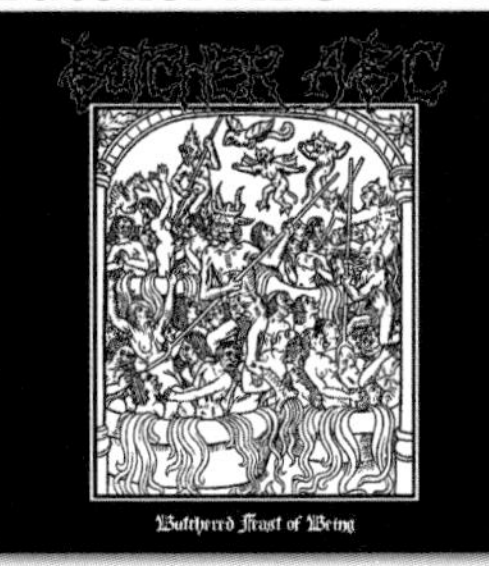

Butchered Feast of Being 日本
Obliteration Records 2006

2006年発の2nd EP。前作同様Music Forceにてレコーディングを行い、マスタリングをデスメタルバンドEdge of SanityのDan Swanöが担当した。またボーナストラックとしてマスタリング前のバージョンも収録されている。本作にはデスメタルバンドDivine Eveのカバーが収録されており、またDeadやグラインドコアバンドImmuredのメンバーがゲストヴォーカルで参加している。前作同様デスメタル、グラインドコアの両要素が楽しめる作品となっており、リフを聴かせるゆったりとしたパートやブラストなどのファストなドラムを緩急を付けながら、同時に上手く表現している。

Butcher ABC

人

North of Hell 日本
Obliteration Records 2017

2017年発の1stアルバム。レコーディングはベースのTakanoriが運営するStudio ChaosKにて行われた。またゲストギターソロとして後年メンバーとして加入する、ブルータルデスメタルバンドFecundationのJongが参加している。過去作と同じくデスメタル、グラインドコアを基調にしたサウンドだが、ピッチシフターがさらに凶悪なものになっており、ゴアグラインドらしさがさらに深まった作品でもある。またグラインドロック的なグルーヴィーサウンドにも磨きがかかり、「踊れる作品」として評価も非常に高い。さらに緩やかに進むドゥームデスメタル的楽曲も収録されている。

Narutoshi Sekine (Obliteration Records / C.S.S.O. / Butcher ABC / GRAVAVGRAV) 前ページ写真右インタビュー

Q：まずご自身がエクストリーム音楽に出会ったのはいつ、何がきっかけでしたか？　またバンドを組むに至ったきっかけも教えてください。

A：エクストリームな音楽の最初だとMetallicaやIron Maidenなんかはすでに聴いてたけど、邪悪でエクストリームというとSlayerですね。初めて買ったのはLive Undeadというライブアルバムでした。そこから転げ落ちるように邪悪なエクストリームメタルを掘り下げるよ

オールドスクールなデス・グラインドをやりたい

2018 年のヘルシンキ公演の模様
写真　Natsumi Okano

うになり Kreator、Sodom、Destruction から自然とデスメタル、グラインドコアに流れつきました。ただ当時（1988 ～ 1990 年）はデスメタル、グラインドコアもリリースしているレーベルが Earache Records、Nuclear Blast ぐらいしかなく音源も日本では入手困難で、アンダーグラウンド・ファンジンと出会ってから自分で手紙書いて海外にデモテープを注文したり音源買ったりしてました。その流れで自らファンジンもやり始めました。そんなとき、中学の同級生が入った大学の先輩に千葉のデスメタルバンド、Maggoty Corpse のメンバーがいたんです。その彼の紹介で僕がどういうわけか加入する事となりました。在籍期間は 1 年足らずでセカンドデモのみギターを弾いています。その頃、僕の弟と弟の同級生（当時、高校 3 年生）が実験的なグラインドコアバンドを始めるという事で、それが Clotted Symmetric Sexual Organ（C.S.S.O.）となりました。1993 年ですね。最初のレコーディング音源はドラムに Maggoty Corpse のタケミ氏にお願いして叩いて貰いました。後にその音源は Meat Shits とのスプリット 7 インチとしてリリースされています。

Q：ちなみにですが、Carcass の 1st アルバムがリリースされた時はリアルタイムで聴いていましたか？　また初めて Carcass の 1st を聴いた時の印象はどのようなものでしたか？

A：1st リリースのリアルタイムではないと思いますが、初めて聴いた時の事はいまでもしっかりと憶えています。C.S.S.O. のメンバーの勝山と当時、新宿にあった輸入レコード店、Disk Land にみんなで行って彼はピクチャー 12 インチで買って、うちに帰ってみんなで聴きました。Napalm Death のメンバーがいるっていうふれ込みで買ったんだと思うけどその時は声が気持ち悪い、音が悪い、何やってるかわからない、という印象しかなかったです。1st はその後もあまり聴き込んだりはしなかったけど、アンダーグラウンドシーンに触れてバンドのリハデモやオーディエンス録音のライブテープなんかをいろいろ聴いてるうちに、そういう音質

に耳が慣れていつの間にか普通に聴けるようになっていました。今聴いても音質は良いとは言えないですが、生々しさがあって素晴らしい作品です。

Q：Butcher ABC はゴアグラインドがやりたくて始めたバンドでしたか？

A：Butcher ABC はゴアグラインドというより C.S.S.O. の後期がサイケデリックな要素や実験的な即興を取り入れた曲に傾倒していき、その反動でもっとシンプルでオールドスクールなデス・グラインドをやりたいというところからスタートしました。もともと Butcher ABC は 1994 年に C.S.S.O. のドラマーと遊びで始めた Low バジェット・Raw グラインドコア・バンドでその時の録音音源はメキシコの Paracocci... とスプリット CD でリリースされています。再結成してからの Butcher ABC の曲はゴアグラインドの要素はもちろん、90 年初期のグラインドコアにドイツの Dead や Pungent Stench の影響で、ヘヴィでロックなリズムとスラッシュメタルからの影響のリフを組み合わせています。

Q：いわゆるグルーヴィー・ゴアグラインドとは違ったアプローチながらも非常にノリの良いゴアグラインドをプレイしていましたが、曲作りの際に特に重視していたことはありましたか？

A：曲は好きなバンドのカッコいい部分を組み合わせて作っているので、楽曲のオリジナリティの探究よりライブでの盛り上がりを重視して作っていました。とにかくリフはシンプルに、わかりやすい展開とリズムの部分、それと歌詞の乗せ方はかなり作り込んでいました。C.S.S.O. 時代にロックをよく聴いていたので、少なからずその影響も出ているんだと思います。

Q：歌詞やタイトル、世界観などはどのようにして決めていましたか？

A：再結成にあたって、もともとバンド名の ABC は Atomic Bio Chemical（核、細菌、化学）の ABC 兵器からきていますので、その部分をわかりやすくメンバーの見た目を核戦争後、ポスト・アポカリプスをテーマに映画『Texas Chainsaw Massacre』や 80's スラッシュメタルのメタルヘッドなんかをごちゃ混ぜに組み合わせたりしました。歌詞も Carcass や Slayer を参考に悪魔崇拝なんかを茶化したり、意味もないゴアなフレーズを取り入れたりと内容はないですね。初期はガスマスク、後期はネクタイの肉屋と言うステージングにしていました。

Q：Butcher ABC として Obscene Extreme を始めとする多くの海外公演を行っていましたが、その際に特に印象的だった出来事やエピソードはありますか？

A：初めての Obscene はやはり感動しましたね。それまで C.S.S.O. でヨーロッパツアーもしていたし、向こうの友達も沢山来ていたので雰囲気も最高でした。特にこれっていう事件的な事は起きなかったんですが、当時のヴォーカルだったケンと成田空港で円をユーロに換金しようとした時、彼はこれからヨーロッパ行くっていうのに 3 千円しか持ってなかったんです。帰るのに成田から東京までの電車賃が 1000 円以上するのにですよ笑

2018 年のマドリード公演の模様　写真　Natsumi Okano

Q：レーベルとして多くの海外バンドを日本に招聘していますが、特に印象深かった公演を教えてください。また招聘するバンドはどのように決めていますか？

A：台風が来て中止か続行かを迫られた Pestilence がヘッドライナーだった年の浅草デスフェストはあまりにいろんな事が起こって若干、記憶喪失みたいになってます。台風が東京に直撃するか

Obscene Extreme 2018 の模様
写真　Natsumi Okano

肛門期のままの大人

もと言われた前日から翌日まで 48 時間ぐらい神経すり減らしたので「とにかくキツかった」の記憶で終わってます笑。Incantation の日本ツアーもかなり予算組んで招聘したけど大赤字。悪い時のイベントのほうが記憶にこびりついてますね。ライブが素晴らしかったバンドはフィンランドの Convulse、アメリカの Skeletal Remains、2 回目来日時の Carnation、鷺谷の What's Up でやった時の Wormrot も凄かったです。招聘するバンドは予算の部分がまず、そして若いバンドであればこれからの活躍が期待出来る音か、あとは旬なバンドかどうか、みたいなところで決めています。自腹で日本行きたいからライブ組んでくれ、っていうバンドも沢山連絡きますが観光ついでにライブやりたい、みたいなバンドは基本、断っています。僕も一応これが仕事なので、お互いの意識にズレがあるとイベント自体が最後まで締まらないという事が何度かありました。音楽でやっていこうという意識が高いバンドはやはり演奏、ステージングからマーチャンダイズ、音源配信などプロフェッショナルな姿勢で臨んでいます。

Q：レーベルを通して今まで定期的にゴアグラインドの音源を入荷し販売していますが、他ジャンルと比べて反響はどのような感じでしょうか？　また特に反響の多かった時期やスタイル（ポルノ系、デスメタル系など）はありましたか？

A：2000 年以降ですかね、インターネットもかなり普及して通販で音源買うのが以前よりも手軽になってきてから、それまであまり売れなかったゴアとかポルノ系のグラインドが売れるようになったのは。Exhumed の出現が大きかったかもですね。あとはメキシコの Disgorge。ファースト CD は僕んとこだけでも 300 枚ぐらいは売りました。Gut 以降だと Cock and Ball Torture の出現も大きかったですね。当時、デスメタルが下火でブルータル・デスメタルがどんどん出てきて、そのファンも取り込んだ印象はありました。

Q：初期からゴアグラインドを聴いていらっしゃると思うのですが、ポルノゴア、サイバーゴアなど多くのサブジャンルが新しく誕生した際の当時の率直な感想はどのようなものでしたか？

A：Gut のオリが Libido Airbag を始めたときはやはり衝撃でした。当時、Gut は時代の流れと逆行するような演奏や楽曲だったのでそのオリがエレクトロ、と言っても電子音楽に毛の生えた程度のロウクオリティな演奏でゴアと融合させた事に新鮮さを感じました。Last Days of Humanity のヴォーカル、Erwin も Kots や S.M.E.S. なんかを始めて、さすがゴアの先人達は考える事が先行ってるなぁと感心したもんです。

Q：日本よりも海外の方がゴアグラインドの需要が高いとよく聞くのですが、Narutoshi さんが実際に見た海外のゴアグラインドシーンやファンはどのようなものでしたか？

A：ゴアグラインドだけでなく、デスメタルやドゥームメタルもそうなんですけど、こういう日本の社会からはおおよそ理解されにくい音楽を、別に社会のアウトサイダーが聴く音楽という感じでなく、普通に楽しんでいるのが違うなぁという印象ですね。ライフスタイルの中にこういう音楽が普通にある。まあ欧米はメタルヘッドの人口が日本の比ではないですからね。フェスも多いし、キワモノみたいなゴアグラインドだけでもかなりのバンドやファンがいるから普通です、っていう印象です。

Q：最近のゴアグラインドに関して、昔と比べて良くなった点や進化したと思う点などはありますか？

A：ネット普及以降は明らかにナード系ゴアが増えた印象です。あとコロナ禍に入ってから初期 Caracss 系のゴアグラインドや Dead Infection のようなブラストビートをベースにしたオールドスクールなゴアグラインドバンドが増えたと思います。特に音楽的な進化はしてない気もしますけど、世界的に死体ジャケが減った気もします。あと、フォントがまったくなくロゴの体をなさない、僕はもんじゃ系ロゴと呼んでるロゴのゴアバンドが増えたかも。あとカエル系(笑)最近のはトモユキくんのが僕なんかよりかなり詳しいと思いますよ！

Q：ある程度年配の方であったり、海外の方でいわゆる Carcass 至上主義的で、ポルノゴア嫌いな方を何度か見かけたことがあるので、レーベル運営者とはいえ Narutoshi さんが現在でもポルノゴアを聴いているのは結構意外だと思うのですが、Narutoshi さんは、個人的にそういったグルーヴィー / ポルノゴアの魅力はどのようなものだとお考えですか？

A：グルーヴィー / ポルノゴアは歌詞の内容なんかは共感出来ないしのも多いし、真剣に捉えていないけど肛門期のままの大人とでも言うのか、小学生の「うんこ、ちんこ、まんこ」みたいな馬鹿馬鹿しさ、楽しくやろうっていうスタイルが好きですね。ノイズグラインドにも近い反音楽主義や、テクニカルや高尚な音楽のエリート主義へのカウンターでもあるんじゃないのかとも思います。エクストリームな音楽の可能性を探求していく上でも、オープンマインドである事は大事だと思っています。

Q：ご自身が選ぶゴアグラインドにおける名盤をいくつか教えてください。

A：Caracss 1st ～ 3rd 初期 3 枚はどのアルバムも違うカラーを持った作品ですが、ゴアグラインドは Carcass から始まったようなものなので、全ての要素が詰まっていると言っていいと思います。あとここらへんは Carcass フォロワーでも現在も影響力をもつ作品かと思います。出た当時は飽きずに毎日のように聴きましたね。

Gore Beyond Necropsy『I Recommend You... Amputation! Demo』

Dead Infection『A Chapter of Accidents』

Dead / Regurgitate『Split』

Haemorrhage『Emetic Cult』

Disgorge『Chronic Corpora Infest』

Gut『Odour of Torture』

Xysma、Disgrace、Demilich なんかの初期フィンランドのデス・グラインドも確実に Carcass からの影響がありますね。あと 21 世紀以降ではデンマークの Undergang。Pharmacist や Sick Sinus Syndrome など 2020 年以降のゴアグラインドバンドもいい音源をリリースしているので、挙げていったらキリがないです。

Catasexual Urge Motivation

Sadistic Lingam Cult
1992 ～ 1997　2008 ～　　日本
(Gt, Vo, Composition) Tomoaki Kanai / (Lyrics, Concept, Artwork) Yuzin Kanai

1992 年結成。エクストリームシーン全体においても非常に早い段階から打ち込みドラムを用いたバンドで、90 年代中盤頃からすでに多くの音源を発表している。1996 年には 1st アルバム『The Encyclopedia of Serial Murders』をリリース。その後もカセットを中心にスプリット、デモなどの音源を発表し続けるが、1998 年以降は一時的に Vampiric Motives へと名義を変更して活動していた。2016 年以降には Catasexual Urge Motivation 名義での新作や過去音源のコレクションアルバムなどが数点リリースされている。

Catasexual Urge Motivation

機

The Encyclopedia of Serial Murders　日本
Deliria Productions　1996

1992 年結成。楽器、ヴォーカル担当の Tomoaki とコンセプト、歌詞担当の Yuzin の兄弟によるバンド。両名は Sadistic Lingam Cult というノイズコアバンドとしても活動している。多くのデモやスプリットをリリースしており、本作は 1st アルバムにあたる。連続殺人鬼をテーマにした世界観で、インダストリアルなドラムとノイジーなギターが特徴的。楽曲はデスメタル寄りのものが多く、曲によりドゥーム的なアプローチやミドルテンポ、エレクトロ要素など様々なエッセンスが加わっていく。ヴォーカルはグロウルとシャウトの掛け合いで、どちらも邪悪でホラーチックな雰囲気を醸し出している。

Tom Blood (Tomoaki K.) (Catasexual Urge Motivation) インタビュー

Q：まずご自身がエクストリーム音楽に出会ったのはいつ、何がきっかけでしたか？　またバンドを組むに至ったきっかけも教えてください。

A：エクストリーム・ミュージック、つまりデスメタルやグラインドコアのことですよね。僕の年齢をご存知かとは思いますが（※ 1967 年生まれ）、デスメタル・グラインドコア第一世代と同じなんです。ひょっとすると一個か二個（またはそれ以上）下の人もいますね。弟とは 5 つ違いで、彼らの年代はまさにそういった音楽を聴き出した世代ではないかと思うんです。でも僕は少しアングラの世界に入るのが年齢的に遅くなってしまって。

で、どうしてこの音楽形態に行き着いたかという事になると、もう少し昔の話をしなければいけません。デスメタル・グラインドコア第一世代の人たちと同様音楽を聴き始めた頃に好きだったのは Led Zeppelin とか Deep Purple、Black Sabbath に、個人的には Grand Funk と Blue Oyster Cult で、しばらくすると N.W.O.B.H.M. を経由して Judas Priest や Iron Maiden、Motorhead などを聴き始めました。最初は手探りではありましたが、自分が好きなのはめちゃくちゃ速い曲であることに気付きました。その頃のバンドって、たいていアルバムの一曲目が疾走感ある曲で始まる事が多かったですよね。そういう曲に魅了されていきました。ついには Venom に辿り着き、エクストリーム・ミュージックの原石を見た気がします。今でも Venom の衝撃と破壊力は存続していまして、Sigh の川嶋氏以上にいまだにメチャクチャ好きなんです。そう、つまり音楽的嗜好が自然とスラッシュメタルに移行していく訳です。

80 年代末期にはあらかたのスラッシュメタルを漁り尽くしてしまい、もっと強烈な音が欲しくなりましたね。でも 80 年代の頃の Death とか Possessed はそれほど好きになれなくて、自分にはデスメタルっぽいものは向いてないのかなと。でもやっぱり更なる衝撃を体験してみたくなって、初期の Kreator、Sodom、Sepultura みたいな音を思い起こして輸入レコードショップで探し出していきました。そこで出会ったのが Morbid Angel、Napalm Death、Carcass、Bolt Thrower、Autopsy、Cannibal Corpse などです。もうなんか最初は訳わかんなくて（笑)、Earache Records の Grind Crusher コンピレーションとかあったでしょ？　半分くらいのハードコア的なやつは好きになれなくて、もうちょっとカチっとした曲構成を持つバンドにハマりましたね。あとはもう、レーベルごと芋づる式というか、前述したバンドのサンクスリストに載ってるバンドをどうにか見つけて買ったりと、毎週新宿に行ってました。長くなりましたが、自然の成り行きって感じですね、どんどんヒドい音楽にのめり込んでいった、という。90 年頃だったと思います。
結成の経緯ですが、80 年代にもバンド活動は多少していましたが、シリアスなものじゃなくて。でもいつかちゃんとした自分のバンドを組みたいな、という希望はあって。とにかくブラストビートを取り入れたバンドをやりたくて、弟に「こんなのやりたいんだけど、一緒にやらないか？」と声をかけました。それが確か 1992 年の 12 月ごろだったと思います。二人でビジョンを出し合って、これはしたくない、これなら良い、みたいな構想を練っていました。

Q：2017 年発売の EP 作品以降はお一人だけのクレジットとなっていますが、現在はお一人で活動していらっしゃいますか？

A：そうですね。2004 年に母が事故で亡くなり、家族関係に変化が起きたりと弟は音楽に対する情熱みたいなものを失っていったようです。その後父も亡くなり、その時の話し合いでバンド活動に名前を連ねておくのはもう止めておきたいとの事で、音楽活動から引退しました。弟から Catasexual Urge Motivation 用にと色々とコンセプトや歌詞めいたものを時々見せてくれていたものが全く無くなり、曲のコンセプトからタイトル、曲調の指定まで、全て僕一人でこなしていくようになりました。最初の復帰作ではブランクもあったせいか、非常に苦労したのを覚えています。すごく、誰々風にならないようにというのを意識すると、全くアイデアが出てこなくて、全体像を掴むまで相当時間がかかりました。リフのアイデアだけはたくさんあるのに、曲にならない、とか。
今後はワンマンプロジェクト的様相が強まっていきますが、よろしくお願いします。

Q：結成当時では今ほど一般的ではなかった打ち込みドラムでのゴアグラインドをプレイしていますが、このようなスタイルに至ったきっかけを教えてください。また影響を受けたのはどういったバンドでしたか？

A：ズバリ Gore Beyond Necropsy のデモテープを買ったことがきっかけですね。とりあえず自分一人でバンドの原型のようなものを作ってみようと思っていた頃、彼らの『I Recommend You... Amputation!』というデモに出会いました。と同時くらいの頃だったと思うけど、僕らは Dead World にハマっていて、ちょっとインダストリアル的な要素を入れたいと思っていました。あとは結構追いかけて聴いていた Ministry の影響もありました。で、ドラムをどうするか、と。その頃実家にドラムセットがあったんですよ、叔父がいらなくなったセットを貰ったというので、頂きまして。でも録音に行き来するのは距離があって。で試しにダンボールをぶっ叩いてスネアっぽくしてみたりね。当時のバンドのデモテープって音質がめちゃくちゃ悪かったものもあって、というか僕の知っていたデモテープ音源はダビングの

ダビングにつくダビングみたいな形でしか聴けないものでしたから、雰囲気でリズムが鳴っている程度でも良くね？みたいな。でも全然使えなくて。そこで、前述の『I Recommend You... Amputation!』というデモを聴いてしまう訳ですよ。答えが見えた！と。翌々日くらいには仕事帰りにドラムマシーン買ってましたね。
影響という事では前述のバンドもそうですが、ちょっとメタル以外の要素を入れてみたくて、当時好きだったStone RosesとかSmashing Pumpkinsのリズムも参考にしてました。両バンド共、ドラムが天才的に上手いですからね。インダストリアルというかダンサブルなリズムの入れ方はそういったバンドの影響も意図的にあります。
そして僕らのバンドに絶大な影響を与えてくれたバンドがXysmaとImpetigoです。Stone RosesとSmashing Pumpkinsもドラムが心地良かったですが、この2バンドのドラムスタイルにはどハマりでしたね。Ken Owenもとても好きなんですが、ImpetigoのDanとXysmaのドラマーはおかずの入れ方から急発進して走り出すところまで、めちゃくちゃカッコ良いです。全然再現出来てませんが、非常に参考になりました。影響という面では絶大です、音楽的にもね。ImpetigoとXysmaの曲調にインダスっぽいドラムを入れたらカッコ良いんじゃないかってことで。もちろんCarcassも。
Q：バンドのテーマを猟奇殺人鬼に設定したのはなぜですか？　また曲名はどのように決めていますか？
A：デスメタル・グラインドコアバンドとして、人と同じことはしたくなかったから、つまり差別化ですね。そういったバンドって、大体がゾンビや死体、退廃的なもの、悪魔とかで、やり尽くされてきたことは避けたかったので。Macabreとかもいましたけど、個人的にはあまり真剣に聴いていなくて、カブってるなという意識はなかったです。まぁ彼らや他の殺人鬼をテーマにしているバンドって、殺人鬼自体の紹介程度な扱いで、連続殺人鬼の内面を描いたりはしてはいなかったと思うんです。だからこれも差別化という意味で、多少哲学的視点から連続殺人鬼の思考を描いたり、曲名にしています。また僕らは当然のようにCarcassの大ファンですが、彼らのフォロワーってほとんどが病理学（パソロジー）をテーマにして、いや真似してますよね。それだけはしたくなかったというのがありますね。Carcassの影響下でパソロジーを扱っていないのって僕らだけじゃないでしょうか。パソロジーってただの医学ですよ、グロでもなんでもないじゃないのか、ってのが僕らの持論でした。
曲のタイトルですが、弟と一緒にやっていた頃は、全て彼が持ち込んだアイデアです。彼は当時大型書店に勤めていて、かなりの数のサブカル的書籍を読んでいたようです。バンドで使っていた写真や切り抜きもそういった経緯で集められたり、アイデアを盗んできていましたね。インターネットが普及してからは、海外のアングラサイトやらシリアルキラーもののサイトで情報を得ていたようです。また、若気の至りというかで、社会に対する不満や葛藤をシリアルキラーを通してブチ撒けていたというのもあります。名指しで政治家を批判するクラストやハードコアの手法と多少似ています、方法論が違うというだけで。
Q：『He Shot Her down and Ate Her Flesh, and He Said "Excuse Me for Living but I Preferred to Be Eaten Rather than to Eat"』など他に無い、興味を惹かれる曲名も多いですね。ちなみに殺人鬼関連のエピソードで特に好きなものなどはありますか？
A：その曲名は佐川一政についての事で、通常であれば食べる側の嗜好で書かれるのですが、彼の著に『喰べられたい』というのがあって、そのタイトルは、まぁ逆説的にいうと話題になるからだと思うのですが、これは面白いと思って。カンニバリズムについてというより、個人の内面

(左 Yuzin Kanai 右 Tomoaki Kanai)

の願望を表したものにしたかったので、ぱっと見には佐川一政についての事だとは思わない人もいるんじゃないか、と。僕が中学生くらいの事件でしたが、かなり印象に残っていましたね。その後、被害者のルネにはＴシャツになってもらったり、現在ではロゴに登場してもらっていたりと、この事件にはいまだに縁があります。

弟は映画『八つ墓村』の原案となった 1938 年の津山三十人殺しが印象深いらしいです。一夜（数時間内）にしてやった例としては日本の殺人事件史上類を見ない数の大量殺人であり、その後も曲のコンセプトで何度か大量殺人については言及しています。

僕のお気に入りというか印象深いのはやはりダーマー、ルーカス、チカチロ、フィッシュ、ですかね。ルーカスはちょっと違いますが､殺す前に拷問しているのが残忍で良いです､みんな。ルーカスが元になって映画のキャラクターになっているのも有名ですね。そんな作品が（監督曰くホラー映画を撮ったつもりだそうですが）アカデミー賞作品賞をとってしまうのは当時どうかと思いましたけどね。

我々のある曲名の元にもなっている､「For heavens sake catch me before I kill more. I cannot control myself」という言葉を殺人現場に書き残していたリップスティック・キラーことウイリアム・ハイレンズが面白いですよね。何せ捕まえてくれ、と書いているのにまた殺人を犯してしまうという、今ではミステリー小説でも結構ありがちではあるのでしょうが、それを実際にやっていた人がいるという。絵になるじゃないですか。

最近では座間 9 人殺害事件が強烈ですね。立件はされないでしょうが、9人てことはないんじゃないかと思います。まだ現在進行形の事件なので、興味深く見守っていきたいです。

90 年代のお話もどこかでしていますが、僕らの世代にとって原体験としてとても強烈だったのは、果たしてシリアルキラーと分類していいかわかりませんが、オウムの件ですね。地下鉄サリン事件のあの列車、もし僕が朝のシフトだったら、あれに乗っていたかもしれないんです。人ごとじゃなかったですね。事件の全容、毎日食い入るようにTVを見てました、普段あまりTV番組など見ない僕がです。

Q：曲作りの方法（どのような機材、ソフトを使っているか）を教えてください。

A：作曲はギターだけで行いますね。とにかくグロくてカッコ良いリフが浮かんでくるまではギターのみで試行錯誤。脳内でドラムをあてながら、構築していきます。90年代大量に作曲していた頃は、ドラムマシーンのインプットにギターを直で繋いで、適合するリズムを鳴らしながら、まずクリーンな音でグロいリフを弾いてみて、それでもなおカッコよければ採用みたいな、ヘンテコなことしてました。歪ませるとグッとヘヴィーになるんです。

その当時はYAMAHA MT8Xというカセットテープに8トラックで録音できるレコーダーを使っていました。90年代までの音源は『Catharsis』デモを除いて全てそれで録音しました。『Catharsis』デモはFostexだったかな、知り合いに持ち逃げされた4トラックのレコーダーでした。

2000年代になるとパソコンで。Macが主流ですが、パソコンオタクぽいこともしていたので、家にパソコンが5、6台（Win&Mac）ありますが、Logic Proで録音しています。

90年代の使用ギターは確かAria Pro IIかグレコの白いフライングVで、買ってすぐにロッドカバーを取り外してしまったので、メーカーは覚えてませんが、ボディが通常のVより厚みがあって、ライヴ不可な重さのぶっとい音が出るやつでした。高校の友達がJacksonのランディVを買っていて、ピックアップが好きじゃないとかで交換したので、それを頂いて取り付けていました。DuncanのJBだったはずです。アンプはRolandの真空管アンプで、実家に置いてあるのでモデル名は不明ですが、ちょっとしたライヴくらいは出来そうなやつでしたね。エフェクターはBossの一般的なやつ、デジタルディレイとかピッチシフター、EQもあったかな。しばらく知人に貸し出していて、返ってきたら別のエフェクターも数個混ざっていて。手元にあって記憶しているのはその3つだけです。歪み系は一つだけ、ProcoのRatです、90年代初頭の復刻モデルですが。Ratはヴォーカルにも使っていて、コンプとかエキサイターとかそういった系のつもりでメリハリを出すためにうっすらかけてました。マイクはShureの588SDって書いてありますね。それをですね、スタジオではなくマンションの一室がレコーディングルームと化している場所で鳴らしていました。当時の日本のバンドのデモやEPの音質があまり好きじゃなくて、レコーディングスタジオ借りてもろくな音で録れそうもないと思ったので。当時どれくらいの人やバンドがやっていたか知りませんが、宅録のはしりですね、このジャンルでは。

今のギターはですね、弾ける状態のものは15本くらい所有していて、自作ギター（ヴィンテージモデルのレプリカ）も趣味なので、もう少し増えそうです。2015年頃にリリースしたEPではGibsonとEpiphoneのレスポール使っていました。

Q：結成から現在まで、一度もライブを行っていないスタジオ・プロジェクトとして存在していますが、ライブを行わないことへのこだわりなどはありましたか？

A：これは実はアクシデントというか、事故でして。92年末に結成したはいいのですが、少し作曲に慣れ始めた頃に自動車事故にあいました。助手席に乗っていて、4車線道路を右折しようとしたところで直進車に激突されたみたいです。というのもその瞬間と前後の記憶が全く無いです。僕側のドア付近に激突していたので、当然車外へ出られない、救出されるまで数時間車内に閉じ込められていたようです。病院のベッドで気付いたら次の日のお昼頃でした。自分はどう

いう状態だったかというと、鎖骨、肋骨、背中の名も知らない骨、計10本くらい折れていて、左肺損傷、肺内部にチューブを差し込まれていて血液を抜かないといけない状態。後日執刀医に聞いたら、死んでてもおかしくなかった、と。結構危ない状態だったらしいです。乗っていた車両は廃車、三週間ほど入院しました。本当は一ヶ月だったらしいですが、大部屋に移された時に入院していた患者が夜間に血をドバドバ音がするほど吐いていたので、多分胃潰瘍？かな、看護師が「洗面器じゃ足りない、バケツ、バケツ持ってきて」って言っていたのをいまだに覚えています。グロは平気なはずなのにそれを聞きたくなくて、もう平気みたいですから、退院させて下さいって頼み込んで帰らせてもらいました。それがどうライヴしないバンドに繋がるかというと、左鎖骨が完全に折れてしまっていたので、ストラップをかけてギターが弾けなくなりました。しかも曲がったままくっついちゃってるので、触ると神経が出ちゃってる？みたいで痛みを感じるので、リュックや重い荷物が持てない。右親指の神経も一部切れちゃっていて、ギターを再び弾けるようになるまでかなり時間かかりました。弟と話し合って、それならいっそのことライヴやらないバンドとして、ちょっとミステリアスな存在でいてもいいかな、と。またアルバムリリース→ツアー→レコーディングの循環というロックバンドにありがちなロックンロールライフに疑問もあり、変態ロックをやっている以上異端でいるのも良策かなと。あ、うん、こっちの方がしっくりきますね。なんか敷かれたレールに乗るっていうのが若い頃から嫌いで、みんなが右向いてるところを自分だけ左みたいな、なんでみんなと同じじゃなければいけないんだ、と思っていました。だからライヴやるならそれはやりたい奴らはやればいい、俺らはやらない、それでいいじゃんて。

もう一つの理由はその事故が原因かわかりませんが、それから年数を経るに従ってパニック発作が時々出るようになって、98年頃は完全にパニック障害になってしまいました。とにかく乗り物が苦手、特に電車に乗れない、乗ることに恐怖心が湧いてしまって、山手線5駅くらいの移動に40分以上かかりました、乗ったり降りたりで。また広場恐怖もあって、無駄に広い空間や河川敷のようなだだっ広い場所にいるのも困難でした。当時は小さなライヴハウスも無理だったかも知れません。そんなこんなで完全スタジオバンドでいることを選択した訳です。

特にこだわりはありません。出来ることなら（病気がなければ）今はライヴをやってみたいですね。弟が離れてしまった今ではちょっと難しいですが。

Q：1997年に「Vampiric Motives」へと改名していた理由を教えてください。

A:当時もう少しデスメタル、いやブルータルデスメタル寄りの方向性を取り入れようとしかかっ

ている頃で。海外のファンジンや周りの扱いが「porngrind」の一派と見られていた事に不満があり、そこからの脱却です。自分達ではポルノゴアなんてやっている自覚も意識もなかったのと、当時はポルノゴアを若干見下していました。安直だな、と。Meat Shits とか面白いバンドもいたのですが、その他大勢にはちょっとうんざりしていて、そんなバンドワゴンに勝手に乗せられるのは到底許せなかった訳ですよ。でもバンド名が略すと「cum」ですからね、しょうがない。でもそこにポルノ的意味合いは全くなくて、死体に対して cum するとか、出てくる音に対して cum して欲しいと思って付けた名前だった訳ですが、受け入れられていなかった、と。そんなら改名しようってことで、多少は元の要素を残しつつポルノゴアを連想させない名前にしました。当時はホームページにも理由を載せていたんです。あまり浸透していなかったみたいですが。

Q：サイドプロジェクトである Sadistic Lingam Cult はどのようにして始動しましたか？また世界観等 Catasexual Urge Motivation と使い分けている部分があれば教えてください。

A：それがですね、今思いこしてみると、どうやって始めたのか全く記憶していないんです。自己分析になりますが、当時聴いている音楽のジャンルが行き着くところまで行ってしまい、最後は前衛音楽とかノイズだな、というのがあって、ファンジンもやっていた僕のところにノイズ系バンドから送られてきたデモテープだったり日本が誇る Merzbow の CD を買ってみたりして、当時漠然としていたノイズがどういう音楽形態なのか知ろうと意識しました。脱線しますがその Merzbow ですが、輸入レコードショップで見つけたのは数枚で、３、４枚同時に購入しました、が、半分くらいがフィールド・レコーディングという手法らしいですが、静か〜な音像で僕のイメージする「ノイズ」という形態からはかけ離れていて。そこで思い出したのが、中学生くらいの頃 TV のニュースで Einstürzende Neubauten というドイツの前衛バンドの映像を流していたんです。楽器以外を使った演奏、特に鉄板とか鉄道のレールみたいなのを叩いていたと記憶しているんですが、それを想起しましたね。弟も Einstürzende Neubauten は知っていて、曲じゃないけど曲に聞こえるようにしよう、みたいな会話をした気がします。で、その他半分の Merzbow の音像が、まさにこれぞノイズ！みたいなディストーションサウンドでした。当然まだインターネットなんてない時代ですから、聴きたかったら買うしかない、それ以外はトレードとか。でもノイズのテープトレードなんてしている人は知らなかったので、結構想像でね、そうやって得られたインプットからノイズコアを一歩押し進めてリズムらしいリズムではなく、闇に蠢く何かみたいな不確かな音像にギターで作った轟音と、ブラックメタルを想起させるハイスクリームと Catasexual Urge Motivation で培ったロウグランツを合体させたのが Sadistic Lingam Cult です。ファーストデモにはほとんどの曲間にイントロのようなものが付けてるのですが、それはフィールド・レコーディング調で弟が録音したものです。もしくは髭剃りの回転音とか彼の語りというか叫び、その他秘密で教えてくれなかったものもあったりしましたが、あとは映画のワンシーンからとか。

どちらかというとアルバムに１５分以上の曲が数曲入ってるノイズ系バンドよりは、Anal Cunt みたいな割と短くてスパッと終わる曲からのインスパイアもありましたね。多分そういう研究や当時繁殖し出した Anal Cunt 後のバンドに対するアンチテーゼみたいのから、俺らはちょっと違うぜみたいなのをやってやろうとしていたんだと思います。

世界観、というか思想ですね、は当初決定的なものはなかったと記憶していますが、初期はフェティシズムとかエロティシズム、終末論、そしてバンド名が示すように宗教などでした。セカンドアルバムを出す頃には、弟は Impaled Nazarene が好きでヴォーカルの Mika の右翼的

思想を信奉していて、本人自身も右翼の集会に参加したりと（三島由紀夫を先生と呼ぶ団体）、出てくる思想は完全に右翼でした。セカンドのLP版には右翼行動の写真のコピー等で作られたブックレット調のものが付属していましたからね。だから当時は右翼ノイズと謳ってました。思想と宗教って類義語みたいなもんじゃないですか。だからバンド名に「Cult」と入れたんです。聞かれなければこちらからあまり言うことはなかったので、我々がCatasexual Urge Motivationと同じメンバーであることは知らない人も多かったですね。だから使い分けていたのではなく、完全に別バンドでした。

Q：Tomoakiさんはかつてファンジン等も運営しており、エクストリーム音楽と綿密に付き合っていたと思いますが、Catasexual Urge Motivationが精力的に活動していた90年代の日本または世界のエクストリーム音楽はどのような盛り上がりを見せていましたか？

A：ファンジン（『Corporal Arts Zine』）の事からお話ししましょう。当初は自分でやるつもりはなくて。ナルトシ氏がやっていた『Circle of the Grind』でスタッフ募集の広告があったので、応募したんです、とても最初から一人でやるのは無理じゃないかと思って、修行がてらに。ところが不採用で、ご自身でやってみてはどうかというお答えでしたので、弟に手伝ってもらって見様見真似で始めて見る事にしたんです。その頃すでにデモテープとかEP、CDなんかがかなりの量あったと思うので、内容的には1号を出すにはそれほど苦労はしませんでした。ただし僕らがやるんだから、やっぱりああいったバンドの選択になりますよね、ゴア系バンドが多いのは。1号発刊に間に合わなかったインタヴューは2号に載せましたが、どのバンドかは忘れました。無謀にもCannibal Corpseにもインタヴュー送ったのですが（笑）、マネージメント？レーベル？から、ツアーすっからよろしく、みたいなフライヤー状のハガキが来ただけで終わりました。全ての号で返ってきてないインタヴューもあったと思うのですが、思い出せません。まさかの（Autopsy）Abscessから返事があったのは本当に嬉しかったですね。僕らは当初から変態バンド、ゴア系バンドを世に広める、という使命のもとに動いていましたから、インタビューの載っているバンド名を見るとお分かりの通りです。そういったバンドとコミュニケーションを取りつつ更なるバンドを発掘していました。特別日本人だから国内向けの内容や言語で、というのは頭になくて、英語でやるのは当たり前だと思っていました、下手くそでしたが。だから特に日本のシーンに詳しかったり日本のバンドだからといって特別扱いはしませんでした。純粋に良い！と思った日本のバンドを収録してました。まぁ国内のシーン状況については僕より詳しい方がいらっしゃると思うので、割愛します。

当時どうしてこのような音楽が地底からドカドカと湧き上がってきたかというと、時

代背景があると思います。90年代とはあと少しで世紀末という誰もが何かしらを感じていた時代でした。そのせいかどうか分かりませんが、後年にも傷跡を残すような事件が頻発していましたよね。猟奇的なものを取り扱ったメディアも多かったと思うんです。特に雑誌などは、は？こんなのが平積みになってるのっておかしんじゃねぇの？と思えるものもあって、誰もが簡単に死体を見れちゃう時代でしたね。コリン・ウィルソンが監修したという『マーダー・ケースブック』なんてのもシリーズで出版されて､殺人が身近なものとなっていたような気がします。まぁ、その『マーダー・ケースブック』は合間合間に小粒な事例が多くて僕らは早々にそっぽ向いてましたけど。そこに、ですよ、デスメタルやグラインドコアが誕生して繁殖していくわけですよ。出るべくして出た、というね。これがマーダーなんてものに蓋をされた時代だったらデスメタルやグラインドコアなんてそうそう出てこれないと思うんです。まぁスラッシュメタルの延長上でより激しい音楽をやっていた連中もいましたが、この時代背景があってこその盛り上がりだった訳です。平和な世界には存在しないものたち、でしょう、言ってみれば。そこにヒントを得たバンド群、僕らを含めて、がより強烈なハッタリを効かせられる「屍体」に目をつける訳です。デスメタルがいわば「死」そのものまたは全体像を扱っていたとすれば、ゴアグラインドは「屍体」一本ですよ。究極に集約されたイメージを伴って音楽を奏でる訳です。一般人が『マーダー・ケースブック』を読んでしまって、そう言った事例により興味を持っていったように、デス・グラインドコアを聴いていた人たちにはゴアグラインドに移行していく背景が揃っちゃった。どちらかというと「盛り上がっていた」というよりは「盛り上げていた」という言い方の方が正しいと思います。僕のファンジンもそうですし、レーベル側もそういったバンドに目をつけていましたね。いわばデス・グラインドコア第二世代の奴らが起こしたムーブメントだと感じました。始祖鳥 Carcass や、Impetigo、Autopsy によって作られた下地の元、より強烈なイメージを伴うバンドの誕生はこの時代独特だと思います。僕もファンジンを通じて、こういったバンド達は意外と受け入れられているんだなと感じました。90年代の内は「前夜」的なお祭り騒ぎだとすれば、ミレニアムを迎えた2000年代初頭はもっと盛り上がっていたと思います。その事はきっと僕なんかよりどなたかがより詳しく説明してくれるのでは、と思いますが。

Q：最近のゴアグラインド含むエクストリーム音楽を聴いていますか？　また最近のエクストリーム音楽シーンについてどのようにお考えですか？

A：実は90年代、大量の作曲をしている段階で既に他者の音楽を聴くことはほとんどしなくなっていました。聴いていたのはもっぱら影響を受けたバンドたちばかりで。また演者側に回ってしまったことで、新しいバンドを発掘するというファン的行動をしなくなってしまったのもあります。そしてパニック障害を発症してからは全ての音楽自体を聴くことが困難になっていました。音圧のあるものを聴くとパニック発作を起こしかけてしまって。音楽なしの生活が数年続きました。特に2000年から2005年くらいまではエクストリームミュージックとは無縁の生活をしていました。インターネットの普及でどういったバンドがいるのかはかろうじて知識として知っている、という状態でした。前述の盛り上がりで言えば､「本祭」はこの頃ではないかと思えましたね、ゴアグラインドに関して言えば。

最近の状況もあまりかわらず、掘り起こすことはしていませんね。ただ現在はSNSを通じて知り合った人・バンドによって容易にバンドの音源や近況を知ることが出来るので、時間があればチェックしてはいます。

エクストリームミュージック全体で言えば盛り下がっていることはないと思います。バンドの頭数も増大、レーベルも増えているようですし、誰もが宅録でも発信出来てしまう、ファンからの

レスポンスも早い、と音楽と密接に向き合える状況がより身近になっていると思いますね。ただ問題点もあると思います。単純にバンド数が多すぎ。

Q：ご自身が選ぶゴアグラインドにおける名盤をいくつか教えてください。

A：かなりベタになる気がします、僕にその質問をしたのは間違いです。
ゴアグラインドに限定出来ているか分かりませんが、行ってみます。

Carcass『Symphonies of Sickness』

かなりベタ過ぎますが……。個人的影響力は3rdなんですが、全世界に与えた影響と破壊力は計り知れないですね。後半ちょいネタ切れになっているのでは？と思える節もあるのですが、必聴盤です。
特にビルの低すぎるグロウルが威力を発揮しているのはこのアルバムのみです。

Impetigo『Ultimo Mondo Cannibale』

これもまたベタになってしまいますが、これは運命です、避けられないアクシデントなんです。こちらのバンドも個人的影響力はHorror of Zombiesなんですが、これを聴かずしてゴアを論じるな、と。はちゃけ度が違います。デモバージョンではハードコア的だったり消極的なヴォーカルだった曲も、しっかりグラインドコアに昇華されてますし、Dis-Organ-IzedからIntense Mortification、Revenge of the Scabby Manと続く流れが非常に圧巻です。そしてBloody Pit of Horrorから、デモバージョンとは全く違うDear Uncle Creepy、Bitch Death Teenage Mucous Monster from Hellへの繋ぎも完璧すぎ。
ギターの音質とミックス度がもうちょっと良かったらね、今聴いても雑魚バンドを蹴散らすパワーがありますよ。
もうちょっとデスメタル寄りの音像が欲しい方はセカンドのHorror of Zombiesをどうぞ。

Regurgitate『Effortless Regurgitation of Bright Red Blood』

発売当初よく聴いていました。バンドの路線的には音像はゴアグラインドというよりストレートなグラインドコアです。でもこのデビューアルバムはモロ1st Carcass丸出しの曲名と短くまとめた曲調が、気に入ってました。まぁ基本はクラストなんですが、意外とバラエティに富んだ曲目で聴き易いとも言えます。イントロの「The Gates of Hell」のワンシーンがいつ聴いても気持ち悪いです。映像で見ると大したことないんですが、音だけだとなんでこのシーンでこんな音出るの？ってほど気色悪いことこの上ないです。

メタルの影響下にあるのは上二つです、Regurgitateはハードコアの影響下にありますね。
近年のアルバムはあまり好きじゃないです、Relapse臭がします。Brutal Truth路線ですね。
あまり最近のバンドは追いかけてまで聴いてないので、自身で聴いてみてなかなか良かったバンドは、Blue Holocaust。あの時代を感じさせてくれます。そしてYakisoba。こいつも古き良き時代を想起させます。Vomi Noirも同じく、初期Carcass路線で気に入りました。
スプリットを一緒に出したからという訳ではありませんが、Cannibeもいいです。ちょっとメタリックなところが良い感じです。すごくいい曲を書けるポテンシャルを持ってます。
Xysmaもフェヴァリットなんですが、内容がゴアじゃないので割愛します。初めて『Yeah』を聴いた時は、グランジかな？オルタナかな？というオープニングで失敗した感が一瞬ありましたが、ギターリフが素晴らしいので、是非聴いてみてください。ちなみにXysmaのJanitor、AvulsedのDave Rotten、Demilichのヴォーカルも僕と同じ発声方法だと思います。Vocal fry registerというらしいです。ImpetigoのStevoにもそれらしいものが散見するような気がします。

Maggut

Bathtub Shitter / Fortitude / Moribund Punishment / Patisserie
2001 ～ 2006　2010 ～　日本　大阪
(Dr) Horino / (Ba) Funa / (Gt) Hagamoto / (Vo) Yoshino

2001 年結成。グラインドコアバンド Bathtub Shitter にも在籍していた Horino を中心に結成。2010 年には Patisserie の Hagamoto が加入、ギターの Funa がベースに転向し、ベースヴォーカルの Yoshino がヴォーカル担当となった。結成直後にデモ音源、またその後に Intumescence とのスプリットをリリースしており、2004 年には 1st アルバム『Into the Gore』を発表している。その後 2006 年の Autophagia とのスプリット以降新作は発表されていないが、2017 年には過去音源を全てまとめたコレクションアルバムがリリースされている。

Maggut

人

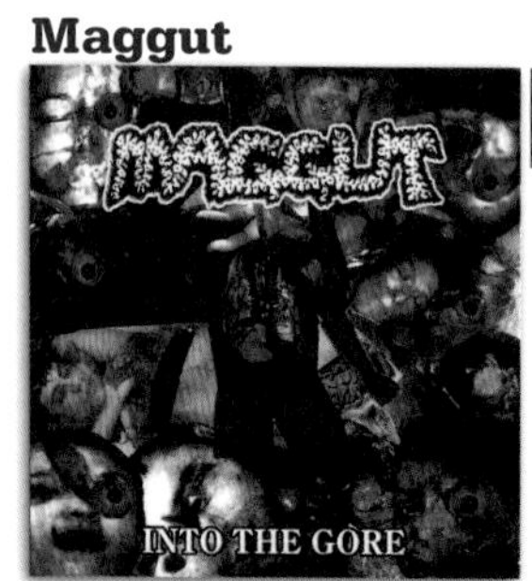

Into the Gore　日本
Bloodbath Records　2004

2001 年大阪にて結成された 3 人組バンド。メンバーはグラインドコアバンド Fortitude や Bathtub Shitter でも活動している。2010 年以降は 4 人体制にて活動している。本作は唯一のアルバム作品であり、レコーディングを主に国内のパンクバンドを多く手掛ける Ippei Suda が担当した。Regurgitate 影響下のオールドスクールなスタイルで、無駄な要素のないまるでお手本のようなゴアグラインドを作り上げている。各パートが全て際立って聴こえるサウンドプロダクションの効果もあり、非常に取っ付きやすい作品になっている。

Horino, Yoshino (Maggut) インタビュー

Q：まずご自身がエクストリーム音楽に出会ったのはいつ、何がきっかけでしたか？　またバンドを組むに至ったきっかけも教えてください。

Horino（以下 H）：18、19 歳ぐらいに Carcass の『Heartwork』、Cannibal Corpse の『The Bleeding』を購入したのをきっかけにこの世界にのめり込んでいきました！ そこから紆余曲折の末 25 歳ぐらいでドラムを叩き始め、ゴア / グラインドコアを演るしかないと思い Maggut 結成に至りました！

Yoshino（以下 Y）：19 歳ぐらいの時に、Hellnation『Your Chaos Days Are Numbered』を聴いて衝撃を受けました。自身の大好きな「短い、速い、そしてうるさい」が全て詰まっていました。楽器（ベース）は 15 ～ 16 歳頃から触っていましたがバンドとしての活動はした事がありませんでした。高校卒業してから当時アメ村にあった NAT Record に通うようになって、そこのメン募で色々コンタクトを取って堀野君にたどりついた感じです。

Q：Maggut は国内における Regurgitate 影響下のゴアグラインドバンドの第一人者的存在だと思っておりますが、このようなスタイルになったきっかけを教えてください。

H：Regurgitate はカバーもしているし最も影響を受けたバンドの一つなのでそれっぽい音をだそうと頭の片隅にはあったかな！　しかし基本的にブラストビートと D ビートに 3 音下げ

チューニングのギター、ベースのリフが乗っかり、あとは Pitch シフターをかけたボーカルで被せる、そしてパッションを込めて演奏するみたいなノリでやってきただけで特にスタイルは意識してないかな！

Y：丁度堀野君と演奏スタイルを模索してた時に、Regurgitate『Carnivorous Erection』がリリースされて２人共これはめちゃくちゃカッコ良いな、となりまして。お互いブラストビート /D ビートも大好きだし、当時は国内にゴアグラインドバンドも多くなかったので今の演奏スタイルに至っています。

Q：Maggut はまたパンクからの影響も感じられる楽曲が特徴的ですが、メンバーの皆様それぞれのルーツはどのようなものでしたか？

H：基本メタルヘッズですがドラムに関してはクラストパンクの影響は大きいです！

Y：僕は HR/HM ルーツは全く無くて……。南米ノイズメタルやウルトラメタルは大好きです。主にファストコア / パワーバイオレンスと言われるものが好きです。あとはグラインドコア以前のとても速いハードコア。ノイズコア / ノイズグラインドも大好きですね。とはいえ EDM やゲーム音楽も大好きですので、自身が良いなと思えばジャンルは問いませんね。

Q：曲作りはどのように行っていますか？　また曲名はどのように決めていますか？

H：もう新曲は 15 年以上出来てないんだけど……（笑）誰かがリフを２つ3つ繋げたものをスタジオに持って来てそれにドラムを付けて Maggut に合うかどうか試してアレンジしていく感じかな！　手応えを感じたら Gore Vomit を吐き出して完成みたいな感じです！　曲名に関してはホント適当！（笑）歌詞が有るわけでもないので……。

Y：大抵の場合は何処かからリフを拝借してリズムに合わせてる感じだと思います……。曲名はそれっぽい単語を並べているだけですね。曲名は見た目重視です。

Q：海外バンドとのスプリットや海外レーベルからの再発、コレクションアルバムのリリースなどを経験していますが、こういった海外からの反応はどのようなもので、またいつ頃から感じるようになりましたか？

H：有り難いことにデモテープを取り扱ってくれたレーベルやCDリリースしてくれましたBloodbath なんかのお陰で Maggut が海外で知れ渡る存在になりました！　割と活発に活動していた 2000 年～ 2006 年の間は色々な海外の人達とトレードやインタビュー、音源リリースのオファーなんかも頂いて反響は良かった方だと思います！　これまた有り難いことにそれ以降はたいした活動も情報も発信してないのに稀にメッセージを頂きましてTシャツを作って頂いたり、トレード、テープ盤でのリリースなんかあったりして現在に至っている感じです！

Y：Maggut での海外とのやり取りは他のメンバーに一任しています。SNS 等でしばしばMaggut の事を取り上げて頂いているのを見たりしますので有難いですね。また当時アルバムを幅広く流通して頂いた Bloodbath 木村さんをはじめ各種リリース / 再発して頂いたレーベルの皆様には感謝しています。

Q：Maggut はライブ活動も非常に活発ですが、ライブに対するこだわりや印象的だった公演等ありましたら教えてください。

H：2002、3 年～ 6 年の期間はお陰様で割とライブ活動も出来たかな !?　それ以降は指で数えられる程度しか演ってませんが……。苦笑ライブは毎回どれも楽しかった印象しかないです！（笑）Haemorrhage の大阪公演でサポートできたのは感慨深かったなぁ！　ライブに対するこだわりは、何だかなぁ～いかに下手くそな演奏を誤魔化すか（笑）本能の赴くままに！　休むな～って野次が飛んで来ないように一生懸命やる（笑）

Y：近年全然ライブは出来ていないですね……。現在各メンバーの住んでいる所がバラバラですので仕方ない事ではあります。ライブはいつも楽しいですね。当時は Dead Infection とAnarchus/Cacofonia と共演出来たのは嬉しかったです。大好きな DxIxE の企画に出演できたのもとても嬉しかったです。最近はあまりこだわってはいないのですが、白目を剥いてボーカルをすると皆様がなぜか喜んで頂けるので……。やっぱりやらないとダメかな……と思ってます。

Q：Maggut は大阪というグラインドコアが特に盛り上がっている地域を拠点に活動しておりますが、特に活発に活動していらっしゃった 2000 年代前半～中盤の大阪のエクストリームシーンの盛り上がりはどのようなものでしたか？

H：ゴアグラインド は Maggut 以外に無かったと思うけど Fortitude や Diborce の様な勢力的なバンドを筆頭にやっぱり Grind は盛り上がっていましたね！　『Grind Osaka』っていうやたらとサイズのデカい（笑）Fanzine もあったし……。

Y：当時は『Grind Osaka』Zine がリリースされたり、Grind Archives という大きなグラインドコアのイベントがあったりと確かに盛り上がってたと思います。グラインドコアバンドのみでのライブも多くありました。楽しかったです。
ゴアグラインドバンドは当時より現在の方が圧倒的にバンド数は多いと思います。

Q：Horino さんはゴアグラインドをやるしかないと思いバンドを始め、Yoshino さんも少なからずゴアグラインドをやりたいという気持ちがあってバンドに参加したと思われますが、お二人が思うゴアグラインドというジャンルの魅力や現在までゴアグラインドをやり続ける理由は何ですか？
H：ゴアグラインドの魅力ってやっぱりあからさまにピッチシフト等のエフェクトをかけたボーカルの声とややテンション緩めのダウンチューニングされた弦楽器のノイジー感を以ってGrindする心地よさ（キチガイさ）（笑）かなと、一概には言えないけどサウンド面ではこんなとこで、あとはメインなのかおまけなのか（笑）死体、臓器、汚物、血まみれや、ハードコアポルノ等、過激で不快な愉快な（笑）画像をアートワークに用いるバンドが多くて、そんなとこから最もアングラなジャンルに存在している点かなと……。やっぱりそういったユーモア溢れる（笑）世界観が続ける理由かな
Y：僕自身はゴアグラインドというよりRegurgitateが本当に大好きなんですよね。初期Carcassも音源持っていますが、かれこれ10年以上聴いていないですね……。Barcassはいつ聴いても最高です!!!　実はグロジャケが苦手なので、あまりにも酷いものは手に取るのを躊躇してしまいます。とはいえ、一般の皆さんが目を背けるアートワーク/耳を塞ぎたくなるような楽曲がゴアグラインドの魅力なのではないでしょうか。少なからず結成当時は意識していたと思います。やり続ける理由と言いますか、特に止める理由もないので。近年でも相変わらず演奏に品というものを感じられないので良いと思います笑。
Q：お二方は最近のゴアグラインドを聴いていますか？　特に好きなバンド等いましたら教えてください。
H：これは申し訳ないんだけど最近のはほとんど聴いておりません！　興味が無いわけではないけど……。
Y：最近あまりゴアグラインドは聴けてないですね。すみません。
Active Stenosis、Cystgurgle、Flesh Hoot、Goredozer、Human Effluence、Malignant Hyperthermia、Masticated Polyps、Raw Addict、Rawtopsy、Sulfuric Cautery、Take That Vile Fiend、Tunkioはめちゃくちゃカッコ良いですね！
Q：ご自身が選ぶゴアグラインドにおける名盤をいくつか教えてください。
H：Regurgitate『Effortless Regurgitation... The Torture Sessions』
Last Days of Humanity『Hymns of Indigestible Suppuration』
Dead Infection『A Chapter of Accidents』
Impetigo全部
Haemorrhage『Emetic Cult』
Carcass初期
Y：Regurgitate『Carnivorous Erection』を筆頭に全部。
Dead Infection『A Chapter of Accidents』
Last Days of Humanity『Putrefaction in Progress』
Autophagia『Postmortem Human Offal』
Active Stenosis『Final Histopathology Report』
Human Effluence『Promo 2019』
Sulfuric Cautery『Chainsaws Clogged with the Underdeveloped Brain Matter of Xenophobes』
あと、Barcassは最高です!!!!!!!!

Viscera Infest

Glossectomy / Fester Decay　1999 ～　日本　大分
(Gt, Vo) Eizo Asakura (組合長) / (Dr) Yuya Yakushiji （本部長) / (Ba) Harufumi Nomiyama
ex. (Dr) Kyohei Yoshiga (狂兵) / (Vo, Gt) Ryo Himeno (会長) / (Ba) Hiromasa Miyoshi

1999 年結成。ブルータルデスメタルバンド Glossectomy にも在籍していた Eizo を中心に結成。Kyohei、Ryo を迎えた 3 人編成にて制作されたデモ音源を 2005 年に発表。2007 年には 1st アルバム『Sarcoidosis』をリリース。その後 2010 年に Paracocci... とのスプリットをリリースし、メキシコツアーを経験する。同年 Kyohei が脱退、後任に Yuya が加入。2015 年に 2nd アルバム『Verrucous Carcinoma』をリリースするも Ryo が脱退。ベーシストとして Harufumi を迎えて活動し、2019 年には Obscene Extreme に出演している。

Viscera Infest

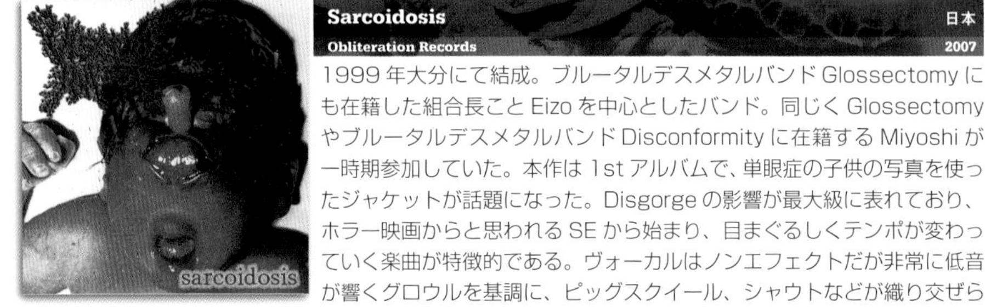

Sarcoidosis　日本
Obliteration Records　2007

1999 年大分にて結成。ブルータルデスメタルバンド Glossectomy にも在籍した組合長こと Eizo を中心としたバンド。同じく Glossectomy やブルータルデスメタルバンド Disconformity に在籍する Miyoshi が一時期参加していた。本作は 1st アルバムで、単眼症の子供の写真を使ったジャケットが話題になった。Disgorge の影響が最大級に表れており、ホラー映画からと思われる SE から始まり、目まぐるしくテンポが変わっていく楽曲が特徴的である。ヴォーカルはノンエフェクトだが非常に低音が響くグロウルを基調に、ピッグスクイール、シャウトなどが織り交ぜられている。

Viscera Infest

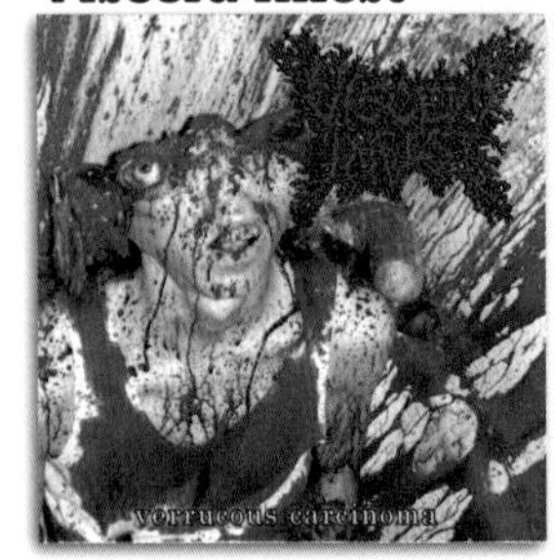

Verrucous Carcinoma　日本
Obliteration Records　2015

2015 年発の 2nd アルバム。前作のドラマーである Kyohei が脱退し、本部長こと Yuya が加入。彼のブラストは人力ドラムの中では最速の部類に入り、本作は前作よりさらにスピード重視の作品となった。前作と同じくリフを聴かせるゆったりとしたパートからのカオティックなテンポチェンジは健在だが、その際の転調もストップ & ゴーの要領で素早く変わる楽曲がメインとなった。SE は日本語メインでファニーなものから不謹慎なものまで、幅広く収録されている。2019 年の Obscene Extreme に出演しており、またライブでは仰向けに寝そべり、ブラストに合わせ手足をバタつかせる「ゴキブリモッシュ」が定着している。

朝倉栄蔵 (Viscera Infest) インタビュー

Q：まずご自身がエクストリーム音楽に出会ったのはいつ、何がきっかけでしたか？　またバンドを組むに至ったきっかけも教えてください。

A：エクストリーム音楽に出会ったのは小学校 3 年生から入ったよ。当初はジャパニーズメタル（X、Aion、Gargoyle、Rosenfeld、東京ヤンキース）等から入門し洋楽は Edge of Sanity、Dissection 等からデスメタルやグラインドにどっぷり浸かっていったね（笑）中学でデスメタルバンドを組み、高校 1 年で Viscera Infest を結成。当時はピンボーカルでバイ

ト先の焼き肉屋から肉のカスをぶら下げて、ピンボーカルとしてノコギリを振り回しながらデスメタルバンドとして活動。とにかく重く速く激しい音楽を追求していたよ。

Q：小学生という非常に早い時期からの出会いですが、どなたかからの影響でしょうか？　またご自分でデスメタル等に辿り着いたのでしょうか？　ゴアグラインドにはいつ頃出会いましたか？

A：親戚の兄貴からの影響だったよ。それからどんどん自身で情報収集していき、中学でNecrony や Carcass あたりにのめり込んでいって高校で Disgorge 1st に出会う流れでゴアグラインドにであったよ。

Q：Viscera Infest は日本では数少ない Disgorge 影響下のゴアグラインドをプレイしていますが、彼らから影響を受けるようになったきっかけを教えてください。

A：本来 US Disgorge 路線にするつもりだったんだけど、Mexico に魅了されどんどん影響を受けていったよ。ブルータルデスメタルは大好きだけど、演奏法やお決まりの制限が Viscera Infest には窮屈過ぎて、自由にやってる Disgorge Mexico に魅了されたんだ。それ以外のバンドや民族音楽からも影響受けたんだけど、Disgorge Mexicoの影響は大きい。

Q：民族音楽からの影響はどのような形で Viscera Infest のサウンドに反映されていますか？

A：民族音楽はやはりスパニッシュなサンバや中南米、南米の打楽器から曲のサウンドに反映したりしているよ。ハイピッチで高鳴るリズムは Viscera Infest のサウンドにもとても相性がいいんだ。

Q：「世界最速」を謳うほどのブラストビートが特徴的ですが、「最速」を目指すようになった理由を教えてください。

A：最速に関してはどのバンドより激しくしたかったから。激しいだけは音だけではなく、ライブでいかに再現できてドラム以外でもスピード感をどれだけ出せるかを 24 年間ずっと追い求め続けてる。音源ではいくら速くても本番では速く感じないってよくある事なんだ。ライブでスピード感を出せるのをお客さんに体感出来るかが肝心で、それにはドラムのチューニング、弦楽器の音域、あらゆる要素を視野に入れて準備している。

Q：現ドラマー Yuya 氏が加入した際にはブラストビートの速度を上げるための修行を行っていたそうですが、どのようなことをやっていましたか？

A：ドラムの裕也は 2011 年に加入。当時は地元のグラインドバンドをやっていて解散を機に Viscera Infest に加入したんだ。当時は Viscera Infest の曲についていけず叩けていなかったよ。まずは半年後に Live を入れて、先にゴール設定した後に練習という流れにしたよ。当時田舎の婆さん宅に牛小屋があり、そこにスタジオを作り週末は朝から晩までブラストに全力を注いだよ。携帯も繋がらぬ山奥で、冬は寒く夏は

ブラスト修行時の写真

ブラスト修行時の写真

暑い過酷な環境下で Viscera Infest のブラストを作っていったよ。疲れてからが本当の練習で、ゆっくりなブラストから徐々にスピードを上げていきアタックが小さくなったり雑になったらまた一からをやり直し。遅いブラストから速いブラストのチェンジも徹底して繰り返した。朝は 6 時からスタートし、午前中はクリックに合わせてミドルパートを含めてリズムチェンジをしながら 1 セット 40 分。ドラム裕也は 1 時間経っても朝倉塾長が止めの合図が無いので車に行ってみると朝倉塾長はゲームボーイをしながら寝ていたと言う逸話も（笑）午後からはギターを入れて総合練習、最後の 1 時間はまたクリックを使って綺麗に叩けるようにトリートメントして終了。夜は撮影した動画をチェックしたりセッティングについて話し合ったりしたよ。平日はスタジオで、ブラスト塾はほぼ毎週だったので今考えると本当によくやったなと思う。普通なら行かない理由を探したり逃げに入る所を、彼は今週も行きましょう、やりましょうと積極的に楽しんでいた。抜き出る人材は苦を楽として平気でやってのける要素があると思う。練習に関しては独自過ぎて一冊の本になるくらい内容が濃いと思います笑

Q：朝倉さんご自身のギタープレイも非常に速いものとなっていますが、こちらは何か特別な練習等はしていますか？

A：ギタープレイに関してはピロピロしたテクニカルな要素ではなく、雰囲気やメロディを重視している。ギタープレイに対するこだわりよりも、リフワークや機材に対しての拘りの方が強い。曲として最小限の雰囲気が出ていれば OK。ガツンと喰らうような音圧や破壊力を出す為にギター弦のゲージ、ペダル、ピックアップ、ピック、アンプ、ケーブル等は常に研究試行錯誤の繰り返し。それが楽しい。

Q：2010 年には Disgorge や以後濃密な関係を築いていく Paracocci... の故郷であるメキシコにてツアーを行っており、また 2019 年には Obscene Extreme 2019 出演に伴うミニツアーを行っていますが、これらのツアーの中で特に印象的だった出来事やエピソードはありますか？　また海外公演と日本公演の手ごたえの違い等もあれば教えてください。

A：Disgorge に関しては Viscera Infest 結成当初からずっとメキシコに行くと根拠の無い気持ちが常にあって、街の旅行会社のメキシコ旅行パンフレットをよく持って帰ってみていたよ。一つ自分に決めていた事があって、それは何かと言うと自分から Disgorge にはコンタクトをとらない、Viscera Infest を売り込まない、媚びは売らないと決めていたのでそれは守ったよ笑 Viscera Infest の初のアルバム『Sarcoidosis』が出た時に真っ先に連絡があったのが、Disgorge のリーダー Edger からだったよ。これに関しては嬉しかったね。それから Edgerのレーベルから Viscera Infest メキシコ盤 CD をリリースして中南米ツアーが実現。メキシコケレタロで Edger と、メキシコシティで Antimo とステージで共演。夢のような時間だったよ。

Q：曲名には長大な医療用語を使用していますが、どのようにして曲名を決めていますか？

A：曲名に関しては全てイメージ。昔、友達が電車に飛び込んで亡くなって現場で肉片をカラスが食べてる姿にリフやアイデアが浮かんだり、曲名がポンポン出てきたり死や病気に対しての感心があるのと興奮が常に高鳴るよ。

Q：死や病気に対する関心はいつ頃から、またどのように生まれましたか？

A：死や病気に関してはデスメタル、ゴアグラインドを聴くようになってからと、死体ジャケや映像に芸術作品として魅了されてから関心が高まっていたよ。

Q：2nd アルバム制作時に Facebook にてジャケットに使用するグロテスクな写真を一般公募にて募集していたことを覚えているのですが、やはり音楽面だけでなくビジュアル面も重視していますか？

A：今は古い手法なのかもしれないけど、前は死体ジャケの凄さやセンスで購入するか決めていた。もちろん外れ音源が多いけどね笑 ゴアグラインド以外の音楽もそうだけど、昔は簡単にバンドの詳細や曲を調べたり出来ず買って聴いて確認しかなかったからどれだけ、ジャケや曲名にオーラで嗅ぎ分けられるか発掘出来るかが肝心だったんだ。外れも有れば当たりもある。そんなスリルと聴き分ける能力が当時は養われた気がする。良い音楽に出会うまではハズレな音楽を倍は聴かないと良さもわからない。

Q：ご自身が選ぶゴアグラインドにおける名盤をいくつか教えてください。

A：ゴアグラインド名盤は Disgorge の 1st、2nd かな。実はゴアグラインドよりかはデスメタルの方が好きで自分の作るリフなどはそっち寄りかな。

Vulgaroyal Bloodhill

◉ Enfado / Mecosario　◔ 2004 ～　🌐 日本　愛知
(Gt, Vo) Toyo / (Ba) Kurumi / (Dr) Hiroki
ex. (Ba) Casawoo / (Dr) Kozo / (Gt) Tagawa / (Gt) Jeff "H" King / (Gt) Takama / (Gt) Nobu / (Gt) Miyake

2004年結成。ハードコアバンドEnfadoやグラインドコアバンドMecosarioにも在籍していたToyoを中心としたバンド。2010年に名門Rotten Roll Rexから1stアルバム『Muerteatroz』をリリース。同年にはOxidised Razorとのスプリットもリリースしており、その後もNecrocannibalistic Vomitorium、Fecal Body Incorporated、Sulsa等多くのバンドとのスプリットを発表している。2014年にはメキシコツアーを経験しており、以降も精力的にライブ活動を行っている。

Vulgaroyal Bloodhill

人

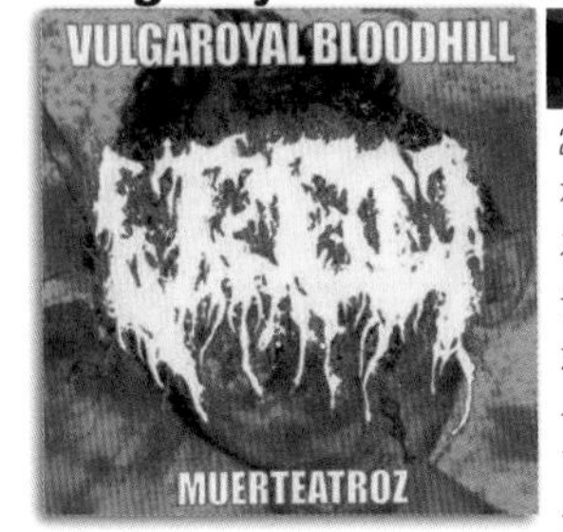

Muerteatroz　日本
Rotten Roll Rex　2010

2004年愛知県岡崎市にて結成。ハードコアバンドEnfadoの元メンバーを中心としたバンドで、グラインドコアバンドMecosarioとして活動するメンバーもいる。本作は1stアルバムにあたり、ゲストヴォーカルにデスメタルバンドInfernal RevulsionのHidenoriらが参加している。ホラー映画SEをイントロに導入したノリの良いグルーヴィーなゴアグラインドを中心に、スラッシュメタル系統のキャッチーで耳に残りやすいリフなどを多く取り入れた楽曲をプレイしている。ヴォーカルはピッチシフター･ヴォーカルを中心に、時折下水道ヴォーカルなどが挿入されている。

Toyo (Vulgaroyal Bloodhill) インタビュー

Q：まずご自身がエクストリーム音楽に出会ったのはいつ、何がきっかけでしたか？　またバンドを組むに至ったきっかけも教えてください。

A：中学生の時にいつも遊んでいた友達や暇潰しに通っていた楽器屋の店員さん（メタルヘッズ）からいろんなバンドを教えてもらい夢中になって聴いていました。Vulgaroyal Bloodhillは元ドラムのKozoを誘って始めたのが結成のきっかけだったと思います。友達の工場に集まって電子ドラムやミキサーとか最低限の機材を持ち込んで遊んでいたのが懐かしいです。

Q：ゴアグラインドに出会ったのは何がきっかけでしたか？

A：Earache Records系の音源を買ったり友達から借りたりして集める中でリヴァプールの残虐王Carcassを知ったのが出会いだったと思います。

Q：1stアルバム『Muerteatroz』は名門Rotten Roll Rexからリリースされていますが、どのような経緯でしたか？

A：デモ音源をいろんなレーベルへ送ってみたら結構反応があったんです、そのうちの一つがRotten Roll Rexでした。メールをやり取りしている時に「デモ音源を何度も何度も沢山聴いた、リリースしたい」とアツいことを言ってくれたのでRotten Roll Rexに決めました。案外真面目なんだなぁ～と思いましたが、アルバムのインナーとかのデザインを勝手に変更されたのは当時かなりムカつきました。いつかオリジナルデザインで再発出来たら嬉しいです。

Q：曲名をスペイン語にしているなど、メキシコからの影響が非常に感じられる世界観が特徴的ですが、このようなスタイルになった理由やきっかけを教えてください。また曲名はどのように決めていますか？

A：Brujeria や Los Crudos のようなヒスパニック系のバンドが大好きで聴いてるうちに英語には無いスペイン語独特な響きや雰囲気にハマってしまったのと、アメリカ（L.A.）に住んでいた事がありその時にスペイン語を話す人が多くてよく耳にしていたのもあります。日本のバンドが日本語でも英語でもないスペイン語を使用してるアンバランス感も好きでした。曲名の決め方は楽曲のイメージや歌詞の内容からだったり、ひらめいたりルールは特にありません。1st の 15 曲目にある「Za Ga Tu」は某 US デスメタルバンドの歌詞からの影響なんです。

Q：Toyo さんご自身はニュースクールハードコア系統のバンドにも在籍していらっしゃいましたが、Vulgaroyal Bloodhill からはスラッシュメタルからの影響なども感じられます。楽曲はどのように制作していますか？　また楽曲に関して特に影響を受けたバンドはいますか？

A：スラッシュメタルの影響が伝わって嬉しいです。作曲にはエレキギターとドラムマシーンを使用してます。ある程度のイメージが固まったらイントロから少しずつ作り上げ、BPM もいろいろと試しながら決めます。出来た楽曲をメンバーとリハーサルスタジオで編曲したりしなかったりして完成させます。1st を作った頃の楽曲に影響受けたバンドは多過ぎてなかなか選べませんが、モッシュゴアにスラッシュメタル / クロスオーバーを混ぜ合わせて SE をたっぷり加えたって感じでした。

Q：国内で Gut 系統のモッシュゴアに影響を受け、それを表現しているバンドは少ないと思いますが、モッシュゴアを作風に取り入れた理由は何ですか？

A：分かりやすい曲調とノリの良さです。あとジャーマンゴアや好きなゴアバンドの影響もあり、当時は特に「ゴアグラインドやるならピッチシフター効かせたゲボゲボゴボゴボボーカルでしょ！」って感じで今では信じられないくらい拘ってました。

Q：2018 年発の EP『Crab Society South』では一転 1 分未満のショートカット楽曲を 50 曲以上収録しており、また曲名もユニークなものとなっていますが、こちらはどのような作品、バンドの影響で作られましたか？

A：Anal Cunt や S.O.D. のデモみたいなノイジーの中にキッチーが見え隠れするギリギリの音源をいつか作ってみたかったので、バンド活動もなく時間だけは十分にあったこの時期に、貯めていたアイデアを 2 ～ 3 日間で一気にレコーディングしました。新メンバー加入後にこの作品からの数曲を再レコーディングしたんですが、原曲よりシャープになり、かなりカッコ良くなりました。ちなみに Crab Society South は 85 曲入りの予定だったのですが、34 曲分のレコーディングをうっかり忘れてしまい 51 曲入り（トータルタイム約 13 分）になったんです。この 34 曲は第 2 弾の時にレコーディングしようと思います。

Q：Vulgaroyal Bloodhill が掲げている N.W.O.J.G.G.（New Wave of Japanese Gore

Grind）はどのようなものを指していますか？
A：これは 1970 年代後半のイギリスで起こったムーブメント N.W.O.B.H.M.（New Wave of British Heavy Metal）のパクリです。日本のゴアグラインドシーンが盛り上がって、ムーブメントが巻き起こって欲しい願いがありました。これは Vulgaroyal Bloodhill の所有物でもないので、もしも N.W.O.J.G.G.（New Wave of Japanese Gore Grind）にご興味のあるゴアバンドさんがいらっしゃいましたら、ご自由に使っていただけたら嬉しいです。
Q：2014 年に行われたメキシコでのツアーや韓国でのライブなどの海外公演はいかがでしたか？　また特に印象的な出来事やエピソードがあれば教えてください。
A：ノリ方はその国々で異なっても共通点は男女問わず、ここぞとばかりにめちゃくちゃ大暴れしたりダンスしたり飛んだり跳ねたり好き勝手に楽しんでました！　なかにはケガをしてる方とかもいましたが、ケンカや暴力的なことは多分無かったはずです。よくあるここでは言えないエピソードは我々も多いですが、フィリピンでひとりのメンバーが数時間も連絡が取れない状態で行方不明になったのはさすがに焦りました……。拉致られたか殺されたとマジで思いました。この出来事は現在制作中の 2nd フルアルバムに収録されてます。あと大抵の国でライブ終了直後

がいろんな意味で大変でした。どこの国へ行っても何かしらのハプニングやイレギュラーは付き物ですが、今思い返すと笑ってた方が多いので幸せです。国内外問わず多くの方々が見えない所でも準備や段取りを一生懸命してくれてるお陰でツアーやライブが行えます。プロモーションしてくれた関係者、現地のバンドやライブへ足を運んでくれたクレイジー過ぎるお客さん達などには本当に本当に感謝してます。Thank you so much!!!

Q：メキシコのベテランバンド Oxidised Razor とはスプリットアルバムの発売、メキシコでの共演などを経験していますが、彼らとこのような綿密な関係を築くきっかけはどのような出来事でしたか？

A：スプリットに誘われたのか誘ったのか全く覚えていませんが、コンタクトを取り合いながらスプリットを作ったことや、メキシコツアーの時に Oxidised Razor のメンバーも一緒に大きめのハイエースみたいなツアー車に乗り込んで長距離移動をしたんですが、その時は特に親睦が深まった気がします！　とは言え記憶が殆どないのは Vulgaroyal Bloodhill チームはトイレ休憩以外ずっと寝てたからだと思います。Oxidised Razor のアーロンや他のメンバー方も本当に優しくてとても良い人達でした。

Q：Toyo さんご自身は最近のエクストリーム音楽（ゴアグラインドに限らず）を聴いていますか？　特に好きなバンド等いましたら教えてください。

A：最近のエクストリーム音楽だと Sanguisugabogg、GRAVAVGRAV、Gut の新作（『Disciples of Smut』）などですが、結局はジャンル関係なく昔から聴いているバンドを聴き返してます。そのなかでも最近よく聴いているのは Vulgaroyal Bloodhill なんですが、2nd フルアルバムのミックス＆マスタリング音源をズーッと聴いてるからです。特に好きなバンドを選ぶのも難しいです、Slayer、初期 Sepultura、初期 Death Angel、Brujeria、S.O.D.、Disgorge（Mex）、Cannibal Corpse、S.O.B、The Locust、Carcass etc です。

Q：ご自身が選ぶゴアグラインドにおける名盤をいくつか教えてください。

A：Vulgaroyal Bloodhill『Muerteatroz』
Gut『Odour of Torture』『The Cumback 2006』
Biological Monstrosity『4way Split (w/ Magistral Flatulences / Spermswamp / Facial Abuse)』
Disgorge（Mex）『Forensick』
Last Days of Humanity『Putrefaction in Progress』
Regurgitate『Deviant』
Carcass 1st, 2nd

Anal Volcano

人

¡No Puedo Vivir Sin Eso! 日本
Obliteration Records 2014

活動開始時期不明、東京にて結成。メンバーは人数も含めて流動的であるが、同じく東京のゴアグラインドバンドやハードコアバンドのメンバーが参加している。本作がデビューEPで、エンハンスドとしてプロモーションビデオとライブ映像が収録されている。コンセプトは同じく覆面バンドのBrujeriaの影響が感じられ、麻薬ディーラーを名乗る同バンドに則り、ジャケット等にマリファナの画像が使用されている。サウンド面ではGut等に見られるミドルテンポのフレーズにピッチシフター・ヴォーカルが乗るポルノゴア的展開で構成されている。またシンガロングするパートもあり、全体として非常にキャッチーな楽曲が揃っている。

Coprophagia

人

糞ったれ人生 日本
Sick!!!Sick!!!Sick!!! Records 2008

2003年大分にて結成。本作はデモ音源やスプリットアルバムを経て発売された1stアルバムで、フェティッシュなジャケットが印象的である。メンバーや編成は流動的であるが、本作はEnema Bitoとデスメタルバンド Death Thirstでも活動していたKenji Toshoの二人によって制作された。ブルータルデスメタルを基調とした楽曲をプレイしているがゴアグラインド要素も非常に多く挿入されており、時折入るSEや転調した際の刻むギターフレーズ、ひたすら走り続けるブラストなどはLast Days of HumanityやDisgorgeなどからの影響が強く感じられるものになっている。

Crash Syndrom

人

Postmortem Solutions to Mundane Issues 日本
Obliteration Records 2018

2004年ウクライナの兄弟により結成され、2006年まで活動を続ける。2016年にメンバーのStefanが来日し、ドラムにデスメタルバンドDefiled等で活動していたOkadaを加え、活動を再開する。本作は1stアルバムで、ジャケットはデスメタル系を多く手掛けるKirill Semenovが担当した。サウンドはCarcassに影響を受けたデスメタル調のギターリフや、高低掛け合いヴォーカルに疾走するブラストビートが絡むクラシックなゴアグラインド。本作発売後ベーシストとして仙台のブラックメタルバンドFatal Desolationにも在籍するTomoが加入し、以降も精力的に活動している。

Deathtopia

人

Human Anatomy Show 日本
One-A Records 2011

2010年結成、大阪出身のMuneを中心としたバンドで、国内にとどまらずアメリカ、イタリアなどインターナショナルなメンバーが所属しており、Funeral RapeのMarcoなども在籍していた。1stアルバムである本作では、ブルータルデスメタルバンドPukelizationに所属していたYuichiroがドラムを務めている。スプラッターな世界観でExhumedやHaemorrhageに影響を受けたゴアメタルをプレイしている。メタリックなパートが多いものの、スラッシュ、デスメタル系シャウトとピッチシフター・ヴォーカルの掛け合いなどで、ゴアグラインドらしさを力強く表現している。

Euthanasia

人

Demos and Rehearsals 1992-1993 日本
Nuclear Abominations Records 2018

1992 年結成。ハードコアバンド Frigöra やグラインドコアバンド C.S.S.O. に在籍した Makoto や Gore Beyond Necropsy の Akinobu らが在籍していたバンドで 1993 年まで活動した。本作はデモテープ、リハ音源に活動キャリアにおいて唯一のライブ音源をまとめたコレクションアルバム。初期 Carcass や General Surgery 系のゴアグラインドにグラインドコアやハードコア的エッセンスを加えたスタイルで、後年似た音楽性のバンドは台頭してきているが、日本において 90 年前半にこのようなクロスオーヴァー的ジャンルをプレイした数少ないバンドである。

Failed Treatment

機

Spread of Infection 日本
Independent 2019

2019 年始動、Patisserie の Hagamoto によるプロジェクト。1st アルバムである本作には、ベーシストとして Crash Syndrom の Stefan が参加している。また、ジャケットイラストはノイズコアバンド Hypnic Jerk の Travis Papkey が担当している。Patisserie と同じくオールドスクールでクラシックなゴアグラインドをプレイしているが、こちらはよりグラインドコア要素が強まり、よりパンキッシュでファストな印象が感じられる。Regurgitate 等からの影響も感じられるわかりやすいフレーズやキメが組み込まれており、一貫して聴きやすい作品になっている。

FesterDecay / Crash Syndrom

Encyclopedia of Putrefactive Anomalies 日本
Obliteration Records 2020

2020 年発売、国内におけるオールドスクールゴアを担う 2 組によるスプリットアルバム。FesterDecay は福岡出身のバンドで、2016 年の結成以降何度かのメンバーチェンジを経た後の新体制となって初の音源である。初期 Carcass に始まるオールドスクールなゴアグラインドやデスメタルの影響を公言しており、本作でも楽曲、プロダクション等全てにおいて同バンドの影響が遺憾なく発揮された楽曲を収録している。Crash Syndrom も同じくオールドスクールゴアからの影響を感じさせながらも、メロディックなギターリフなどを取り入れた長編のデスメタル風楽曲を収録している。

Gore Beyond Necropsy

人

Noise-A-Go Go!!! 日本
Relapse Records 1998

1989 年神奈川にて結成。2005 年以降は Noise a Go Go's という名前で活動している。また打ち込みドラムを使用していた時期もある。多くのデモ音源やスプリット、EP を経ての本作が 1st アルバムである。ノイズ担当のメンバーがいることや、ショートカットな楽曲が多いことからノイズグラインドバンドとして語られることも多いが、世界観や特にヴォーカルスタイルはゴアグラインドに近い。基本的に楽曲はブラストが炸裂するグラインドコア系のものが多く、Regurgitate 等のオールドスクールゴア影響下の楽曲も存在している。また特に海外においてこのバンドからの影響を公言するゴアグラインドバンドも多い。

Gorezunyan

機

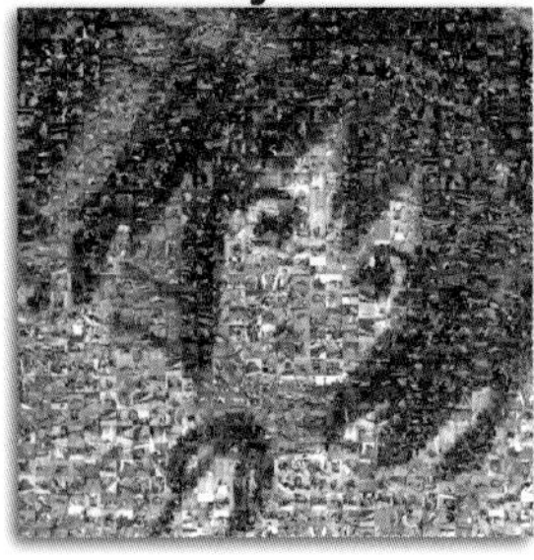

Enemy of the Azunyan Business 日本
Independent 2012

活動開始時期不明、日本の女性ワンマンプロジェクト。本作は 1st アルバムで、フィジカル化された初の単独作品。バンド名や曲名、SE 等でアニメ『けいおん！』の登場キャラあずにゃんこと中野梓をテーマにしており、本作のジャケットも死体写真のコラージュで中野梓を表している。主に Last Days of Humanity 影響下のノイジーなギターや爆速マシンブラストで構成され、時折スラミングなビートダウンが挿入される楽曲をプレイしている。また女性とは思えないほど強烈な下水道ヴォーカルが印象的である。本作の後、ベーシストを加え「Gore Slamming Show」として数回ライブを行うもその後の消息は不明である。

GO-ZEN

人

Hitoshizuku 日本
Independent 2012

2009 年ベースボーカルの Spetsnaz のソロプロジェクトとして活動を開始する。本作はギター、ドラムを迎えたバンド編成にて制作された 1st アルバムで、レコーディング Studio ChaosK にて行われた。ゆったりとした曲からファストな曲まで幅広くプレイしており、影響を公言する Jig-Ai の要素が強く感じられる楽曲が多く収録されている。また曲名は声優の伊藤静や彼女が演じるキャラクターに関連するものが多く、バンド名も彼女のあだ名である「静御前」から来たものである。本作リリース後ドラムのメンバーチェンジなどを経て、2020 年にバンドとしての活動終了が発表された。

Labia Majora

機

Beheaded Bodies 日本
Independent 2018

2014 年に活動開始したものすごい光に在籍する Suguru によるプロジェクト。ベーシストを擁したデュオ編成で活動を開始し、現在はソロプロジェクトとなった。デジタルでデモ音源を 2 作リリースしたのちの初の CDR 作品である。サウンドは Rompeprop 風のグルーヴィー・ゴアグラインドでひたすらキャッチーに楽曲が展開する。またところどころにメタリックなアプローチも組み込まれている。ヴォーカルはピッチシフターを基調にし、掛け合いパートや豚声などを挟み楽曲をさらに目立たせている。本作以降はよりスピーディでクラシックなゴアグラインドを追求する音楽性へと変化していった。

Mankolover

人

Libidorhythm 日本
Voidragon Productions 2009

2002 年結成。2004 年に日本のグラインドコアバンド Graviton とスプリットをリリースし、その後のメンバーチェンジで GO-ZEN にも在籍した Shuhei が加入、本作が初の単独音源としてリリースされた。ド直球のバンド名にライブが全裸で行われるなど、日本においてポルノゴアを最大級に表現したともいえるバンド。パンク、ハードコア流のキャッチーでわかりやすいリフにブラストが走り抜け、またゴアグラインドでは珍しくスラップベースが絡む独創的なサウンド。歌詞はすべて日本語で書かれており、ヴォーカルもノーエフェクトの高低ツインヴォーカルなので非常に聴き取りやすい。

Oniku

Bokujou 日本
Independent 2012

2006 年始動、東京のワンマン・ゴアグラインド。ライブ活動や国内のバンドとのスプリット、コンピレーション参加を経て 2012 年に発売された 1st アルバム。バンド名に則り曲名全てを肉関連のものにしており、日本独自のゴアグラインドの世界観を表現している。ゆるい雰囲気のジャケットからは、既存のゴアグラインドに対するアンチテーゼも感じられる。また、Regurgitate、General Surgery、Dysmenorrheic Hemorrhage のカバーも収録されている。サウンドはオーソドックスではあるが、個々の楽曲の特徴がしっかりと表面化しているゴアグラインド。

Oniku

機

Way to Live 日本
Shit-Eye Cassettes 2017

前作が海外に広く知られ、Faeces Eruption や Gangrene Discharge など第一線で活躍するワンマンプロジェクトとのスプリットや海外レーベル主催のコンピレーションへの参加を経験した後に、2nd アルバムである本作がリリースされた。ジャケットはノイズグラインドバンド Sete Star Sept の Kae が担当し、また Dead Infection、Maggut のカバーも収録されている。前作と比べるとデスメタル風のアプローチも見られるようになり、よりボリュームが増し、進化した楽曲を味わうことができる作品になっている。しかし、本作発売直後に活動休止を表明している。

Patisserie

機

Symphoreniology 日本
Independent 2013

2005 年始動。グラインドコアバンド Bodies Lay Broken や Butcher ABC などに在籍していた日本在住アメリカ人 Hagamoto によるプロジェクト。スプリットを含む多くの作品をリリースしているが、本作は Bandcamp でもダウンロード可能な 2013 年の EP。Dead Infection などに見られるクラシックなゴアグラインドを軸にし、ギターソロなどのデスメタル要素で楽曲を彩るスタイルが特徴的。ほとんどの曲が 1 分未満でなおかつマシンブラストも多用されるので、流れるように曲が進んでいく。2017 年に Patisserie としての活動を終了した。

Pharmacist

人

Medical Renditions of Grinding Decomposition 日本
Bizarre Leprous Production 2020

2020 年始動、Crash Syndrom の Stefan を中心としたプロジェクト。活動開始から 1 年ほどでスプリットを含む多数の作品をリリースしており、本作は 1st アルバムにあたる。ジャケットを多くのデスメタル / ゴアグラインドバンドに所属しながら、コラージュアーティストとしても活動する Adam Medford が担当した。Crash Syndrom と比べてデスメタルの要素が強く、また特に Carcass の影響を前面に出したオールドスクール・ゴアグラインドをプレイしている。4 分越えの長大な曲がほとんどで転調も多く、またその中に少々テクニカルなフレーズなども導入されている。

Pignick

機

Nick Man S.M 日本
Independent 2014

活動開始時期不明。元々は岡山で Deformed Pigs というバンドで活動していた人物によるソロプロジェクトで、後年デュオ体制となった。デモ音源や Sulsa とのスプリットカセットテープを経ての 4 枚目の音源。ゲストギターとしてグラインドコアバンド Realized の KNJ が参加している。名前に恥じない強烈な豚声ヴォーカルと、シャウトのツインヴォーカルによって繰り広げられるポルノ SE 盛り沢山の、Cock and Ball Torture 影響下の打ち込みポルノゴアをプレイしている。またライブでは覆面ツインヴォーカルが打ち込み音源に合わせて、ノリノリに暴れ回るパフォーマンスが話題になっている。

Zillion / Patisserie

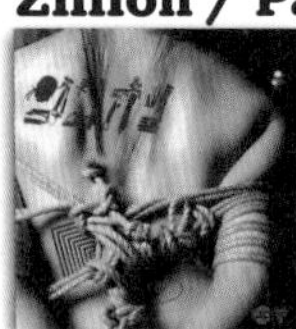

Split 日本
Discos Al Pacino 2006

2006 年発のスプリットアルバム。Zillion は日本のポルノゴアバンド。結成時期、現在の状況等不明な点は多いが、2006 年近辺で精力的に活動しており、ヴォーカルはハードコアバンド kamomekamome の音源にゲストヴォーカルで出演するなど幅広い活動が窺える。また Cock and Ball Torture の来日公演に出演していることからもわかる通り、同バンドからの影響が特に色濃く出たポルノゴアをプレイしている。長時間のポルノ SE から始まるグルーヴィーな楽曲など、日本において数少ない Cock and Ball Torture フォロワーで、かつ高純度のポルノゴアをプレイしていたバンドである。

血ミドロ

人

愛憎底なし沼 日本
SE WORKS 2015

名古屋出身、読み方は「ケツミドロ」。前身バンド Ox ☆ Nx（オナニン）、う "ぉりしょゐを経て 2014 年より活動開始。3 人編成で、バンド名の通りライブやアーティスト写真では、全身に血糊をまとった姿が確認できる。本作は前身バンドのセルフカバーを含めた 1st アルバム。曲名からも判断できる通り、お下劣でエログロナンセンスな世界観を持つバンドである。サウンドはデスメタル、スラッシュメタル寄りであるがドラムの音作りはゴアグラインド風である。ブラスト、グルーヴィーなフレーズを兼ね備えたポップなサウンドに合わせて、ヴォーカルが下ネタを叫ぶという非常にわかりやすく、とっつきやすい楽曲をプレイしている。

ものすごい光

機

Pornative Nerds 日本
More Porno Records 2019

2009 年新潟にて結成。打ち込みドラム、弦楽器隊、ヴォーカルの 3 人編成バンド。メンバーはソロプロジェクトや別バンドなどでも精力的に活動している。本作は初の単独アルバム作品。メキシコの P.R.O.S.T.I.T.U.T.A. の影響を多大に受けており、ジャケットも同バンドの 1st アルバムのパロディである。アニメ、ポルノ SE を使用したダンサブルでグルーヴィーなゴアグラインドを基調にし、ところどころに変拍子などのテクニカルなフレーズが組み込まれているのが特徴的。また、ヴォーカルの佐久間「触手」タカトによる強烈なピッグスクイールも耳に残る。

海外バンド来日公演一覧

Carcass

1994年5月7日	大阪 Moda Hall
1994年5月9日	川崎 CLUB CITTA'
1994年5月10日	川崎 CLUB CITTA'

2008年10月18日	さいたまスーパーアリーナ 「Loud Park 08」
2008年10月20日	名古屋 Club Diamond Hall
2008年10月21日	大阪 BIG CAT

2013年10月19日	さいたまスーパーアリーナ 「Loud Park 13」
2014年5月1日	広島 CLUB QUATTRO
2014年5月2日	梅田 CLUB QUATTRO
2014年5月3日	名古屋 CLUB QUATTRO
2014年5月6日	渋谷 CLUB QUATTRO
2014年5月7日	渋谷 CLUB QUATTRO

General Surgery / Impaled

2006年9月14日	新栄 Taurus
2006年9月15日	難波 Bears
2006年9月16日	池下 Upset
2006年9月17日	浅草 KURAWOOD
2006年9月18日	浅草 KURAWOOD

Dead Infection

2003年11月21日	新宿 WALL
2003年11月22日	小岩 eM 7
2003年11月23日	難波 Bears
2003年11月24日	名古屋 Huck Finn

Exhumed

2002年4月3日	難波 Rockets
2002年4月4日	名古屋 TIGHT ROPE
2002年4月5日	長野 Pumpkin Head
2002年4月7日	渋谷 CYCLONE

2012年10月15日	渋谷 CLUB QUATTRO
2012年10月16日	梅田 CLUB QUATTRO
2012年10月17日	名古屋 CLUB QUATTRO

2002～2012年の間にも数回来日しているが、詳細な情報は不明である。

Cock and Ball Torture

2006年2月11日	高円寺 20000V
2006年2月12日	足利 BBC CLUB
2006年2月13日	小岩 eM 7
2006年2月14日	横浜 Club 24 West

Haemorrhage

2005年9月16日	難波 Bears
2005年9月17日	栄 TIGHT ROPE
2005年9月18日	浅草 KURAWOOD
2005年9月19日	浅草 KURAWOOD

Jig-Ai

2014年2月28日	浅草 KURAWOOD「Obscene Extreme Asia 2014」
2014年3月1日	浅草 KURAWOOD「Obscene Extreme Asia 2014」
2014年3月2日	秋葉原 Studio Revole

Pulmonary Fibrosis / Sulsa

2015年7月31日	秋葉原 Studio Revole
2015年8月1日	小岩 BUSHBASH
2015年8月2日	新栄 Reflect Studio

2 Minuta Dreka

2015年11月18日	小岩 BUSHBASH
2015年11月19日	西横浜 El Puente
2015年11月20日	浅草 KURAWOOD「Obscene Extreme Asia 2015」
2015年11月23日	浅草 KURAWOOD「Obscene Extreme Asia 2015」

2019年6月7日	小岩 BUSHBASH
2019年6月8日	新宿 Dues
2019年6月9日	高円寺 Studio DOM
2019年6月10日	渋谷 Ruby Room
2019年6月14日	西荻窪 Pit Bar
2019年6月15日	鶯谷 What's Up
2019年6月16日	西横浜 El Puente

Rompeprop / Rectal Smegma

2015年11月20日	浅草 KURAWOOD「Obscene Extreme Asia 2015」
2015年11月21日	吉祥寺 Club Seata「Obscene Extreme Asia 2015」

Dead

2004年10月8日	難波 Bears
2004年10月9日	名古屋 Huck Finn
2004年10月10日	小岩 eM 7
2004年10月11日	新宿 WALL

Die Pigeon Die

2015年1月9日	国分寺 Morgana
2015年1月10日	大阪 King Cobra
2015年1月11日	長野 India Live the Sky
2015年1月12日	小岩 BUSHBASH

Enema Torture / Fetus Slicer

2015年8月1日	小岩 BUSHBASH （Fetus Slicer）
2015年8月2日	小岩 BUSHBASH
2015年8月7日	小岩 BUSHBASH

Fetus Slicer (w/ Fake Meat / Myxoma)

2018年9月16日	秋葉原音楽館
2018年9月17日	高円寺 Studio DOM

Heinous

2018年4月11日	京都 Socrates
2018年4月12日	岐阜 King Biscuit
2018年4月13日	新宿 Dues
2018年4月14日	横浜 El Puente
2018年4月15日	高円寺 Studio DOM

Smallpox Aroma

2018年9月7日	横浜 El Puente
2018年9月8日	西荻窪 Flat
2018年9月9日	川越 Studio I.M.O.

Meat Spreader

2018年10月26日	浅草 Gold Sounds
2018年10月29日	新宿 Dues

Gore and Carnage (w/ Here Comes the Kraken)

2019年12月4日	大阪 DROP
2019年12月5日	名古屋 Music Farm
2019年12月6日	渋谷 THE GAME
2019年12月7日	新宿 Merry-Go-Round
2019年12月8日	藤沢善行 Z

Lord Piggy

2019年10月12日	大阪戦国大統領
2019年10月13日	浅草 Gold Sounds

Brujeria

2017年10月14日	さいたまスーパーアリーナ「Loud Park 17」

Ass Deep Tongued

2019年10月12日	浅草 Gold Sounds
2019年10月14日	大阪火影
2019年10月15日	京都 Socrates
2019年10月18日	西横浜 El Puente
2019年10月19日	高田馬場 GATEWAY Studio

Deep Dirty (w/ Deathtopia)

2018年4月6日	新宿 Dues
2018年4月7日	西横浜 El Puente
2018年4月8日	浅草 Gold Sounds
2018年4月13日	新宿 Dues

Lurid Panacea

人

The Insidious Poisons アメリカ / オーストラリア
Goatgrind Records 2019

2018年結成、メルボルン出身Rawhead等に在籍していたAdrianとオハイオ州出身Sulfuric Cautery等で活動するIsaacによるインターナショナル・プロジェクト。本作は1stアルバムにあたり、ジャケットはSulfuric Cautery等も手がけるVickyが担当した。Isaacの代名詞とも言える超高速ブラストに、テクニカルなギターリフが乗るゴアグラインドをプレイしている。ドラムにおいてもブラスト以外はテクニカルなフレーズが多く、両者が複雑に絡み合い、しかし要所要所がきっちりとハマる様子はテクニカルなブルータルデスメタルからの影響も感じられる。

Dysmenhorrea

人

Cadaveric Feast of Regurgitated Carnage アメリカ / スウェーデン
Swallow Vomit Productions 2017

2017年結成、アメリカ出身ブルータルデスメタルバンドAuricular InseminationなどでDamienと、スウェーデン出身Splattered Entrailsにも在籍していたUlfによるインターナショナル・プロジェクト。本作は1stアルバムで、ミックス、マスタリングを両者共に関係の深いKarl Jonas Wijkが担当した。高音スネアを使用し、Last Days of Humanity直系の高速ブラストをふんだんに盛り込んだゴアグラインドをプレイしている。ピッチシフター・ヴォーカルを基調としているが、時折ノンエフェクトのヴォーカルも挿入され、またブルータルなパートなどが現れることもある。

Putrefaction Sets In

人

Repugnant Inception of Decomposing Paroxysm スウェーデン / ブラジル / アメリカ
Black Hole Productions 2022

2018年結成。General Surgery、Lymphatic Phlegm、元Regurgitate、グラインドコアバンドExpurgoのメンバーが在籍するインターナショナルバンド。本作は1stアルバムにあたり、ジャケットをデスメタル系を多く手がけるArs Moriendeeが担当した。オールドスクール系統のサウンドを取り入れた、クラシックで模範的なゴアグラインドをプレイしている。ヴォーカルはピッチシフターとグロウル、シャウトが交互に登場している。ギターソロなどメタリックなエッセンスも強く感じられるが、楽曲は3分未満のものが多くどちらかと言えばグラインドコア寄りである。

Putrefuck

人

Impending Necrophilia in Fresh and Pale Cadavers Arriving to the Morgue スペイン / メキシコ
Uterus Productions 2015

スペイン在住Tamagotchi Is DeadのメンバーであるAdriánと、メキシコ在住Septic AutopsyのCarlosによるインターナショナル・ゴアグラインド・プロジェクトとして2013年に始動。多くのスプリットをリリースしており、本作は1stアルバムとして発表された。下水道ヴォーカルが目立つオールドスクールなゴアグラインドをプレイしているが、非常にクリアな出来栄えになっているプロダクションが特徴的。特にドラムは人力だが、マシンにも聴こえる非常に無機質な音作りが施されている。本作以降に発売された作品では、よりデスメタルに近いサウンドへと変化していった。

Vaginal Cadaver

The Art of Masturbation ドイツ / オーストリア

Torn Flesh Records 2014

2009 年結成、ドイツ在住楽器担当の Niko とオーストリア在住ヴォーカル担当 Max によるインターナショナル・プロジェクト。バンドロゴはブルータルデスメタルバンド Waking the Cadaver のパロディ。多くのスプリットに参加しており、本作は初の単独アルバムである。ポルノ SE をふんだんに使用した Cock and Ball Torture や Spasm などの影響が感じられるグルーヴィー・ポルノゴアをプレイしている。転調を繰り返すことでグルーヴ感を生み出しており、スラム風のフレーズが使われることもある。ドラムはチープだが弦楽器は低音がよく響いており、プロダクション面も申し分ない出来栄えになっている。

Splatter Autopsy Protocols

人

Deranging Suppuration 日本 / ロシア

Independent 2018

2018 年結成。Crash Syndrom メンバーと Cystoblastosis の Olga によるインターナショナル・プロジェクト。本作は 2018 年にデジタルフォーマットにて発表され、後にメンバーが運営するレーベルより CD としてリリースされた。サウンドはオールドスクールなゴアグラインドをプレイしている。全ての曲が 1 分未満でサウンドもノイジーになっているが、Crash Syndrom のオールドスクール・ゴアメソッドはここでも引き継がれている。ひたすらブラストが続く系統ではなく、転調や展開がしっかりと決まっており、それぞれに楽曲の特徴が表れている作品となっている。

Basket of Death

機

Origami Jigoku 不明

Fecal-Matter Discorporated 2004

結成時期不明。自称日本在住の二人組によるユニット。「死のバスケット」とも表記され、日本のヤクザ、エログロ、フェティッシュなどのアングラ文化をテーマにしている。曲名にもところどころ間違ってはいるが日本語が使われている。本作は 2nd アルバムにあたり、ジャケットにはエログロ漫画家氏賀 Y 太の作品を使用している。Catasexual Urge Motivation にも通ずるインダストリアルな打ち込みゴアグラインドで、ノイズ要素が多く含まれているところが特徴といえる。曲のバリエーションも幅広く、SE や音圧などのプロダクション等を含めてもボリューム満点の 1 枚である。

Soldered Poon

機

Chapter of Maliciousness ベルギー / モロッコ / イスラエル

Last House on the Right 2008

2003 年結成、Abosranie Bogom や Sperm Overdose のメンバーらを含むベルギー、モロッコ、イスラエルのインターナショナル・プロジェクト。2011 年まで活動し、2021 年に活動再開した。本作は唯一のアルバムでマスタリングを James Plotkin、ジャケットを Lou Rusconi が担当した。リフはオールドスクール系だが、グルーヴ感の強いゴアグラインドをプレイしている。ブラストは少なく、時折スラミングな要素も感じられる終始遅いテンポのまま曲が展開されていく。またドラマーの名前がクレジットされているが、打ち込みドラムとなっている。

コラム ゴアグラインド・インフルエンサー紹介

ゴアグラインドの情報を知る手段は Bandcamp や SNS が一般的であるが、ゴアグラインドの情報をまとめたウェブサイトや YouTube チャンネルも存在しているのでいくつか紹介していきたい。

Webzine

Good Guys Go Grind

ウクライナ、アメリカに在住するメンバーにより運営されているウェブジン。グラインドコアを中心にゴアグラインドも多く取り上げており、ジャンル全体で見ても最大手と言えるウェブサイトである。主に音源レビュー、新譜情報、グッズ情報、イベント情報、インタビューなどを載せている。

Braindead Zine

Blue Holocaust 等に所属する Pierre が運営するウェブジン。レビュー、インタビュー、新譜情報などに加え、バンドのディスコグラフィーや実際に音源が聴ける MP3 プレイヤーツールなども載せていた。サイト自体の更新は 2013 年ごろから停まっているが、Facebook では新譜紹介など更新を続けている。

Nuclear Abominations

イタリアを拠点に 1995 年からファンジン制作を開始し、1999 年よりウェブジンを運営している。また 2002 年からはレーベル業も始めている。デスメタルを主に取り上げているが、ゴアグラインドに関してもスタイルを問わず多くの音源のレビューを投稿している。また現地イタリアに特化したバンド紹介なども記載されている。

YouTube

Gore Grinder

2014 年に開設されたグラインドコアを中心に新譜を紹介する完全非営利型の YouTube チャンネル。音源を丸ごとアップしているという性質から言わば無断転載に近いスタイルであったが、2018 頃より音源紹介というスタンスが強まり、非常に見やすいフォーマットにて動画が制作されるようになった。また、同年以降公式の MV やライブ映像、自作の動画なども投稿されるようになった。多くの動画が 2,000 回再生以上をキープしており、10,000 回再生された動画も少なくない。

MAI GORENOISE

2014 年に開設されたチャンネル。Gore Grinder と比べてさらにアンダーグラウンドでローファイなゴアノイズを中心に、ハーシュノイズやアンビエント系の音源なども紹介している。再生数は少ないが、カルト的な人気を誇っている。また「MAI」という名前を使っており、プロフィール等にも日本語が使われているが、実際に日本人が運営しているかどうかは不明である。

69 Squad / Red Hot Piggys Pussys / Enjoy My Bitch!

3M Split V.A.
Diablos Recs. / 666 Records 2009

2009年発のスプリットアルバム。69 Squadは2003年にメキシコにて結成されたバンド。長らくリリースされた音源は本作のみであったが、2020年には新たなデモ音源がリリースされた。マシンドラムと強烈なピッチシフター・ヴォーカルが特徴的で、サウンドはグルーヴィーなポルノゴアをプレイしている。Red Hot Piggys Pussysはガバキックを導入するなど、よりエレクトロ志向になった楽曲を収録。Enjoy My Bitch!はキャッチーなギターフレーズと終始グルーヴィーなドラムを使用し、比較的クラシックなグルーヴィーゴア寄りになった楽曲を収録している。

Biological Monstrosity / Necro Tampon / Faeces Eruption

Split V.A.
Mad Maggot Records / EveryDayHate 2007

2007年発売のスプリットアルバム。Necro Tamponは2005年結成、イギリス出身のバンド。高音スネアではあるが、もたつきなドラムや楽器陣が埋もれるほど前面に出た下水道ヴォーカルが目立つ。しかしグルーヴ感はしっかりと表現されている。Faeces Eruptionは2003年始動、オランダのワンマンプロジェクト。単独作はほとんどなく、多くのスプリットに参加している。心地よい爆速マシンブラストとゲロゲロヴォーカルが特徴的なショートチューンを収録している。程よくテンポチェンジを挟むなど楽曲の緩急はしっかりついており、曲の展開も非常にクラシックな出来栄えである。

C.A.R.N.E. / Fucksaw

¡Pelea Del Siglo! ¡Hasta La Muerte! V.A.
Bizarre Leprous Production 2009

2009年発売のスプリット。C.A.R.N.E.はGutのカバーを含んだグルーヴィーでノリの良いゴアグラインドをプレイしており、また3分越えの長編の楽曲が多く収録されている。Fucksawはアメリカはウィスコンシン州のデスグラインドバンドScreaming Afterbirthのメンバーらによるプロジェクト。チープなエレクトロサウンドとインダストリアルなマシンドラムを導入したサイバーゴアグラインドをプレイしている。ギターはスラミングなリフなどを含んだ比較的クラシックなもので、楽曲に重たさやノリを与えている。またGutやMeat Shitsのカバーも収録されている。

Cannibe / Gutalax

Mondo Cadavere / Telecockies V.A.
Goregeous Productions / Necrogasm Records / Eatshitbuydie Distro / Avis Odia / Grind Ambush Records / Human Discount Recs. / Cephalic Records / Vomit Your Shirt / Self Cannibalism / Aima Records / Fecal Junk Records / FDA Rekotz 2010

2010年発のスプリットアルバム。CannibeはゲストヴォーカルにMixomatosisのMarcを迎えている。メタル色が特に強いが、下水道ヴォーカルなど汁っぽさや汚さも同時に表現された楽曲を収録している。GutalaxはゲストヴォーカルにPisstoleroのFlatv5や、同じくPisstoleroのメンバーで後にギタリストとして加入するKohyを迎えている。ファニーなジャケットやお馴染みの排泄音SEに始まるお下劣でグルーヴィーな楽曲を収録している。また本作に収録されている童謡「ゆかいな牧場」のカバーはライブでも多く演奏されており、特に人気のある楽曲である。

Carnival of Carnage / Biocyst

They Keep Coming Back in a Bloodthursty Lust for Human Flesh / Non Surgical Modification V.A.
Klysma Records / Mangled Maggot Stew 2002

2002年発、Last Days of Humanityに在籍経験のあるメンバーのワンマンプロジェクト2組によるスプリット。Carnival of CarnageはRogier Kuzeeによるライブ活動を主な目的としたプロジェクト。Tumourと似た作風でマシンブラスト、ノイジーなギター、下水道ヴォーカルを中心に楽曲が構成されている。BiocystはMarc Palmenによるプロジェクト。マシンブラストや下水道ヴォーカルを使用している点などは前者と近いが、ブラストのみで構成されるショートカットな楽曲や、ヴォーカルによる意図的な音割れを組み込むなどより、ゴアノイズに近い作風になっている。

Christfuck / Cave Have Rod

Split V.A.
Soondoongi Records 2014

韓国と中国のゴアグラインドスプリット。Christfuckは2007年ソウルにて結成。Exhumedのパロディロゴからもわかる通り、ゴアメタル調のメロディやフレーズを基調にしながらミドルテンポやブラストも取り入れるオールマイティなバンド。Cave Have Rodは2011年北京にて結成されたバンドで、2013年にはObscene Extremeに出演している。Gronibardの影響を感じるファニーゴアグラインドで、おふざけ要素満載の無駄にメロディックな箇所や裏声で歌い上げるパートなどが耳に残る。刻むギターフレーズからはカッコよさを魅せ、それらの二面性がうまく両立したバンドである。

Emphysematous Excretion of Gangrenous Debridement / Empyaema

Landslide of Organs V.A.
Nerve Altar 2020

2020年発のスプリット。Emphysematous Excretion of Gangrenous DebridementはHoukago Grind TimeのAndrewとPatisserieのHagamotoによるプロジェクト。Regurgitate影響下のオールドスクールでクラシックなゴアグラインドを収録。Empyaemaはシアトル出身のドラマーAlexを中心としたプロジェクト。以前はHagamotoが参加していたが、本作ではカナダにて多くのバンドに所属するCaleb Simardが参加している。音作りはデスメタル寄りだが、ひたすらファストに突き進む楽曲が収録されている。

Excruciation / Cystgurgle / Cancrum Oris / Cardiomyopathy

Asian Pathological Vomit Gorepremacy V.A.
New Standard Elite 2019

インドネシア、タイとアジア圏のゴアグラインド/ゴアノイズバンドを集めてリリースされたコンピレーションアルバム。Cancrum Orisはインドネシア出身の3人組バンド。本作にも収録されているCystgurgleに近い高音スネアブラストが矢継ぎ早に絶え間なく続くゴアノイズで、人並外れたゲロゲロヴォーカルが特徴的である。Cardiomyopathyはインドネシアのマラン出身の3人組バンド。こちらもゴアノイズ系統であるがヴォーカルは下水道ヴォーカルで、1曲にある程度の展開が存在している。また音作りからLast Days of Humanityの影響を特に感じることができる楽曲となっている。

Exulceration / Putrid Offal

Infernal Disgust / Premature Necropsy V.A.

Sicktone Records / Wimp Records 1991

1991 年発のスプリット。ゴアグラインドにおける最初期の作品の一つ。Exulceration は 1989 年に結成されたスイスのバンド。ごく短期間のみ活動していた。グラインドコア系統のファストな楽曲に、デスメタル影響下のギターリフやピッチシフターが乗った楽曲をプレイしている。またトレモロリフやギターソロなども挟まれており、当時としても少し珍しい音楽性であった。Putrid Offal はデスメタルの影響が強い楽曲を収録しており、この当時はデスメタルバンドとしてのポテンシャルが比較的高かったことが窺える。しかし少し荒削りなブラストなど初期のゴアグラインドらしさも同時に感じられる。

Golem of Gore / Human Pancake / Yakisoba / Serotonin Leakage

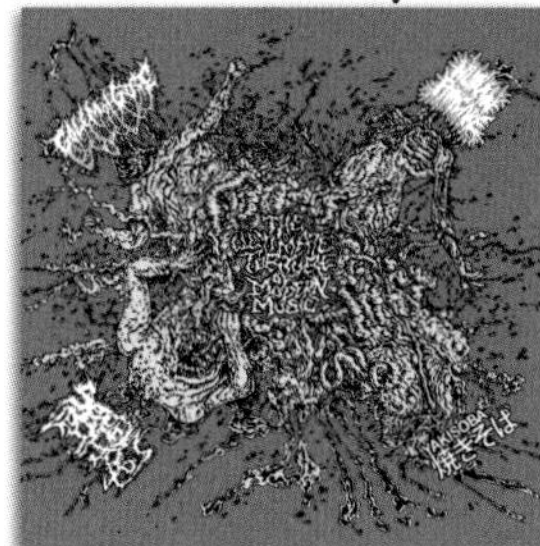

The Ultimate Torture of Modern Music V.A.

Eyes of the Dead Productions 2019

2019 年発売、2018 年以降特に精力的に活動している 4 バンドによるスプリットアルバム。Yakisoba は Catasexual Urge Motivation の Tomoaki をゲストヴォーカルに迎えた楽曲を収録。Golem of Gore はスラッジ系統の重く遅い楽曲を収録している。Human Pancake は Serotonin Leakage の Doc Dank の別プロジェクト。2015 年に始動し、多くのバンドとスプリットを発表している。エレクトロ寄りのマシンドラムを使用し、邪悪なピッチシフター・ヴォーカルが乗る Regurgitate 系の正統派ゴアグラインドをプレイしている。

Jig-Ai / Ass to Mouth

Split V.A.

Bizarre Leprous Production 2011

2011 年に 10 インチレコードで発売されたスプリットアルバム。Jig-Ai は Štefy 在籍時代の最後の音源でアルバム未収録の 4 曲を収録。2nd アルバムと比べるとヴォーカルは健在だが、弦楽器が比較的明るめの音になっており、後の 3rd アルバム以降のデス / グラインドコア路線に繋がる音の特徴が本作にて垣間見えることとなる。Ass to Mouth は 2004 年結成ポーランドはヴロツワフのグラインドコアバンド。疾走感溢れるブラストに挟まれるゴアグラインド風のグルーヴィーなパートや Queen の「We Will Rock You」のカバーなどが特徴的なファニー寄りのデスグラインドをプレイしている。

Lymphatic Phlegm / S.M.E.S.

Pathologist's Cadaveric Fleshfeast / For an Apple and an Egg V.A.

Bizarre Leprous Production 2002

2002 年発のスプリットアルバム。Lymphatic Phlegm は変わらずメロディックなデスメタル風ゴアグラインドをプレイしているが、他の作品よりもヴォーカルに若干汁っぽさが増し、よりおどろおどろしい空気感を醸し出した楽曲を収録している。また SE は全て B 級ホラー映画『悪魔の毒々モンスター』から取られている。フェティッシュなジャケが印象的な S.M.E.S. はキャッチーだが、気の抜けた 8 ビット系エレクトロサウンドと下水道ヴォーカルが前面に出た楽曲を収録している。本作ではマシンブラストよりもノリの良いパートに焦点を当てた楽曲が多い。またギターのチョーキングや笛の音など様々な楽器が挿入されている。

Maggut / Autophagia

Revenge of Corpse / Emetological Gore Splatter Molynsis V.A.
Rottenpyosis Records 2006

2006 年発売のスプリットアルバム。Maggut は Regurgitate 等に影響を受けたパンキッシュなゴアグラインドを中心にプレイしている。ピッチシフターを使用しつつも、力強いグラインドコア的なキメパートなども挿入されており、アルバムと同じく模範的で万人受けするような楽曲が収録されている。Autophagia はブラストを多く含んだゴアグラインドをプレイしている。強烈なピッチシフターや掻き鳴らすようなメタリックなギターリフが特徴的だが、ストップ & ゴーなどグラインドコア的な展開も導入されている。また Autophagia は本作がキャリア最後のリリースとなっている。

Obsceno / Throb of Offal

Alcanzando Un Orgasmo Descomunal / Fungi of Gore V.A.
American Line Productions / Alarma Records / Sindrome Productions 2003

2003 年発売のスプリットアルバム。Obsceno は 2001 年にユカタンにて結成されたバンド。Enjoy My Bitch! の Eduardo や元 Matanza の Adan らが在籍していた。現在は解散済み。ギターフレーズなどにブルータルなエッセンスを含みつつ、ピッチシフターとシャウトの掛け合いなどクラシックなグラインドフレーズを導入したゴアグラインドをプレイしている。ブラストはとても速い分類に入り、ポルノゴアではあるがファストな印象が感じられる。Throb of Offal は伊賀出身のブルータルデスメタルバンド。時折和風なフレーズなどが挿入されるエクスペリメンタルな楽曲を収録している。

Oxidised Razor / Vulgaroyal Bloodhill

Olor a Gente Muerta / Arma Asesina V.A.
Diablos Recs. / Toilet Entertainment 2010

2010 年発のスプリット。Oxidised Razor は 4th アルバムと同じ布陣にてレコーディングされており、ブラストを中心に勢いよく突っ走るファストなフレーズを基調にしたグラインドコア系の楽曲を収録している。また日本のグラインドコアバンド S.O.B. のカバーも収録されている。Vulgaroyal Bloodhill はグラインドロック系統のキャッチーなリフが特徴的なゴアグラインドをプレイしている。基本はミドルテンポのグルーヴィーな楽曲だが、スピード感あふれるブラストなども挿入されており、全体を通しても多くの要素が感じられるボリューミーな作品となっている。

Patisserie / Meatal Ulcer / Organs Tortured

Ride the Wings of Tomorrow's Universal Gore Friendship V.A.
Soondoongi Records 2016

Sulsa の Yuying が監修した 2016 年発ワンマン・ゴアグラインド・コンピレーション。ジャケットは The Day Everything Became Nothing の Xavier が担当している。Meatal Ulcer はファストなショートゴアグラインドを収録。Organs Tortured は仙台のブラックメタルバンド Fatal Desolation の Makoto によるプロジェクト。ノイジーなサウンドではあるが、デスメタル要素を含んだ Carcass 系統のクラシックなゴアグラインドをプレイしている。本作以降海外バンドとのスプリットや海外レーベルからのリリースが増えている。

Rompeprop / Tu Carne

Just a Matter of Splatter V.A.
Bizarre Leprous Production 2004

2004 年発のスプリット。Rompeprop は Steven Smegma がヴォーカルとして参加した最後の作品である。ダンサブルでキャッチーな楽曲を多数収録しており、また「蛍の光」のオルゴール演奏に合わせてピッチシフター・ヴォーカルが叫び続ける曲など、ファニーなアプローチも感じられる作品となっている。Tu Carne は Filipi がディストーションベースを担当し、さらにベーシストである Minso を加えた編成で制作された作品。デスメタル調だが、ファストなパートだけでなくミドルテンポのパートなどもあり、メタル、グラインドの両要素が詰め込まれた作風にて楽曲を作り上げている。

S.M.E.S. / Utero Vaginal Peste

Split V.A.
Meat 5000 Records 2019

2019 年発のエレクトロゴア・スプリットアルバム。S.M.E.S. はグルーヴィーではあるが、ある程度のかっこよさも感じられるサイバーゴア楽曲を収録。Utero Vaginal Peste は Septic Autopsy の Carlos によるプロジェクト。2009 年から現在まで多くの音源をリリースしている。様々なドラムパターンやエレクトロサウンドを駆使し、ゴアグラインド風の楽曲から純粋な EDM、ハウス風の楽曲まで幅広くこなしている。転調も多く、プログレッシヴに曲が進んでいくが強烈なゴアヴォーカルや、またいろいろなエレクトロサウンドを同時に楽しむことができる作品である。

Sarcophaga Carnaria / Mortuary Hacking Session

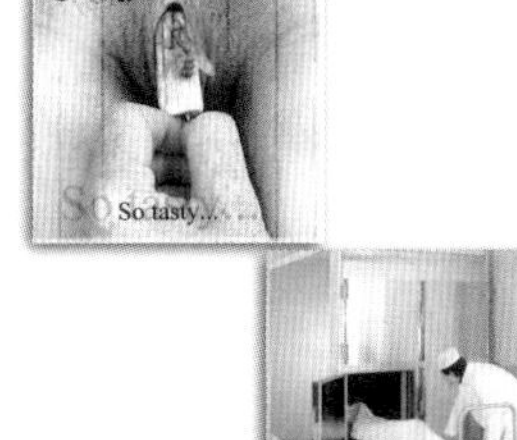

So Tasty... / Painfully Yours V.A.
Last House on the Right 2006

2006 年発のスプリットアルバム。Sarcophaga Carnaria は 1996 年クレルモン＝フェランにて始動したワンマンプロジェクト。メンバーは The Fly と名乗る人物で、ジャケットではハエをモチーフにしているものが多い。現在は活動休止している。デスグラインド系のサウンドにコロコロした下水道ヴォーカルが乗るスタイル。Mortuary Hacking Session は 2000 年ネバダ州エルコにて結成された、メンバー全員が女性のバンド。エレクトロサウンドを取り入れ、様々なパートがプログレッシヴに展開される楽曲が特徴的。ヴォーカルはピッチシフターとシャウトが入り乱れるように挿入されている。

Spermswamp / Sperm of Mankind / SpermBloodShit / Sperm Overdose

Spermholocaust V.A.
Alarma Records 2008

2008 年発、バンド名に「Sperm」を冠する各国代表のポルノゴアグラインドバンドを集めたコンピレーションアルバム。Spermswamp と Sperm of Mankind は 未 発 表 曲、Spermbloodshit と Sperm Overdose は既存曲で参加している。Sperm Overdose は 2006 年ベルギーにて活動開始した Abosranie Bogom のヴォーカル Gilles によるワンマン・ポルノゴア・プロジェクト。ブレイクコア風爆速マシンブラストにカエル系ヴォーカル、下水道ヴォーカル、シャウトなどが絡み合うエレクトロ寄りの楽曲を収録している。

Torsofuck / Lymphatic Phlegm

Disgusting Gore and Pathology / Polymorphisms to Severe Sepsis in Trauma V.A.

Bizarre Leprous Production / Hostile Regression Records 2002

2002 年発のスプリットアルバム。両バンドともマシンドラムを使用したデュオ編成のバンドである。Torsofuck はアルバムと同じく強烈なインパクトを与えるジャケットで、ホラー映画の SE やスラミングなビートダウンなどが挟まれたゴアグラインドをプレイしている。メタリックなギターソロなども導入されており、また曲の展開も多く、一曲一曲精密に作られたことがわかる作品である。Lymphatic Phlegm は B 級ホラー映画の SE から始まり、メロディックでわかりやすく時折テクニカルなギターリフが特徴的な楽曲を収録している。本作は特にギターが目立つミックスが施された作品となっている。

Vampiric Motives / Neuropathia

Fantasy Wants Victim / When the Earth Spit out the Dead... V.A.

Bizarre Leprous Production / Disgorgement of Squash Bodies Records 2000

2000 年発売のスプリットアルバム。日本の Catasexual Urge Motivation が 1997 年に活動停止し、その後「Vampiric Motives」と改名し、短期間のうちに活動していた頃の数少ない音源のうちの一つがこのアルバムである。本作には Catasexual Urge Motivation 時代の楽曲やそれらのリメイク、リミックスに加え、未発表の新曲も収録されている。Neuropathia は 1996 年ポーランドはポドラシェにて結成のデスグラインドバンド。全ての曲が SE から始まり、Gut、Regurgitate のカバーが収録されるなど、本作においてはゴアグラインドの要素が非常に強く出ている。

V.A.

100 Way Splatter Fetish V.A.

Parkinson Wankfist Pleasures / Alarma Records 2007

Parkinson Wankfist Pleasures と Alarma Records が主催するコンピレーションアルバム。2009 年には第 2 弾もリリースされている。本作は Bowel Stew、Lymphatic Phlegm などの正統派ゴアグラインドに、Gut や 2 Minuta Dreka などのポルノゴア、Kots や Spermswamp などのエレクトロゴアを世界各国から総勢 100 組を寄せ集めたアルバムである。また、日本の Absurdgod やマイアミの Otto Von Schirach などのブレイクコア / デジタルグラインド系アーティストが参加しているのも特徴的である。

V.A.

A Symphony of Death Rattles V.A.

Grindfather Productions / A Symphony of Death Rattles 2015

同名のレーベル A Symphony of Death Rattles が主催したコンピレーションカセットテープ。Blue Holocaust、Active Stenosis、Meatal Ulcer、Hyperemesis や日本からは Patisserie、Oniku が参加し、総勢 12 バンドによるアルバムとなっている。全体的な特徴としてオールドスクールなゴアグラインドが前面に出ているが、バンドによってはゴアノイズに寄っているものや、グラインドコアバンド Agathocles に代表されるミンスコア的楽曲をプレイしているバンドもいる。どちらかといえば玄人向けではあるが、しっかりとした楽曲やサウンドのバンドが集まった作品である。

V.A.

Goregrind Café V.A.

Moon Records / Imbecil Entertainment 2003

2003年発のコンピレーション。Moon Records主催の「Goregrind Café」シリーズの第1弾で、2004年に第2弾、2005年に第3弾がリリースされている。シリーズを通しLast Days of HumanityやButcher ABC、Squash Bowels、Dead Infection、Maggutなど著名なゴアグラインドバンドの楽曲を多数収録している。他にもDevourment、Datura等のブルータルデスメタルバンドやPigsty、Cripple Bastards等のグラインドコアバンドも参加している。また未発表の楽曲を収録しているバンドも多い。

V.A.

Slimewave Goregrind Series V.A.

Relapse Records 2008

2006～2008年に『Slimewave』シリーズとしてRelapse Recordsから各1000枚ずつ全6回リリースされた7インチレコードを1枚のCDとして再販したコンピレーションアルバム。イタリアのベテランCripple Bastardsや日本のBathtub Shitter等のグラインドコアバンドもありつつ、Inhume、XXX Maniak、Throatplungerなどのゴアグラインドも多数収録されている。ThroatplungerはXXX ManiakのJasonによる別プロジェクトで、ポルノ、ファニー系のSEに爆速マシンドラムブラストが絡むポルノゴアグラインド。

V.A.

Uncontrolled Laxative Abuse V.A.

Last House on the Right 2005

2005年リリース、ポルノゴア系グラインドバンド9組によるコンピレーションアルバム。Sarcophaga Carnaria、Anal Penetration、Autophagia、Vagitarians、Faeces Eruption、I Shit on Your Face、Basket of Death、Anal Whore、Grossが参加。VagitariansはのちにAnonima Sequestriに所属するメンバーを擁するイタリアのCock and Ball Torture系打ち込みドラムポルノゴア。Grossは1999年より活動を始めるヴァージニア州マリオン出身のワンマンゴアノイズ/グラインド。

V.A.

ぐちゃぐちゃな何か 日本

ぞうさんレーベル 2011

2011年発のコンピレーション。Dead Magro、Finger Head Milk Tea、Low-Gai、gesoninmurgobong、Onikuといった主にMySpace等で活動していた日本のゴアグラインド・プロジェクト5組が参加している。ジャケットは国内バンドを多く手がける漫画家でもあるゲンキダウンが担当した。全組打ち込みドラムを使用しているが、エレクトロ要素の強いバンドから、正統派のゴアグラインドをプレイしているバンドまでさまざまなスタイルの楽曲が収録されている。またミドルテンポの楽曲が多いため、全体を通しても非常に聴きやすい仕上がりになっている。

索引

あとがき

ゴアグラインドについて非常に多くのページを使って紹介してきたが、いかがだっただろうか。本書を執筆する際に主に頭に浮かんでいたターゲットはゴアグラインド初心者、もっと詳しく言うとゴアグラインドを聴き始めた頃の自分自身であった。あの頃の自分がこの本を読んでいたら……ということを念頭に置き、できる限りジャンル外のバンドや用語について詳しく説明し、頭に入っていきやすいように工夫をした。しかしそれではすでにゴアグラインドリスナーの読者は満足できないので、マニアックなバンドや知識を発展させるような紹介も用いた。まえがきでも述べたが、本書で紹介したバンドはほんの一部に過ぎない。ぜひ自分の好きなスタイルのバンドを見つけて、そこからさらに多くのバンドに出会っていただきたい。

未だにリスナーという意識が強い自分にとって、ガイドブック執筆は非常に責任重大だった。しかし書く人がおらず自分に書ける権利があるのであれば、やるしかないという気持ちがあった。執筆当初の自分はやっとレビューなどが書けるようになったばかりといった時期だったので、本書のレビュー執筆も最初はとても手間取った。しかしだんだんと書き方のコツを掴んでいき、最終的には400以上のレビューを書くことができた。過去作の著者の多くも述べているが、インタビューもとても大変な作業であった。返事が来なかったバンドや期日まで回答がもらえなかったバンドも多くいる。依頼したバンドのインタビューは全て載せたい気持ちもあったので、そこは非常に悔やまれる点である。また、好きなジャンルながら歴史や地理などの分野には苦手意識があったが、勉強も兼ねて調べ上げ、自分にとっても良いものに仕上げることができた。不安要素も多くあったが、最終的には自分としても誇りに思えるものが完成した。

さて、本項を執筆している2022年の12月、私は25歳の誕生日を迎えようとしている。そして同時にゴアグラインドに出会ってから10年が経とうとしている。最初は思春期特有の「ヤバいものに触れてみたい」といった軽い感じでゴアグラインドに触れたが、徐々にカッコよさやおもしろさを見出し、興味を惹かれていった。そんな中、高校に進学するが、友達が一人もできず、そのような状況はさらにゴアグラインドにのめり込んでいくのにうってつけだった。とにかく気になった音源はどんどん聴き、知識を蓄えていった。そして初めて行ったゴアグラインドのライブ、2014年のObscene Extreme Asiaでのあまりの楽しさ、そして刺激的な経験から見事にエクストリーム音楽の虜となった。楽しいとは言えなかった学生生活もずっとゴアグラインドと共にいた。そのおかげでなんとか生きていくことができた。「ゴアグラインドに救われた」なんて言えば笑われてしまいそうだが、自分は間違いなく「ゴアグラインドに救われた」人間である。そんな私が出会いから10年後に『ゴアグラインド・ガイドブック』を執筆するということは、運命として決まっていたのかもしれないとすら思える。

最後に、自分を見つけてくださり、最後までサポートしていただいた濱崎氏、インタビューに参加していただいた方々、自分をずっと支えてきてくれた人たち、そしてこのような音楽にドハマりしてもいいぐらい自由に育ててくれた両親に、この場を借りて感謝の意を述べたい。本書は皆様がいなければ、間違いなく成し遂げることができなかった。そして本書を手に取っていただいた方が、今後も素晴らしい音楽人生を過ごすことができるように心から祈っている。

Special Thanks: Pinworm Puella (R.I.P.)、Girls Next Gore (R.I.P.) 、BOTTON BENJO

田上智之
Tomoyuki Tagami

1997年生まれ、東京都文京区出身。幼少期からパンクやメタルに触れており、紆余曲折を経て中学3年生の時にゴアグラインドに出会う。10歳の頃からドラムを始め、2013年ごろに最初のバンドに加入、2015年に人生初ライブを行う。2016年には最初のゴアグラインドバンドに加入、同年から地方遠征や海外バンドとの共演なども経験する。2019年には単身で本場チェコのObscene Extremeに観客として参加。同年末に自主レーベルHappy Despatch Productionsを設立、2021年には国内ゴアグラインドバンドを集めたコンピレーションアルバムをリリースしている。現在は複数のバンドに参加し、またソロプロジェクト等でも活動している。

https://happydespatchproductions.bandcamp.com/
happydespatchproductions@gmail.com
@ToMolester21

世界過激音楽 Vol.17

ゴアグラインド・ガイドブック
究極のエロ・グロ・おバカ音楽

2023年2月10日　初版第1刷発行
著者：田上智之
装幀＆デザイン：合同会社パブリブ
発行人：濱崎誉史朗
発行所：合同会社パブリブ
〒103-0004
東京都中央区東日本橋2丁目28番4号
日本橋CETビル2階
03-6383-1810
office@publibjp.com
印刷＆製本：シナノ印刷株式会社